**Thomas Burger
Das Gespenstergespenst**

Thomas Burger

Das Gespenstergespenst

---

117 Kurzgeschichten zum Gruseln und Hellauflachen

8. Auflage 1974
66.–72. Tausend
© 1955 by Arena-Verlag Georg Popp Würzburg
Alle Rechte vorbehalten
Schutzumschlag: Herbert Lentz
Textillustrationen: Klaus Gelbhaar
Gesamtherstellung: Richterdruck Würzburg
ISBN 3 401 03054 x

... eine Erinnerung

Damals (als ich noch keine Bücher schrieb) habe ich einmal einen Summer hinter die Vorhangleiste in unserem Gästezimmer montiert. Die Leitung lief zur Matratze, und sobald sich jemand auf das Bett legte und zur Wand hin drehte, wurde die Matratze ein wenig heruntergedrückt und der Kontakt geschlossen.

Meine Bastelei hatte ich gerade beendet, als mein Vetter für einige Tage zu Besuch kam. Die erste Nacht ließ ich ihn schlafen. Sicher war er von der Reise recht müde, überlegte ich, und würde tief schlafen und den Summer vielleicht gar nicht hören.

Am folgenden Tag machte ich dann bereits einige Andeutungen, als würde im Fremdenzimmer nicht alles geheuer sein.

Er lachte.

Als er jedoch am Abend immer wieder durch ein gespenstisches Summen erschreckt wurde, lachte er nicht mehr. Immer wieder – ich hörte es vom Nebenzimmer aus – stand er auf, um nach der Ursache zu suchen. Aber ebensooft hörte ja auch das Summen auf, weil der Kontakt unterbrochen war. Er mußte also annehmen, daß da jemand seine Hand im Spiel hatte,

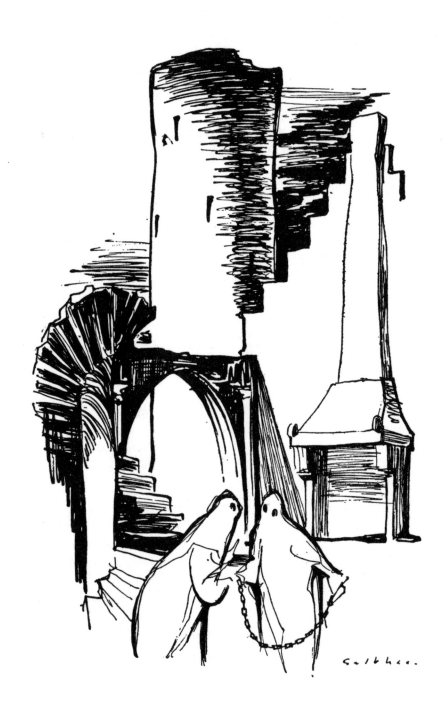

9

Zwischendurch – gewissermaßen als Beruhigungspille – eine Kurzgeschichte. In einem Hochhaus wird eine »Höllenmaschine« entdeckt. Aus sicherer Entfernung beobachten die Angestellten, wie einer die Verschnürung des verdächtigen Päckchens löst. Es tickt . . .
Wenig später erscheint der Sprengmeister. Mit Sirene und Blaulicht fährt er in den Stadtwald – um dort schließlich beim weiteren Auspacken eine Kakaodose zu entdecken, in der ein alter Wecker steckt.

Auf dieser Seite sollte die beste Gespenstergeschichte des ganzen Buches zu lesen sein. Aber wie es so geht: Als das Buch fix und fertig war, fehlte ausgerechnet diese Geschichte!
Ob das kein Beweis dafür ist, daß es wirklich Gespenster gibt?

Es sagte ...

... der bisherige Schloßbesitzer zum Käufer, als plötzlich mitten durch die Bibliothek, in der sie beisammensaßen, ein Ritter stampfte, der seinen Kopf in der Hand und ein bluttriefendes Schwert unterm Arm trug: »Nun regen Sie sich doch bitte nicht auf, mein Herr! Sie wollten doch ein Schloß kaufen, das vollständig eingerichtet ist!«

... der Türmer vom Stadtturm, als er um Mitternacht aus seiner Stube geläutet wurde und draußen ein altes Gespenst erblickte: »Bedauere, aber wir haben hier auf unserem Stadtturm im Augenblick leider keine Stelle zu vergeben!«

... das alte Gespenst zu dem jungen, das seine Lehrzeit noch nicht einmal zur Hälfte beendet hatte: »Nun streng dich heute einmal an und spuke ordentlich! Dann geistern wir morgen nacht zur Abwechslung auch mal in einer Konditorei herum!«

... der kleine Max zu seiner Tante nachts und mit verstellter Stimme durchs Schlüsselloch: »Huhu! Fräulein Grießstamper, legen Sie morgen früh sofort eine Tafel Schokolade auf die Speichertreppe! Andernfalls werden wir Gespenster Sie bis in den Keller verfolgen!«

Der mit dem hochgestellten Kragen

Damals waren die elektrischen Leitungen noch nicht bis in ihr Dorf gezogen, und die Leute vom Talhof saßen wie die von den anderen Gehöften an den langen Winterabenden eng um die Petroleumlampe herum. Die Frauen hatten den Strickstrumpf in der Hand oder machten sich am Spinnrad zu schaffen. Die Männer saßen über kleinen Handarbeiten, und die Kinder verhielten sich in den dunkleren Ecken ganz still, damit man sich ihrer nicht erinnerte und sie in die Schlafkammern schickte. Denn heute waren auch ein paar Mägde und Knechte von den Nachbardörfern da, und es wurden Gruselgeschichten erzählt, wie man sie eben nur in einer Spinnstube zu hören bekam. Ja, damals, als noch kein Radiogerät in jeder guten Stube stand, konnten die Leute noch erzählen!

Manchmal ruhte die Arbeit eine kurze Weile, nämlich wenn es dem Höhepunkt einer Geschichte entgegenging. Hier und dort hörte man einen halb-
unterdrückten Seufzer, und die Jüngsten schoben sich näher an die Großeltern heran. Angst? Nein, Angst zu haben, wollte keiner eingestehen.
Bis dann der Fremde, der für die Nacht um Herberge gebeten hatte und
jetzt mit hochgestelltem Kragen neben dem glühenden Ofen saß, seine
eigene Geschichte erzählte. Aber im Augenblick waren erst noch die anderen an der Reihe – der Altbauer vom Talhof als erster. Er erzählte die
Geschichte vom goldenen Beinchen, und jedesmal huschte ein Lächeln über
sein unrasiertes Gesicht, wenn er gegenüber im Kreise die weitaufgerissenen
Augen seines Enkels entdeckte . . .

Der Altbauer vom Talhof erzählt:

Das goldene Beinchen

Ich selber kann mich nicht mehr an ihn erinnern, aber mein Vater hat ihn noch gekannt. Er muß ein etwas seltsamer Kauz gewesen sein, den die wirre Zeit damals buchstäblich über Nacht in unser Dorf hineinschwemmte. Zufällig war gerade die Kirchenuhr zu reparieren, und weil er den Schaden schnell behob und sich so als Mann vom Fach auswies, trug man ihm schon bald nicht nur von den umliegenden Höfen, sondern aus der ganzen Gegend die schadhaften Uhren hin. Und der Uhrenlorenz, wie man ihn allgemein nannte, brachte sogar die goldene Sprungdeckeluhr des Donnerbauern, die diesem beim sonntäglichen Gang zur Kegelbahn aus der Tasche und in die Jauche gefallen war, wieder in Ordnung.
Über seine Vergangenheit erzählte der Lorenz nie etwas. Lediglich das eine wußte man von ihm, daß er ein goldenes Schlüsselbein hatte, nachdem ihm bei einem Raufhandel das eigene, echte zersplittert worden war. Er sagte das einmal beiläufig, als ihn einer der Bauern fragte, ob er nicht beim Aufsetzen der Dachbalken auf seine neue Scheune behilflich sein wollte. Welcher Art jener Raufhandel war und wieso er, ein armer Schlucker, zu einem Knochen aus Gold gekommen war, verriet er jedoch nicht, und bald waren die meisten im Dorf der Ansicht, daß der Uhrenlorenz schon einmal bessere Tage gesehen haben mußte – vielleicht war er ehemals sogar einer von den ganz reichen Leuten gewesen.
Das Gerücht hielt sich bis zu seinem Tod, ja es bekam an jenem Tag, da man ihn ins Leichenhaus trug, neue Nahrung. So konnte es nicht ausbleiben, daß auch jener Landstreicher davon erfuhr, der sich seit einigen Tagen in der Gegend herumtrieb. Ein Taugenichts war er, der den Bauern frech ins Gesicht lachte, wenn sie ihn einluden, sich ein kräftiges Vesper und die Nachtruhe im Heu durch einen Arbeitstag auf dem Kartoffelacker zu verdienen. Er wollte nicht arbeiten; lieber bettelte er, und der Donnerbauer erwischte ihn gleich zweimal hintereinander beim Stehlen.

Dieser Herumtreiber also konnte das Geraune über das goldene Beinchen nicht mehr vergessen. Er sagte sich, wer goldene Knochen hat, bei dem ist sicher auch etwas in der verwaisten Kammer zu holen. Und so stattete er gegen Mitternacht der kleinen Wohnung, in welcher der Uhrenlorenz ohne Weib und Kind gehaust hatte, einen Besuch ab.

Was sich hierbei ereignete, haben die Leute später zur Hälfte erraten müssen, denn der Landstreicher selber brummte, nachdem man ihn befreit hatte, nur allerhand unzusammenhängendes Zeug vor sich hin. Aber ich muß wohl der Reihe nach erzählen, und wie ich's erzähle, so oder ganz ähnlich muß es sich zugetragen haben.

Der Landstreicher war lautlos in die fremde Wohnung geschlüpft, wo ihn das vielfältige Ticken der Uhren empfing, die aufs Abholen oder – nunmehr freilich vergebens – auf die Reparatur warteten. Der nächtliche Besucher wurde ganz nervös bei dem geräuschvollen Durcheinander, denn von allen Wänden her tickte es: leiser und lauter, rascher und langsamer, dunkler und heller. Manchmal drehte sich auch ein Rad, glitt ein Gewicht um die Breite eines Zackens am Zahnrad tiefer, seufzte das ausgedörrte Holz eines Gehäuses.

Der Landstreicher wußte nur zu gut, daß mit alten Uhren kein Geschäft zu machen war, und deshalb strengte er die Augen an, ob er den Tisch erkennen könnte, wo vielleicht das Geld in der Schublade läge. Eine Kerze anzuzünden, getraute er sich nicht. Wie leicht hätte man den Schein von der Gasse her beobachten können!

Während er so in dem stockfinsteren Raum stand und darauf wartete, daß wenigstens die Umrisse deutlich hervorträten, gewahrte er plötzlich vor sich einen helleren Schein. Es war ein länglicher, schmaler Gegenstand, der von irgendwoher spärliches Licht auffing und golden widerspiegelte.

Gold! Vielleicht hatte der Einbrecher das Wort halblaut ausgesprochen. Jedenfalls ließ ihn der Gedanke an den möglichen Reichtum nicht mehr los. Was da vor ihm leuchtete, lang, schmal, ein wenig unregelmäßig geformt, glich das nicht einem goldenen Beinchen?

Einen Atemzug lang kam dem Landstreicher die Sache nicht recht geheuer vor, doch dann sagte er sich: Warum soll jemand, der ein goldenes Beinchen hat, nicht auch zwei besitzen? Als Ersatz gewissermaßen? Und der Einbrecher tastete sich in die Richtung des sanft strahlenden goldenen Beinchens. Als er dem Kleinod schon ganz nahe war, fühlten seine ausgestreckten Hände hölzerne Streben. Stand er vor einem Regal? Einem offenen Schrank? Wie dem auch war, er mußte das goldene Beinchen haben! Gierig streckte er die Hände danach aus, streifte dabei, ohne sich weiter Rechenschaft darüber abzulegen, an kaltem Metall entlang, beugte sich schließlich weit in das dunkle Fach oder was es sein mochte und hätte wenig später auch sicher die Beute in Händen gehalten, wenn nicht in diesem Augenblick zwei, drei, nein, noch mehr Uhren zu schlagen angefangen hätten.

Der Einbrecher verhielt sich regungslos in seiner Stellung. Wimmernd hoch, grollend tief, frech wie Hohnlachen und geheimnisvoll, als würde unweit von ihm ein zweiter durch die Stube schleichen, so klangen die Stundenschläge, und der Einbrecher zählte mit zusammengepreßten Lippen jeden Schlag: ... sieben, acht, neun, zehn, elf, zwölf.

Mitternacht!

In diesem Augenblick berührte ihn jemand hinten am Hals und drückte ihm den Kopf mit jäher Bewegung nach unten.

»Das goldene Beinchen!« schrie der Einbrecher auf, der den Kopf nicht mehr zurückziehen konnte, so fest hielt ihn der andere gegen eine tieferliegende Querleiste gepreßt. »Ich will es ja gar nicht, dein goldenes Beinchen! Ich will es ja gar nicht! Will es ja gar nicht! Will es ja ...«

Genauso hat es später der Donnerbauer im Wirtshaus geschildert, denn er war gerade die Gasse heraufgekommen, als der Einbrecher so jämmerlich schrie.

Der Donnerbauer lief zuerst einmal in die Wirtschaft zurück, denn allein wagte auch er sich nicht in die Stube des Uhrenlorenz, in der es in dieser Mitternachtsstunde doch ganz offensichtlich spukte.

Sechs oder sieben Männer und Burschen faßten sich schließlich ein Herz, nachdem sie – vor der Tür lauschend – drinnen in der Stube ein immer schwächer werdendes Röcheln vernommen hatten. Sie stießen die Tür auf und leuchteten mit Fackeln und Kerzen hinein – und kamen buchstäblich im letzten Augenblick, um den großen Zeiger der Kirchenuhr, die der Lorenz gerade wieder einmal in Reparatur gehabt hatte, hochzuheben und den eingeklemmten Landstreicher zu befreien. Der Lorenz hatte die Uhr auf ein paar Holzböcke gestellt, um auch die Gewichte einhängen zu können.

Wahrscheinlich wäre dem Landstreicher selber die Befreiung geglückt, wenn er gleich im ersten Augenblick den Zeiger mit den Händen nach oben geschoben hätte. Aber das schlechte Gewissen und die Angst hatten ihn ganz gelähmt.

Er erholte sich wieder, nachdem man ihm in der Wirtschaft ein paar scharfe

Schnäpse eingeflößt hatte, aber er sprach, wie gesagt, nur unzusammenhängendes Zeug.

Der Wirt ließ ihn auf der Bank im Hausflur schlafen. Am nächsten Morgen
war der Landstreicher jedoch schon sehr früh verschwunden. Später erfuhr
man, er habe sich in einem der Dörfer überm Berg als Knecht verdingt;
der Bauer dort sei recht zufrieden mit ihm.

Der Wirt aber erzählte jedem, der es wissen wollte, daß er in jener Nacht die Tür zu seiner Schlafkammer vorsichtshalber nur angelehnt habe, und so habe er den Landstreicher noch mehrmals vor sich hinreden hören. Es wären immer die gleichen Worte gewesen: »Eine Viertelstunde ging die Uhr vor! Eine Viertelstunde! – – – Und es war doch sein zweites goldenes Beinchen!«

In Wirklichkeit war es freilich der kleine Zeiger der Kirchenuhr gewesen, der ringsum vergoldet war und deshalb so geheimnisvoll strahlte.

Wenn Du einmal noch spät unterwegs bist

...darfst Du Dich nicht erschrecken lassen von den Stimmen der Nacht. Nicht vom Wind, der die Blätter bewegt und die Äste der Föhren aneinanderreibt, daß es sich anhört, als wimmere ein kleines Kind. Auch nicht vom Glucksen des Baches und dem leisen Regen dürrer Nadeln im Fichtenschlag. Und erst recht nicht von den nächtlichen Stimmen der Tiere!

»Juik, juik, juik«, macht der Waldkauz, und der Ruf der Waldohreule ist ein pfeifendes Heulen, das zunächst ein wenig anhebt und dann jäh wieder abfällt. Die Waldschnepfe läßt sich in der Frühlingszeit mit einem dumpfen Kehlton hören, den der Jäger »Murksen« nennt, oder auch mit einem scharfen, hohen Pfeifton, der »Schiepen« heißt. »Bö! Bö, böbö!« ruft mit dumpfem, tiefem Laut der Rehbock, und wenn in einer kalten Winternacht lautes Bellen hörbar ist, ähnlich dem Bellen eines Hundes, kann es ein Fuchs sein, den Hunger und Kälte plagen. Wenn aber aus alten Gemäuern einer Ruine oder aus einem offenen Kirchturmspeicher laute, langsame Atemzüge dringen, so, als ob dort jemand tief schlafe, wird es eine alte Eule sein.

Die Großmagd
vom Holderhof weiß auch eine Gruselgeschichte:

Die Mutprobe

Es ist schon an die hundert Jahre her, aber ganz sicher ist es wahr; denn meine Tante hat es von ihrer Großmutter erzählt bekommen, und diese wieder weiß es von jemandem, der dabeigewesen war. Da wurde in einer Spinnstube just auch eine Geschichte wie die vom Uhrenlorenz erzählt, als die Kleinmagd, die sich gern mit kecken Reden hervortat, das erste Schweigen, das der Erzählung gefolgt war, mit angeberischen Worten durchbrach: Sie würde sich nie fürchten! Auch nicht in der Geisterstunde! Und überhaupt sei Furcht eine Sache der Burschen.

»Oha!« rief da der Knecht vom Hof. »Mit dem Mund kann jeder tapfer sein! Aber wenn's drauf ankommt, bist du die erste, die davonläuft und schreit!«

Die anderen in der Stube lachten, aber die Kleinmagd fühlte sich nun an der Ehre gepackt. »Ich nicht!« schrie sie. »Ich geh' sogar um Mitternacht auf den Friedhof, wenn du's haben willst!«

»Abgemacht!« sagte da der Knecht. »Und weil wir anderen gar keine Lust haben, jetzt in die Kälte hinauszugehen, brauchst du uns nur vom Grab des alten Schäfers das Holzkreuz herzubringen. Die Erde dort ist noch ganz frisch aufgeworfen – es kostet dich also wenig Mühe.«

»Bleib da, Kind!« ließ sich in diesem Augenblick die Mutter des Bauern vernehmen; sie kam gern zur abendlichen Runde, wenn es die Gicht, die sie ab und zu plagte, ihr erlaubte. »Bleib da! Mit solchen Dingen treibt man keinen Spaß!«

Aber da war die Kleinmagd, die sich nicht hänseln lassen wollte, schon aufgestanden. Ohne noch einmal zurückzuschauen, ging sie hinaus.

Ums Haus herum heulte der Sturm – es war November –, und die in der Spinnstube fröstelten, als die Tür schon längst wieder zugeschlagen war. Es trug wohl nicht nur der kalte Luftzug die Schuld daran, daß sie alle ein wenig die Schultern hochzogen.

Der Friedhof lag nicht weit, und so vergingen keine fünf Minuten, bis die Kleinmagd wieder die Tür aufstieß. Sie trat jedoch nicht über die Schwelle, sondern deutete lediglich mit einer Kopfbewegung auf das Holzkreuz, das sie vor sich auf den Boden gestellt hatte. Die schwarzen Bretter hoben sich im Lichtschein, der aus der Stube fiel, scharf von der hellen Schürze des Mädchens ab.

»Oha«, sagte der Knecht, »aber nun trag's nur wieder zurück! Das gehört noch zu deiner Aufgabe dazu!«

Die Kleinmagd schüttelte stumm den Kopf.

»Oha!« ließ sich da der Knecht wieder vernehmen, und der Spott in seiner Stimme war unverkennbar. »Jetzt hat es unserer Heldin aber die Sprache verschlagen! – Na, gib es schon zu, daß du dich fürchtest, dann bring' ich schon selber dem Schäfer das Kreuz zurück!«

Doch die Kleinmagd schüttelte zum zweitenmal den Kopf. Langsam drehte sie sich um, ganz langsam. Sie zögerte noch immer. Aber wie sie dann das Lachen des Knechtes hinter sich hörte, raffte sie mit einer hastigen Bewegung das Grabkreuz auf und rannte in die Dunkelheit zurück. Die Tür ließ sie sperrangelweit offen.

Der Knecht erhob sich gemächlich von der Bank und ging zur Tür. Er schloß sie aber von außen.

In der Stube war es so still, daß einer die Atemzüge des anderen hörte. Und dann vernahm man, wie der Knecht vor der Türe unruhig von einem Bein auf das andere trat und wie die alte Großmutter tief aufseufzte. »Wir hätten sie nicht weggehen lassen sollen!« klagte sie.

Es saß wohl keiner in der Runde, der ihr nicht innerlich recht gab. Allein, jetzt war es für solche Gedanken zu spät. Der dumme Scherz mußte zu Ende gespielt werden.

Doch dieses Ende war anders, als man es sich hätte vorstellen können. Der Knecht riß plötzlich die Tür auf. »Schnell!« rief er. Seine Stimme klang fremd. »Es muß ihr etwas passiert sein! Ich habe sie schreien hören!« Und schon rannte er allen anderen voraus zum Friedhof.

Die eiserne Gittertür stand offen. Er schlug die Richtung auf das Grab des Schäfers ein – und da entdeckte er die Kleinmagd am Boden. Sie kniete da, nach vorne gekrümmt, hielt den Schaft des Grabkreuzes in der Hand und wimmerte. »Er läßt mich nicht mehr los! – Er läßt mich nicht mehr los!« verstand der Knecht.

Er wollte das Mädchen hochziehen – aber es ging nicht. Da war wirklich etwas, das die Kleinmagd an der Erde festhielt. Im Schein der Sturmlaterne, die der Sohn des Bauern mittrug, erkannten sie es dann alle: Die Kleinmagd hatte das Holzkreuz in die lockere Erde zurückgesteckt und dabei ihre Schürze mit hineingebracht. Sie hatte das aber erst bemerkt, als sie sich wieder aufrichten wollte, und die Angst, die furchtbare Angst des kleinen, naseweisen und jetzt so weltverlassenen Mädchens hatte ihr eingegeben, es sei der Tote, der hier begraben lag, der sie nicht mehr loslassen wolle.

Viele Wochen lang lag die Kleinmagd krank in ihrer Kammer. Und als sie auch schon wieder aufstehen und im Haus und Hof herumlaufen durfte, ging sie vornübergebeugt und war blaß wie eine verwelkende Blume.

Aber von einem Tag an wurde das anders. Sie bekam ihre frische Farbe und ihre junge Kraft zurück – man meinte die Veränderung von Stunde zu Stunde messen zu können. Es war an dem Tag, da der Knecht ihr unter vier Augen gesagt hatte, daß er sie lieb hätte. Und leise hatte er dann noch gefragt, ob sie ja sagen würde, wenn er im nächsten Jahr die Hochzeit bestellen wolle.

»Mutproben ...

... bei denen der gesunde Menschenverstand und der Humor weggeschickt werden, haben nichts mit Mut zu tun. Und wenn andere auch hänseln – wir lassen uns nicht in ein Abenteuer schicken, das der Leichtsinn diktiert. Unter dem Spott der anderen ruhig und sicher zu bleiben, gerade das verlangt wirklichen Mut!«
Der diese Zeilen in sein Tagebuch schrieb, hatte bei dem furchtbaren »elften Sturz« Gadbens im Zirkuszelt gesessen. Gadben – wenn dieser Name auf dem Programm stand, waren die Vorstellungen ausverkauft. Er sprang aus zwanzig Meter Höhe ab – mit dem Kopf zuerst! Zehnmal ging es gut. Nur zehnmal ...

Der Fremde, der bisher schweigsam neben dem Ofen saß,
erzählt schließlich seine eigene Geschichte

Die Wache

Sie werden mir meine Erzählung kaum glauben, aber was sonst sollte der
Grund sein, daß ich in der Dunkelheit oft und ganz plötzlich friere? Ich
muß da an die furchtbarste Nacht meines Lebens zurückdenken – und es
schüttelt mich dann vor Frost.

Ich war damals als junger Bursche auf Wanderschaft in die große Stadt
gekommen, in der sich das Furchtbare zutrug. Den ganzen Tag hatte ich
Werkstatt um Werkstatt besucht, aber nirgendwo hatte man einen Gesellen
nötig. Ein wenig mißmutig saß in nun am Abend in einer Schenke und
überlegte, welche Richtung ich am nächsten Morgen einschlagen sollte – ob
es aussichtsreicher war in den Orten stromaufwärts oder in denen strom-
abwärts?

Während ich so auf mein Glas Bier starrte, setzte sich jemand an meinen Tisch.
Sein Gesicht gefiel mir von Anfang an nicht recht, aber als er mir zutrank
und sich angelegentlich nach meinen Sorgen erkundigte, glaubte ich doch,
es mit einem Menschenfreund zu tun zu haben.

Er wiegte den Kopf hin und her und meinte dann: »Eine großartige Hilfe
kann ich Ihnen ja auch nicht bieten, aber – nun, einen Taler könnten Sie
sich schon verdienen, wenn Sie nicht allzu ängstlich sind.«

»Ängstlich? Warum denn?« entgegnete ich und sah meinen Tischnachbarn
fragend an.

»Je nun«, sagte er, und ich merkte ihm eine Verlegenheit an, »es ist eine
etwas sonderbare Angelegenheit. Sie brauchten nur Wache zu halten die
Nacht.«

»Wenn's weiter nichts ist!«

»Doch – es ist nämlich keine gewöhnliche Wache, sondern eine – Totenwache«, fuhr mein Nachbar fort.

»Vor Toten braucht man doch nicht Angst zu haben!« sagte ich hierauf.

»Vor diesem vielleicht schon«, meinte der Mann. »Man erzählt so allerlei über ihn, aber wenn Sie sich nicht fürchten – der Taler wäre leicht zu verdienen!«

Ich dachte daran, daß ich nicht einmal das Geld für die nächste Herberge und das nächste Mittagessen besaß, und sagte zu. Von einem Taler konnte ich eine ganze Woche und noch länger leben.

»Trinken Sie erst noch ein Glas«, sagte mein Auftraggeber sichtlich erleichtert, nachdem ich zugesagt hatte. Er bezahlte es und bezahlte dann noch ein zweites. Schließlich gingen wir.

Ich will Ihnen das halbzerfallene Haus neben der alten Stadtmauer, in das er mich führte, nicht im einzelnen beschreiben. Es machte einen verwahrlosten Eindruck, und wenn ich den Taler als Wegzehrung nicht so bitter nötig gehabt hätte – ich glaube, ich wäre noch mitten auf der morschen Treppe umgekehrt.

In dem türenlosen Raum, zu dem die Treppe führte, brannten zwei dicke Kerzen, deren Wachs für mehr als eine Totenwache auszureichen schien. Als wir das Zimmer betraten, flackerten die Lichter ein wenig, aber man konnte doch deutlich genug den Sarg im Hintergrund des Zimmers erkennen.

Mein Auftraggeber wies auf einen Stuhl, dann zog er eine Pistole aus einer verborgenen Tasche seines Mantels und wollte sie mir in die Hand drücken. »Damit Sie ganz ohne Angst bleiben können«, bemerkte er dazu.

Ich schüttelte abweisend den Kopf.

Da legte er das Instrument auf den Tisch. »Für alle Fälle«, sagte er, und ich ließ es geschehen.

Erst als ich allein im Raum war, wurde ich mir der Absonderlichkeit dieses Abends richtig bewußt: Da hielt ich also für einen Taler Entgelt Totenwache bei einem mir völlig unbekannten Mann, nur weil der, dem die Wache eigentlich zugestanden hätte, dafür zu ängstlich war. Nun ja, warum sollte ich armer Handwerksbursch mir den Taler nicht verdienen? Mochte der Tote auch einen noch so schlechten Namen haben – eine Wache verdiente er sicher.

Eine Weile stand ich so da und rührte mich nicht vom Fleck. Nicht etwa aus Angst, sondern eher aus Scheu vor dem Toten. Später ging ich mit leisen Schritten vor den beiden Kerzen auf und ab. Und schließlich sagte ich mir, der Mann im Sarg würde wohl nichts dagegen haben, wenn ich mich ein wenig setzte.

Ich hatte in meinem Wanderleben schon in den sonderbarsten Situationen geschlafen, aber nie hätte ich gedacht, neben einem Sarg einschlafen zu können. Aber mit einemmal war ich es doch, denn ich wachte plötzlich auf. Noch im Aufwachen kam es mir zum Bewußtsein, daß da eben irgendein unerklärliches, alarmierendes Geräusch gewesen war. Ich war sofort hellwach und suchte den Raum womöglich mit einem einzigen Blick zu umfassen. Aber ich gewahrte nichts Verdächtiges – nur die Kerzen flackerten unruhiger als zuvor. Doch das konnte auch von meiner jähen Kopfbewegung verursacht worden sein. Mein Herz, das ein bißchen schneller geschlagen hatte, beruhigte sich schon wieder, da entdeckte ich etwas, was mir den Schweiß auf die Stirn trieb: Der Sargdeckel begann sich langsam zu heben. Alle möglichen Geschichten von Scheintoten fielen mir ein, und ich wollte schon all meinen Mut zusammennehmen und den im Sarg ansprechen, als plötzlich der zur Seite gerutschte Sargdeckel mit lautem Getöse zu Boden fiel und der Mann im Sarg sich mit einer schnellen Bewegung aufsetzte. Aber – aber – das war ja – das war nicht das bleiche, eingefallene Gesicht eines Toten oder Scheintoten, sondern es war – ein richtiger Totenkopf, der mich aus leeren Augenhöhlen ansah.

Wie ich an den Tisch gekommen bin und die Pistole in die Hand bekommen habe, weiß ich nicht mehr. Ich kam erst wieder einigermaßen zu mir, als der Schuß durchs Zimmer peitschte.

Die kalte Waffe in der Hand gab mir ein Gefühl der Sicherheit zurück – aber nur für eine Sekunde. Ich hätte nie geglaubt, daß die Unheimlichkeit dieses Augenblicks noch gesteigert werden könnte. Aber sie wurde es! Der im Sarg sank nämlich keineswegs zurück, sondern griff mit der Knochenhand in blitzschneller Bewegung in die Luft, als würde er etwas auffangen wollen – und da – da warf er mir wahrhaftig die Pistolenkugel mit lässiger Gebärde zurück.

In diesem Augenblick drückte ich den Abzug erneut durch. Das ganze Magazin schoß ich leer. Aber der unheimliche Geselle im Sarg warf mir auch diese Kugeln in stummem Hohn zurück.

Da jagte ich schreiend die Treppe hinunter und auf die Straße, einem Nachtwächter direkt in die Arme. Erst als ich seine Hände, die mich auffingen, schmerzlich spürte – er hatte mich zunächst für einen Betrunkenen gehalten und nicht allzu behutsam zugegriffen –, verlor ich die Besinnung.

Der Nachtwächter besuchte mich am nächsten Tag in dem Spital, in das er mich gebracht hatte, aber ich redete noch immer wirr und erkannte ihn nicht. Er mußte mich noch viele Tage besuchen, ehe ich das erstemal die Augen aufschlug und wieder klar um mich blickte.

Von ihm, der sich meiner so treu annahm, habe ich ein paar Tage später erfahren, was eigentlich geschehen war. Ein paar leichtsinnige junge Männer hatten sich einen gruseligen Streich ausgedacht; jener Tote im Sarg war nämlich nur maskiert gewesen und sollte mich erschrecken. In der Pistole aber steckten gar keine richtigen Kugeln – die hielt der Maskierte von Anfang an in der Hand. Aber das konnte ich ja nicht ahnen!

Die jungen Leute hatten übrigens durch einen Riß in der Wand von der Nachbarkammer aus alles mitangesehen. Sie meinten es wohl auch gar nicht so böse, aber der Richter hatte kein Verständnis für ihren Scherz, der, wie er kopfschüttelnd betonte, ebensoviel Leichtsinn wie Geschmacklosigkeit bewiesen hätte. Sie sollten mir eine hübsche Summe als Schmerzensgeld zahlen, aber ich wollte das Geld nicht haben. Ich wollte nicht mehr an diese furchtbare Nacht erinnert werden. Da kam der Richter auf den schönen Gedanken, ihnen zur Auflage zu machen, auf die Dauer von zehn Jahren einen Freiplatz für durchreisende Wanderburschen in jener Schenke zu stiften, in der mein unheimliches Abenteuer begonnen hatte.

Ich selber bin seither nie wieder in die große Stadt gekommen. Wenn ich aber an jene Nacht erinnert werde, fröstelt es mich – selbst wenn ich neben dem Ofen sitze.

Wenn wir »Gespenster« spielen

... dann müssen die anderen entweder schon darauf vorbereitet sein, oder es muß so harmlos hergehen, daß keiner vor Schrecken Schaden erleiden kann. Sonst ist es ebensowenig noch Spiel, wie wenn einer mit Feuer »spielen« würde!

Was man sich früher so alles erzählte . . .

Ursula:

Bei einem Bildstock draußen vor unserem Dorf sollen im letzten Jahrhundert drei schöne, schlanke Bäume gestanden haben, die eines Nachts von einem Waldfrevler umgehauen wurden. Den Übeltäter hat man niemals herausgebracht, aber seit dieser Zeit soll es an der Stelle nicht mehr ganz geheuer sein. Viele Leute vom Ort und auch mein Großvater selber wollen dort abends einen schwarzen Hund gesehen haben. Der sei größer gewesen als alle anderen Hunde im Ort, und er habe sich, ohne anzuschlagen, oft quer über den Weg gestellt und die Leute erst nach langen Minuten angstvollen Wartens weitergehen lassen.

Marianne:

Bei uns gibt es eine Fichtenkultur, die zieht sich hinter dem sogenannten Silberbrünnlein hin. Dort soll man zu Beginn der Winterszeit sogar an Sonntagabenden das Geräusch von Sägen und Äxten hören. Wenn man dann tiefer in den Wald hineinschleicht, um die Waldarbeiter zu stellen, ist plötzlich wieder alles ganz still. Einer Sage nach sollen hier ein paar Ratsherren der nahen Stadt, die sich in einem früheren Jahrhundert das Waldstück durch einen Meineid angeeignet haben, als Holzfäller umgehen.

Gerlinde:

Bei uns zieht sich gleich hinter dem Dorf ein Wiesengrund hin, der früher einmal ein See gewesen sein soll. In den Sommernächten, so behaupten ein paar alte Leute noch heute, sollen sich dort allerlei Spukgestalten herumgetrieben haben: Nixen und Heinzelmännchen und ich weiß nicht was alles. Manchmal sangen die Spukgeister auch, und wenn ein später Wanderer den schönen Stimmen nachlief, sei er mehr als einmal plötzlich schon mit einem Fuß im Wasser gestanden.

Bärbel:

Die Geschichte, die ich zu erzählen weiß, ist ganz gewiß wahr. Es kommen auch gar keine Gespenster darin vor – aber gruselig ist sie dennoch. Meine Großmutter hat sie erst neulich wieder einmal erzählt. Hört zu:

Da war vor etwa einem halben Jahrhundert in unserem Krankenhaus die Nachtschwester an der Kammer vorbeigekommen, in der eine Tote lag. Die Frau war einem Herzanfall erlegen, wie der Arzt als Todesursache festgestellt hatte. Für den nächsten Morgen war bereits der Leichenwagen der Heimatgemeinde bestellt.

Könntest ein Vaterunser für sie beten, dachte die Schwester, die ausnahmsweise eine ruhige Nacht hatte, und blieb vor der Tür stehen. Da hörte sie drinnen plötzlich ein Geräusch. In der Sorge, es sei vielleicht eine streunende Katze durch das geöffnete Fenster eingestiegen, machte die Schwester die Tür auf. In diesem Augenblick sagte jemand im Raum: »Ein Glas Wasser bitte!« Es war die Stimme der für tot erklärten Frau. Sie war nur scheintot gewesen und erholte sich langsam wieder. Meine Großmutter behauptet, sie habe noch ein paar Jahrzehnte gelebt.

Margarete:

Das erinnert mich an ein Vorkommnis, von dem meine Tante aus Dublin berichtete. In ihrer Nachbarschaft steht ein Altersheim, in dem schon über ein halbes Jahrhundert eine Schwester alte und gebrechliche Leute umsorgt. Manchmal, wenn einer ihrer Patienten in recht hoffnungsloser Stimmung ist, erzählt sie ihm, wie sie ihren eigenen Tod überlebt hat. Als junges Mädchen war sie einmal schwer krank gewesen, und eines Morgens stellte der Arzt ihren Tod fest. Die ältere Schwester, die von auswärts zur Beerdigung kam, wollte die Tote noch einmal sehen. Der Sarg wurde geöffnet, und da stellte man dann fest, daß das Mädchen noch lebte. Meine Tante meinte, die so wunderbar Gerettete habe später aus lauter Dankbarkeit den Beruf der Krankenschwester gewählt.

Moderne Spinnstubengeschichten
(Wenn es heute noch Spinnstuben gäbe):

Edgar:

Da war neulich ein Fernfahrer bei uns abgestiegen – na, der konnte erzählen! Sein gruseligstes Abenteuer erlebte er in der Nähe von Stuttgart. Zugmaschine und Anhänger waren mit Bananen beladen. Es war kein geschlossener Wagen, sondern einer mit einer Abdeckung aus Zeltplanen. Die Sonne schien an diesem Tag ziemlich heiß, und der Fahrer hatte ein flottes Tempo gewählt, um bis zum Mittag an Ort und Stelle zu sein.
Plötzlich sah er im Rückspiegel eine Bewegung, die er sich nicht gleich erklären konnte. Es schien, als hätte sich eines der Bänder, mit denen das Zelttuch an der Bordwand befestigt war, losgerissen. Aber dann mußte es doch der Fahrtwind nach hinten flattern lassen! Allein, dieses Band kam ja immer weiter nach vorn! Und das war ja auch kein Band! Das war ja – »Kurt«, schrie der Fahrer seinem Begleiter zu, »eine Schlange!« Der hatte gerade Brotzeit machen wollen und hielt sein Messer in der Hand. Er kam der Giftschlange, die es auf den Hals des Fahrers abgesehen hatte, um ein paar Sekunden zuvor. Nach dem Kampf stellten die beiden ihren Lastzug erst einmal am Straßenrand ab und setzten sich für eine Viertelstunde ins Gras. »Mir war so schwach in den Kniekehlen wie noch nie in meinem Leben!« hatte der Fernfahrer ehrlich bekannt.

Werner:

Mein Onkel weilte gerade in Paris, als dort die Sache mit der »Röhre des Todes« passierte. Da wurde eines Morgens die Hauptstadt mit einer Warnmeldung alarmiert. Aus einem Betrieb am Stadtrand war in der Nacht ein Bleizylinder abhanden gekommen. Man vermutete, daß ein Altmetallsammler seine Hand im Spiel hatte, denn dieser Zylinder wog immerhin einen Zentner! Aber es war keineswegs der Materialwert, der die Polizei so fieberhaft suchen ließ, sondern der Inhalt, vor dem der Bleimantel nur schützen sollte: eine lebensgefährliche Menge Radium nämlich.

Mit Geigerzählern ausgerüstet, suchten Spezialtrupps pausenlos das nähere und weitere Gelände ab. Rundfunk und Lautsprecherwagen riefen den Leuten in Paris die Warnung zu: Eine Berührung mit dem gefährlichen Stoff kann tödlich sein! Aber wo, wo befand sich diese »Röhre des Todes«? Zwei Tage später entdeckte man sie auf einem unbebauten Grundstück in der Nähe des Ortes, wo sie gestohlen worden war.

Ob sie die unbekannten Diebe bereits mit einer gefährlichen, vielleicht todbringenden Strahlenmenge überschüttet hatte? Niemand weiß es mit Bestimmtheit zu sagen. Für die Diebe aber fing in jedem Fall mit dem reumütigen Abliefern der Beute erst die Aufregung in ihrem ganzen gespenstischen Ausmaß an.

Ernst:

In unserem Stadtviertel ist es vor einigen Jahren passiert, daß ein Geschäftsinhaber begeistert und dankbar hinter der Theke hervorgeschossen kam, als ein Kunde eine Ware zurückbrachte, weil sie ungenießbar sei. Die Ware – und das scheint nun noch sonderbarer – war eine Schokoladentafel, der Kunde, ein zehnjähriger Junge – mein Bruder, wenn's einer genau wissen will. Er bekam zum Ersatz nicht nur eine neue Schokoladentafel, sondern einen Karton Pralinen kostenlos obendrein. Ja, und die Erklärung für diese unheimliche Reaktion? Mein Bruder hatte sich Tags zuvor eine Tafel Schokolade gekauft. Ein Angestellter hatte ihm die nächstliegende hingereicht, die jedoch mit Gift gefüllt war und von einem Kunden abgeholt werden sollte, der damit seinen Ratten an den Pelz gehen wollte.

Als die Verwechslung bemerkt wurde, benachrichtigte der Ladeninhaber sofort die Polizei. Mein Bruder freilich, der den ganzen Tag – wir hatten damals Ferien – beim Schwimmen war, hatte von den Warnmeldungen nichts gehört. »Ich habe die Schokolade nicht gegessen«, erklärte er, »weil sie so komisch roch!« Und der Ladeninhaber wußte nur zu sagen: »So ein gruseliges Gefühl möchte ich nicht nochmals haben!«

Alfred:

Was ich kürzlich in einem Bericht aus Australien gelesen habe, ist wirklich unheimlich. Da sollen auf einer Farm, in der Nähe von Perth, Steine aus dem heiteren Himmel geflogen sein. Reporter überzeugten sich an Ort und Stelle von der Wahrheit der Meldung, die ganz Australien tagelang in

Atem hielt. »Das Rätsel der fallenden Steine«, so und ähnlich lauteten die großen Überschriften in den Tageszeitungen. Die Steine, die aus verschiedenen Richtungen kamen, flogen verhältnismäßig langsam und landeten mit einem weichen Platsch. Es war weder ein Flugzeug am Himmel, aus dem die Steine hätten geworfen werden können, noch war ein Mensch in der Nähe, der seine Hand im Spiel hätte haben können. »Die Steine verfolgen einen von uns, der verhext ist«, sagten die Eingeborenen. Die Wissenschaftler in der Stadt wußten es freilich besser. Sie erklärten, daß die Steine von »Willy-Willies«, den plötzlich hereinbrechenden Wirbelstürmen, in die Luft getragen würden, bis schließlich die Schwerkraft den Sog des Sturmes überwinde.

Max:

Man braucht gar nicht bis nach Australien zu reisen, um etwas Unheimliches zu erleben. Ich habe von einem Gespensterhaus in der Nähe von Düsseldorf erzählt bekommen, wo plötzlich Türen aufgehen, ohne daß jemand draußen steht; wo das Geschirr in den Schränken klirrt, und dabei ist niemand in der Küche; wo plötzlich die Bilder an den Wänden zu schaukeln anfangen, und es ist keinerlei Luftzug zu spüren. Auch da sind die Fachleute dem Spuk recht rasch auf die Spur gekommen. Unter dem Haus, das in einer sehr wasserreichen Gegend steht, befinden sich größere Hohlräume, die von Zeit zu Zeit abbröckeln. Diese »kleinen Erdbeben« sind an all den gespenstischen Erscheinungen schuld.

Eberhard:

Ich weiß sogar eine Stadt, in der sich ganze Häuserzeilen zur Seite neigen! Auf unserer letzten Sommerfahrt sind wir nämlich durch Lüneburg gekommen. Unter der Stadt befindet sich eine Saline, deren Salz die alte Hansestadt einst sehr reich gemacht hat. Die Hohlräume, die langsam zusammenbrechen, bedrohen ein Wohn- und Geschäftsviertel, das rund einen Quadratkilometer mißt. In den betroffenen Häusern sieht es bisweilen wüst aus: Tapeten platzen über Nacht, und Fenster und Türflügel schließen nicht mehr dicht. In manchen Zimmern müssen backsteindicke Holzklötze unter die Tisch- und Schrankfüße geschoben werden, damit die Möbel einigermaßen waagrecht stehen. Ich schätze, daß sich dort »Gespenstergeschichten« am laufenden Band ereignen!

Um zwölf Uhr kam der letzte Gast

Es war eine Hafenkneipe, wo über den Tischen Schiffe in Flaschen hingen und an den Wänden Segelfetzen und Splitter von Steuerrudern und Schiffs-planken angenagelt waren. Kleine Täfelchen daneben, in die der Schiffs-name und das Datum eingeritzt waren, beschworen Stunden des Grauens: Auf eine Sandbank gelaufen. – Gegen die Klippen gepreßt. – Leck ge-schlagen. – Zerschellt.
In dieser Kneipe, in der hintersten Ecke, wo der Qualm aus den Pfeifen

am dichtesten hing, trafen sich rund ein Dutzend Seebären, die ein Un-
glücksfall oder das Alter hatten abheuern lassen, zum Stammtisch.

Sie nannten sich »die Furchtlosen«, und dieser Name war mit goldenem
Garn auch auf die Flagge gestickt, die den Stammtisch zierte. Bis eines
Abends Hein Moggenroth zu ihnen stieß und seine Geschichte erzählte.
Da fehlte dann die Flagge eine Zeitlang.

An jenem Abend hatte übrigens Ole mit dem Erzählen angefangen ...

Ole erzählt die erste Geschichte:

Insel für einen halben Tag

Irgend jemand hatte zwar schon einmal in meiner Gegenwart davon gesprochen, aber mir war der Bericht wenig glaubwürdig vorgekommen. Ja, daß eine Insel vom Meer überspült und fester Boden von der Sturmflut weggerissen wurde, das hatte ich selbst miterlebt! Aber daß da heute irgendwo eine Insel aus dem Meer steigt, wo gestern noch keine war und morgen keine mehr sein wird – nein, das sollte man schon einem anderen weismachen als mir!

So dachte ich. Wenigstens bis zu jenem 23. Februar. Oh, ich entsinne mich noch gut: Es war eine selten glatte See, und die Sterne standen klar und nah über dem Ozean, der den Beinamen »der Stille« in dieser Nacht wirklich zu Recht trug.

Ich hatte damals auf einer Jacht angeheuert, die dem »Silbernen Amerikaner« gehörte, einem schwerreichen Mann, der seinen Urlaub auf See verbrachte. Wir hatten erst eine Stunde nach Einbruch der Dunkelheit haltgemacht, und weil an diesem Abend gerade die Hälfte des Urlaubs vorbei war, sollte ein kleines Bordfest steigen. Was man dazu brauchte, von den Lampions angefangen bis zu den Rumgläsern, war ja alles an Bord.

Wenn man wochenlang nur seine Maschine und die schwarzen Bärte der anderen sieht, tut einem so ein geselliger Abend doppelt gut. Und ich muß sagen, unser »Silberner« verstand es, ein Fest aus dem Stegreif zu gestalten. Wir tranken nicht mehr, als wir vertrugen; wir hörten ein paar Schallplatten an, sangen – und zwischendurch nahm der »Silberne« selber das Schifferklavier und spielte uns vor. Einmal sang er zum Spiel, wir wunderten uns alle über seine weiche Stimme, die nicht recht zu ihm und seiner eckigen Gestalt zu passen schien.

Um Mitternacht schließlich ließ der »Silberne« ein paar Flaschen Sekt holen. Die hatten aber sicher nicht von Anfang an auf seinem Programm gestanden, denn er bedauerte, daß der Sekt nun allerdings ungekühlt sei. Aber da lachte Fred, der Koch, und meinte, der Fehler ließe sich schnell beheben; man müsse die Flaschen nur für ein paar Minuten in die See hängen.

»Und wenn sie uns davonschwimmen«, warnte ich. Ich hatte bis dahin noch nicht einen einzigen Tropfen Sekt über die Zunge bekommen und wollte mir die Aussicht auf dieses Getränk nicht durch ein Experiment gefährden lassen.

Aber Fred wies lachend auf das Stahlnetz, das noch vom nachmittäglichen Fischfang neben der Trosse lag. »Das reißt bestimmt nicht!« tröstete er mich und machte sich auf den Weg, die Sektgläser zu holen. Wir anderen schoben derzeit die Flaschen in ihre Strohhüllen zurück und betteten sie sorgsam nebeneinander ins Netz. Dann ließen wir die Ladung feierlich, langsam und mit Gesang über Bord gleiten.

Die Nacht war hell, und der Schein der Bordbeleuchtung reichte bis zum Wasserspiegel. Das Netz mit der kostbaren Fracht war schon zur Hälfte verschwunden, als Fred mit den Gläsern zurückkam. »Tiefer!« rief er. »Gönnt den Fischen doch die Freude, wenigstens um die Sektflaschen herumschwimmen zu dürfen, wenn sie schon nichts davon abbekommen –«
»– was keineswegs so sicher ist!« ergänzte der »Silberne« und blinzelte mir zu. Ich hatte nämlich verraten, daß ich heute zum erstenmal im Leben Sekt trinken würde. Schließlich trat der »Silberne« selber an die Bremse der Trosse, um die Flaschen noch tiefer hinunterzulassen, da – plötzlich war alle Lustigkeit aus seinem Gesicht verschwunden. »Was ist das?« fragte er halblaut.

Wir anderen hatten gleich begriffen, was er meinte. Der Zug an der Trosse hatte plötzlich nachgelassen, das Tau führte nicht mehr straff in die Tiefe. Das Netz mit den Flaschen mußte also irgendeinen Widerstand gefunden haben. Den Rücken eines mächtigen Fisches?

»Raufziehen!« rief mich der »Silberne« an. Und: »Loten!« Das galt Fred. Zu zweit beugten sie sich nun bald über Backbord, bald über Steuerbord, und jedesmal riefen sie geringere Zahlen!

Das konnte doch nicht mit rechten Dingen zugehen! Ich hatte selber noch vorhin die Seekarte angeschaut. Wo wir haltgemacht hatten, war tiefes Wasser! Wie sollen da plötzlich – Hoppla! Eine Erschütterung lief durch unser Schiff, und mir wären beinahe die Flaschen in die See zurückgerutscht. »Schiff ist auf Grund!« hörte ich Fred noch rufen, da war ich schon auf der Treppe und jagte in den Maschinenraum hinunter.

Aber alle Manöver blieben ohne Erfolg; unsere Jacht bekamen wir nicht wieder los.

Es waren keine angenehmen Stunden, bis endlich der Morgen graute. Was uns am meisten bedrückte, war nicht die Sorge um unser Schiff – das würden wir schon wieder flottkriegen, sobald es erst einmal Tageslicht gab. Nein, was uns unruhig machte, war diese rätselhafte Sandbank, auf die wir aufgelaufen waren. Genauer gesagt: die sich unter uns geschoben hatte! Denn wenn jede neue Messung geringere Tiefe zeigte, obwohl unser Schiff doch festlag, dann mußte sich die Sandbank bewegt haben! »Nein«, sagten wir zueinander, »dann doch lieber einen anständigen Sturm!«

Der Morgen kam und mit ihm eine neue Überraschung. Die Sandbank, die uns festhielt, schaute backbord über den Wasserspiegel heraus. Es war eine Insel, eine richtige Insel!

Angeseilt wagten Fred und ich eine Expedition auf dieses Neuland, das auf keiner Seekarte eingezeichnet war und das wohl noch nie eines Menschen Fuß betreten hatte. Ja, es war eine Insel, eine richtige Insel!

Wir zogen die Schlingen unserer Sicherungstaue auf und liefen quer über das Neuland. Aber wir kamen nicht weit, da riß uns ein Schuß zurück. Eine rote Leuchtkugel stand sekundenlang über uns, ehe sie in schräger Bahn ins Wasser stürzte. Gefahr? Warum nur hatte unser »Silberner Amerikaner« geschossen?

Doch ja! Jetzt erkannten auch wir es: Der Strand unserer Insel zog sich immer enger zusammen – unsere Insel wurde kleiner und kleiner. Das bedeutete: Sie sank wieder ins Meer zurück!

Was jetzt kam, war das Unheimlichste an diesem ganzen gespenstischen Abenteuer: unser Wettlauf ums Leben!

Ich glaube, wenn unser »Silberner« während unseres Ausfluges nicht pausenlos die Tiefe gemessen und uns rechtzeitig gewarnt hätte, sobald er merkte, daß die Insel wieder zu sinken begann, wir hätten – naja, wir haben jedenfalls später, als unsere Jacht wieder flott war, mit ihm die Sektflaschen geleert, die wir einen halben Tag zuvor kühlgestellt hatten.

Bao, der Taucher, berichtet sein Abenteuer unter Wasser:

Spuk am Korallenriff

Das war bei meinem ersten Ohne-Kombi-Tauchen die größte Überraschung: Ich spürte nicht, daß ich naß war! Ich hatte damals im Hafen von Adelaide die »Northampton III« auf Hebemöglichkeiten zu untersuchen. Es handelte sich dabei um einen mittleren Frachter, den man bei einem Sturm wenige Tage zuvor hatte auf Grund setzen müssen. Meine ganze Ausrüstung bestand aus Schwimmanzug, Gummischuhen, Taucherhelm und einer starken, wasserdichten Lampe. Die »Northampton III« hatte nämlich gefährliche Ladung an Bord, und so schien mir diese Art des Tauchens angebrachter als das schwerfällige Hinabgeschleustwerden in einer starren, wasserdichten Kombination. Hier brauchte ich ja nur unter dem Helm hervorzuhechten, um mit wenigen Stößen hochzutauchen.

Als ich die Strickleiter, die man von dem kleinen Motorboot aus langsam tiefer gelassen hatte, verließ und wieder festen Boden unter die Füße bekam, erkannte ich also staunend, daß ich gar nicht naß geworden war. Oder richtiger: daß ich die Nässe nicht fühlen konnte! Nun wußte ich zwar vom Schwimmen und Tauchen, daß man der Nässe um so weniger gewahr wird, je weniger der Körper der Luft ausgesetzt ist. Aber dieses Gefühl, überhaupt nicht unter Wasser zu sein, war für mich so stark und neu, daß ich einige Zeit brauchte, um mir des Abenteuers unter Wasser richtig bewußt zu werden. – Allerdings belehrten mich später die Waschfrauenrunzeln an den Händen, wie sehr ich tatsächlich dem zehrenden Salzwasser ausgesetzt war.

Eine andere Erscheinung, die dem Neuling sonst schwer zu schaffen macht, war mir damals schon hinreichend vertraut: die Unsicherheit im Gehen und Greifen. Selbst wenn kein starker Wellengang ist, bleiben die oberen Schichten des Wassers keineswegs ruhig. Man muß sich schon wacker halten, um nicht hin- und hergeschoben zu werden. Doch langsam erlangt man die Fertigkeit eines Straßenbahnschaffners, der sich auf ausgeleierter

Bahn und auch in einem überfüllten Wagen höflich in der Mitte hält. Auch das Entfernungsschätzen unter Wasser – es ist dies ja die Voraussetzung, um etwas mit den Händen sicher greifen zu können – muß die Erfahrung langsam korrigieren.

Weit lästiger erschien mir lange Zeit die Verringerung des Gesichtsfeldes durch den Helm. Es bleibt kaum ein Viertel dessen, was man normal überschaut. Und nun ist man doch neugierig und – zumindest in gefährlichen Situationen – vorsichtig genug, um stets wissen zu wollen, was zu beiden Seiten und erst recht hinter einem vorgeht. Anfangs dreht man den Kopf wie die Unruh einer Armbanduhr hin und her. Das macht aber schnell müde. Darum gibt man es bald auf. Man wird bedächtiger. Einmal allerdings war ich zu bedächtig!

Wir drehten damals Unterwasser-Farbaufnahmen für einen großen australischen See-Film. Zwischen Tama und Erromanga (zwei Inseln der Neuen Hebriden) war es, wenn ich mich noch recht entsinne. Den Filmstreifen jenes Nachmittags – er hätte bestimmt Aufsehen erregt mit seinen unglaublichen Farbkontrasten, wie ich sie weder vorher noch nachher so schön zu Gesicht bekam! – diesen Streifen hat allerdings bis zur Stunde kein Mensch zu Gesicht bekommen, denn – aber der Reihe nach!

Ich war gerade dabei, die Lauffeder neu aufzuziehen, da tippte mir etwas auf die Schulter. Als Anfänger hätte ich mich wohl erschrocken herumgedreht, als »alter Hase« (wie heute) hätte ich sofort Gefahr gewittert – aber das erste war ich damals nicht mehr und das zweite eben leider noch nicht, wie sich später herausstellte.

Nach kurzer Weile tippte mir jedenfalls wieder etwas auf die Schulter. Ich kniete gerade auf einer Korallenbank, nur wenige Meter unter dem Wasserspiegel der Südsee. Das wasserdichte Gerät hielt ich ziemlich tief vor mir und beugte mich leicht darüber. Wie ich mich nun langsam aufrichten will, langt mir etwas um meinen Hals. Ich denke, es ist ein Schlinggewächs und will es unwillig zur Seite zerren, da – ergreife ich – – eine – – – Knochenhand!

Ich fahre, so schnell mir das unter Wasser und unter dem unförmigen Taucherhelm möglich ist, herum und erblicke schräg über mir (der Apparat entgleitet meinen Händen), erblicke schräg über mir (ich seh' ihn auf einer Korallenspitze aufschlagen und zur Seite rollen), schräg über mir also (während mein kostbares Gerät in einem schwarzen Loch, das ich erst jetzt entdecke, langsam verschwindet), erblicke ich also, ja – ein – Totenskelett! Mit den Knochenfüßen hing es irgendwo zwischen den Korallen fest; ich

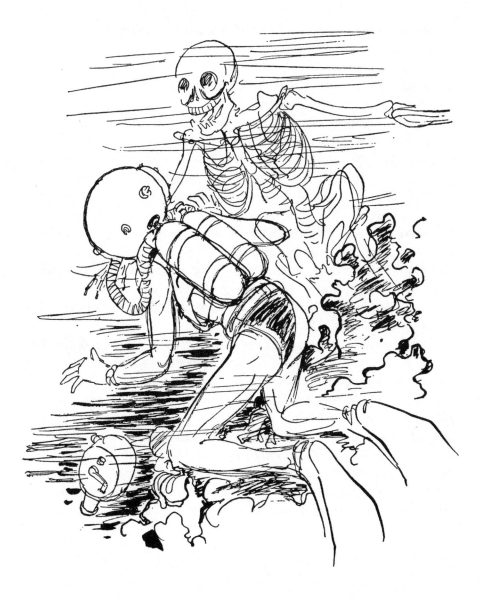

konnte es nicht deutlich erkennen. So schwebte es wenige Meter unter
Wasser und streckte die Arme nach mir aus.

So schnell bin ich noch nie hochgetaucht wie damals.

Als ich meinen Kameraden an Bord endlich sagen konnte, was mich herauf-
gejagt hatte, blickten die mich ziemlich erstaunt an, und schließlich meinte
der leitende Ingenieur etwas verlegen: »Ich versteh' nur nicht, Bao, wie sich
dieses Gerippe im Wasser halten kann – ich meine, es hätte doch längst

auseinanderfallen müssen, da die Knochen durch keine Sehnen und Muskeln mehr zusammengehalten werden . . .«

Die anderen nickten.

Mir schoß das Blut in den Kopf. »Meint ihr vielleicht, ich würde –«

»Aber nein, Bao!« schnitt mir der Ingenieur das Wort ab. »Wir wissen alle, daß du kein Angsthase bist – aber irgend etwas an dieser Geschichte kommt mir gespenstisch vor. Du mußt doch selber zugeben . . .«

Freilich, jetzt, wo ich wieder ruhiger geworden war, mußte ich zugeben, daß das, was ich gesehen haben wollte, gar nicht existieren konnte. Wirklich! Wie sollten denn die einzelnen Knochen im Wasser zusammengehalten werden?

Ich wollte Gewißheit haben und noch einmal hinuntersteigen. Bernd bot seine Begleitung an, er war immer ein guter Kamerad.

Wir mußten nicht lange suchen, sobald wir wieder festen Boden unter den Füßen hatten. Das Gespenstergerippe schien uns schon erwartet zu haben. Es hing mit den Fußknochen irgendwo zwischen den Korallen, aber es sah aus, als schwebe es uns langsam entgegen.

Im Licht unserer Stirnlampen sahen wir es dann: Die einzelnen Knochen waren durch dünne, durchsichtige Plastikverbände zusammengehalten, wie man sie bei künstlichen Skeletten für Museen und wissenschaftliche Institute verwendet. Es war also gar kein richtiges Gerippe, sondern nur eine Nachahmung aus Kunststoff; das erklärte auch, warum das Skelett schwebte und nicht schon längst vollends zu Boden gesunken war.

Später erfuhren wir, daß tatsächlich an jener Meeresstelle vor nicht allzulanger Zeit ein Schiff in Seenot einen Teil seiner Ladung verloren hatte. Die Ladung bestand größtenteils aus Ausstellungsstücken für eine Wanderschau über medizinische Fragen, hieß es.

Der »Professor« kommt zu Wort:

Schuttplatz des Atlantiks

Gerne erzähle ich nicht davon, weil da oft so ein Naseweis dabeisitzt, der mir nicht glauben will. Aber hier in unserem Kreis ist das wohl anders. Jeder von uns kennt die Sargasso-See – und im übrigen wollte man seinerzeit auch Columbus keinen Glauben schenken, als er und seine Besatzung von den seltsamen, schwimmenden Wiesen erzählten, die sie auf ihrer Fahrt nach Amerika entdeckt hatten. Da hörte nämlich mit einemmal die Wasserwüste des Atlantischen Ozeans auf, und ein grüner Teppich von Schling- und Tangpflanzen breitete sich aus, wie man ihn in ähnlicher Dichte noch nie zuvor gesehen hatte. Diese schwimmenden Wiesen waren von unbekannten und unheimlichen Tieren belebt, und in der Nacht leuchteten sie zauberhaft.

In der alten Welt wollte man dergleichen nicht für möglich halten. Man sprach von Einbildung, von Aufschneiderei, von Gespensterglaube. Aber heute sind jene schwimmenden Wiesen auf den Seekarten genau verzeichnet. Die amtliche Bezeichnung lautet Sargasso-See, wir Seeleute sagen »Schiffsfriedhof« dazu.

Ja, diese Wiesen, die immerhin ein Gebiet so groß wie West- und Mitteleuropa bedecken, sind schon wer weiß wie vielen Schiffen zum Verhängnis geworden. Der Beerentang, aus dem sie größtenteils bestehen, ist eine Wasserpflanze, die kaum einen halben Meter hoch wird. Dann neigt sie sich seitwärts über die Schicht der früheren Pflanzen, und neue Triebe wachsen nach oben, neigen sich und bilden mit den alten Pflanzen ein wirres, schwimmendes Gespinst.

Heute hält die chemische Industrie Mittel bereit, die Tang und Algen zum Absterben bringen, so daß sie auf den Grund des Meeres hinuntersinken. Eigene Räumungsschiffe sind unterwegs, um die verschiedenen Fahrstraßen offenzuhalten, denn der moderne Überwasser-Schnellverkehr kann sich nicht mehr die alten Umwege leisten.

Einmal habe ich erlebt, wie ein Schiff sich in den grünen Teppich hinein-
gewühlt hatte. Unser Dampfer mußte es in Schlepp nehmen, weil es sich
aus eigener Kraft nicht mehr befreien konnte. Das Rettungsmanöver während der Nacht mußte nach mehreren vergeblichen Versuchen abgebrochen
werden. Unser Kapitän beschloß, den Morgen und das Tageslicht abzu-
warten.

So nah hatte ich die Wiesen noch nie gesehen, und ich wurde nicht müde,
von der Reling aus das seltsame Schauspiel der leuchtenden Insekten zu
beobachten. Milliarden von winzigen Lebewesen strahlten in den verschiedensten Farben auf und tauchten die Wiesen in das unruhige Licht,
wie man es etwa vom Flugzeug aus beim nächtlichen Überfliegen einer
Großstadt erlebt.

In Büchern hatte ich gelesen, daß manche dieser leuchtenden Lebewesen
sich zu einem riesigen Heerhaufen sammeln und auf den offenen Atlantik
hinausziehen; dort liegen sie dann auf dem Wasserspiegel wie ein glühen-
der Teppich. Wenn sie zu ihren Inseln zurückkehren, kommen sie nur heim,
um zu sterben.

Ich hatte auch von den anderen Tieren gelesen, die sich hier tummeln:
von Spinnen- und Tintenfischen, von großen Quallen und Krebsen, von
hunderterlei Insekten. Und plötzlich packte mich die Leidenschaft des
Forschers: Ich wollte ein wenig tiefer in diese geheimnisvolle Welt ein-
dringen. Ich wußte, daß man auf den Wiesen stellenweise laufen konnte
wie auf einem richtigen Teppich. Wenn ich vorsichtig war und rechtzeitig
umkehrte, konnte mir nichts passieren! Warum sollte ich es also nicht
wagen?

Mit einem Boot, das beim mißglückten Rettungsmanöver zu Wasser gelassen worden war, ruderte ich vom Dampfer weg, quer über die Fahr-
straße zum Strand der Tanginsel hin. Ich erwischte auch eine Anlegestelle,
die fest genug war und den Schlägen mit dem Ruder nicht nachgab. Das
Tau meines Bootes behielt ich um den Leib geschnürt – wo hätte ich mein
Boot auch festmachen sollen?

Vorsichtig wälzte ich mich vom Boot aus auf den gefährlichen Teppich.
Ein, zwei Meter kroch ich, dann wurde ich leichtsinnig und stellte mich
auf die Füße. Aber schon der erste Schritt brachte mich an eine Stelle, die
dünner sein mußte als das übrige Geflecht. Ich spürte jedenfalls, wie der
Teppich unter mir nachgab und ich zu sinken begann. Instinktiv warf ich
mich auf die Seite, um mein Körpergewicht auf eine größere Fläche zu
verteilen.

Schon glaubte ich mich gerettet, da spürte ich, daß ich weiter sank, nur ganz wenig, aber ständig. Irgendwie gelang es mir noch, das Ruder, das ich mit mir geführt hatte, unter das Tau zu schieben, an dem das Boot hing. Und das erwies sich als meine Rettung. Das Boot hatte sich am Rand der unheimlichen Insel in das Gewirr der Pflanzen geschoben und hing dort fest. Und auf meiner Seite konnte das Tau trotz der Belastung durch mein Gewicht nicht in den Teppich einschneiden – dafür verteilte das Ruder den Druck auf eine zu breite Stelle.

Langsam drehte ich mich ein wenig zur Seite. Ich faßte nach der Leucht-pistole, die ich in der hinteren Tasche trug. Hoffentlich hatte sie noch keinen Schaden genommen! Denn ohne fremde Hilfe, das war mir klar, würde ich nie wieder herauskommen aus dieser unheimlichen Falle! Und ob mich der schwache Untergrund bis zum Morgen trug?

So wie diesmal hatte ich noch nie zuvor gebebt, daß der Schuß doch wirk-lich losgehen möge. Ich hielt den Finger am Abzug, drückte durch – die Leuchtkugel stieg zischend in den nächtlichen Himmel. Jetzt mußte die Wache munter geworden sein! Jetzt würden sie kommen. Ich atmete auf. Aber dann dauerte es doch noch schier eine halbe Stunde, bis ich geborgen war, denn wen die glitschigen, zähen Algen einmal gefangen haben, den geben sie nicht leicht wieder her.

Na, mein Kapitän empfing mich nicht gerade freundlich. Ob ich vielleicht lebensmüde sei, schrie er mich an. Aber ich merkte doch, wie heilfroh auch er war, daß mein Abenteuer noch so gut abgelaufen war.

Na, und für den Spott der Kameraden brauchte ich wirklich nicht zu sorgen. Nur einmal wurden sie sehr still. Da hatte mich Hein nämlich gefragt, welche denn die schlimmsten Sekunden auf meinem kühnen Aus-flug gewesen wären. Er hatte wohl erwartet, daß ich sagen würde: Als ich merkte, daß ich sank.

Aber nein, der schlimmste Augenblick war der, als ich so dalag und die Hände weit ausstreckte und plötzlich mit der linken Hand einen fremden Schuh ertastete...

Oh, nun macht den Mund nur wieder zu: Da lag nämlich nicht etwa noch einer auf dem grünen Teppich, sondern die Wellen hatten, wer weiß von wo, diesen Schuh auf den Teppich getragen. Stürme und Meeresströmung schieben den auf der Wasseroberfläche treibenden Schutt vor sich her. Im Gebiet der Sargasso-See hört ihre Kraft auf, und der Schutt des weiten Atlantik sammelt sich an, zwischen und unter dem Tang.

Nun ist Hein Moggenrot an der Reihe:

Während der »Hundswache«

An Silvester war es gewesen. Ich befand mich damals an Bord eines Segelschiffes. Wir fuhren im Kanal.

Es war eine sternklare Winternacht. Wir hatten günstigen Wind und machten gute Fahrt. Mich hatte die Hundswache getroffen, also die Wache von Mitternacht bis morgens vier.

Auf der Brücke tat als Stellvertreter des Kapitäns der Erste Offizier Dienst. Ich hatte mich vorschriftsmäßig bei ihm gemeldet. Wir waren schon manches Jahr miteinander gefahren und verstanden uns gut. Wir wechselten ein paar allgemeine Worte von »Jahreswende« und »alles Gute«; sie waren aber von jedem recht herzlich gemeint.

Die erste halbe Stunde verlief wie hundert Wachestunden zuvor. Und auch als ich den großen Dampfer ausmachte, der in schneller Fahrt näherkam, deutete noch nichts darauf hin, daß diese Nacht die gespenstischste meines Seemannsleben werden sollte.

Ich meldete vorschriftsmäßig: »Ein Strich Backbord ein Dampfer!«

Der Erste Offizier dankte, aber mir war nicht entgangen, daß er ein wenig besorgt zu den fremden Signallichtern hinüberstarrte. Der Dampfer kam rasch auf uns zu. Eigentlich hätte er schon längst seinen Kurs ändern müssen! Aber freilich, es war noch Zeit zum Ausweichen.

Ich wußte natürlich, daß bei einer Begegnung von Segelschiff und Dampfer das Segelschiff seinen Kurs unverändert fortzusetzen hatte, wogegen der Dampfer zum Ausweichen verpflichtet war; der Marinekodex befahl es so. Und er verbot dem Segler ausdrücklich, daß er in einem solchen Augenblick manövrierte.

Gleichwohl wäre es mir in diesem Augenblick lieber gewesen, wenn wir unseren Kurs hätten ändern dürfen. Ich wurde das Gefühl nicht los, daß diese Begegnung nicht glatt verlaufen würde.

Der Dampfer war inzwischen so nahe herangekommen, daß man das Dröhnen seiner Maschinen hören konnte. Sie mußten auf Volldampf arbeiten, so laut klang es einem in den Ohren.

Und immer noch keine Anstalten, den Kurs zu wechseln! Mir jagte der Gedanke an den Fliegenden Holländer durch den Kopf, aber der Dampfer hier konnte kein Geisterschiff sein, das unbemannt über die Meere zog. Die Lichter waren vorschriftsmäßig gesetzt, und der Lärm der Motore vertrug sich schlecht mit den Gestalten einer Sage.

Und doch bot der fremde Dampfer mit jeder Sekunde ein schauerlicheres Spukbild, wie er in rasender Fahrt immer größer vor uns aufwuchs und den Kurs auch nicht um einen einzigen Grad änderte. Von neuem war ich versucht anzunehmen, der Kasten sei unbemannt – aber in Wirklichkeit waren sicher ein paar hundert Menschen an Bord. Sah uns denn keiner?

»Alle Mann an Deck!« ertönte plötzlich das Kommando des Ersten, der nun selber eingesehen hatte, daß das fremde Schiff uns nicht ausweichen würde. Schrillende Bootsmannspfeifen. Lärm der Schiffsglocken. Der Kapitän war bereits auf der Brücke und übernahm das Kommando. Lichtsignale und Rufen zu dem fremden Dampfer hinüber.

Alles ohne Erfolg.

Für unser Segelschiff war es zu spät, noch irgendein Wendemanöver auszuführen. »Rette sich, wer kann!« war das letzte Kommando unseres Kapitäns.

Sekunden später erfolgte der Rammstoß. Der gespenstische Dampfer schnitt unser Segelschiff mitten entzwei.

Als ich zu mir kam, befand ich mich an Bord des Dampfers. Der starke Anprall hatte mich wie einen Spielball hochgeschleudert. Ich brauchte eine Weile, bis ich mich zurechtfand, bis ich sah, daß das unersättliche Unglücksschiff, das nicht gefährlich beschädigt war, seinen Weg fortsetzte, als sei überhaupt nichts geschehen.

Ich raffte mich auf, packte den Nächstbesten bei den Schultern – und stieß ihn beiseite. Er war betrunken. Ich sprang auf einen anderen zu. Er torkelte, und ich sprach ihn gar nicht erst an. Ich fand mich plötzlich vor der Kapitänskajüte, riß die Türe auf – auch der Kapitän war betrunken. Ich dachte an meine Kameraden, die im Wasser schwammen, und beschwor ihn, zu helfen. Ob ihr's mir nachfühlen könnt, weiß ich nicht; aber diese Sekunde war für mich die gespenstischste. Der Kapitän lachte mich aus, so betrunken war er.

Was soll ich noch viel erzählen: Er verlor wegen schwerer Vernachlässigung der Dienstpflicht sein Patent. Von unserer Besatzung aber wurde nur ein kleiner Teil gerettet.

Dies hat sich wirklich zugetragen

... und ward nicht mehr gesehn

Der Nebel kam jäh und so dicht, daß man kaum noch die Hand vor den Augen sah. Die Schiffe, die bereits im Hafen festgemacht hatten, waren jetzt gut dran; wer in dieser Stunde noch vor der englischen Küste kreuzte, konnte von Glück reden, wenn er nicht irgendwo anrammte.

Auch der Kapitän eines griechischen Dampfers wünschte sich und sein Schiff hundert Seemeilen weit weg, bis die Sicht sich wieder gebessert hätte. Er lag im Nebel fest, und der Nebel schien immer noch steifer zu werden.

Schließlich ließ der Grieche eines der Rettungsboote abstoßen. Die drei Mann Besatzung sollten die Lage peilen. Die Silhouette des Bootes verlor sich schon nach Sekunden im Nebel. Man wartete und wartete, aber die kleine Expedition kam nicht mehr zurück.

Da befahl der Kapitän neun Mann in ein zweites Rettungsboot. Auch dieses Boot verschwand hinter der Nebelmauer und – war denn hier alles verhext? – ward nicht mehr gesehen.

Der Kapitän wußte sich nicht mehr anders zu helfen, als ein englisches Seenotboot herbeizurufen. Und dieses stöberte die beiden Ausreißer schon bald auf: Die zwölf Mann Besatzung hatten auf bessere Zeiten gewartet und hielten sich inzwischen, da sie der Nebel wie eine Mauer umgab, an einer Leuchtboje fest.

Auch diese Geschichte
wurde am Stammtisch der »Furchtlosen« erzählt:

Tapp, tapp – pff, pff!

Ein Schiff lag im Hafen, ein altes Schiff mit halbmorschen Planken. Es hatte zweiunddreißig schwere Stürme erlebt – die Anzahl der leichteren wußte nicht einmal der Kapitän – und war im letzten Winter in der Biskaya fast zu den Fischen hinuntergestoßen. Aber auch damals hatte die Kaltblütigkeit von Hein Meck, dem Kapitän, das Schlimmste verhütet. Um so verwunderlicher war es, daß Kapitän Meck an diesem Abend vor der neuen Ausfahrt verstört aus seiner Kajüte gelaufen kam und den langen Larsen, den Steuermann, zu sich winkte.

»Larsen«, sagte er halblaut, und seine Stimme klang belegt, als habe er Meerwasser getrunken. »Larsen, bei mir stimmt nicht mehr alles!«

Als er das anzügliche Grinsen auf dem Gesicht des anderen wahrnahm, fügte er schnell hinzu: »Ich meine, bei mir in der Kajüte! Da stimmt nicht mehr alles! Und zum Donnerwetter, getrunken habe ich heute noch kein einziges Glas!«

So ging also der lange Larsen, dessen Unerschrockenheit in den Hafenkneipen nicht weniger gerühmt wurde als die Kaltblütigkeit von Hein Meck, mit seinem Kapitän in dessen Kajüte hinunter.

Es war das ein enger Raum, in dem außer einer Koje und einem eingebauten Schrank nur ein Spiegel und ein Bücherbrett so etwas wie Luxus vortäuschten.

Die beiden Männer verhielten sich still. Leise hörte man draußen die Wellen gegen die Schiffsplanken schlagen, und auch vom Maschinenraum her drang hin und wieder ein gedämpftes Geräusch, denn der Heizer war schon seit Stunden bemüht, die Kessel gut über Feuer zu halten. Bisweilen knackte es auch einmal in den Rohren, die an der schmalen Seitenwand auch durch die Kapitänskajüte liefen. Sonst aber – sonst war alles still und friedlich wie je.

Da fingerte Kapitän Meck, ohne sich umzuwenden, nach dem Lichtschalter an der Tür. Klick, machte es, und die beiden Männer standen im Finstern. Die Dunkelheit schien die Geräusche von vorhin noch zu verstärken, aber sonst blieb alles – nein, plötzlich kam da ein neues Geräusch hinzu! Tapp, tapp, machte es irgendwo in dem engen Raum und gleich darauf pff, pff. Und wieder tapp, tapp und pff, pff.

Auch wenn ihm Hein Meck den Ellbogen nicht so verrückt in die Hüfte gebohrt hätte, würde der lange Larsen sofort gewußt haben, daß die Verwirrung seines Kapitäns eben mit diesem Geräusch zusammenhing.

Tapp, tapp – pff, pff.

Und wieder: Tapp, tapp – pff, pff.

Larsen drehte sich um. Der Lichtschalter knackte. Der Raum, der nun wieder in mattem Lichtschein lag, sah nicht anders aus als zuvor. Das seltsame Tappen und Blasen war jedoch verstummt.

Larsen machte nicht gerade ein geistreiches Gesicht, als er sich jetzt achsel-zuckend zu seinem Kapitän umwendete.

Der nickte vielsagend und schaltete das Licht wieder aus. Sein Steuermann hatte nicht einmal Zeit, mit dem Finger in die Ohrmuschel zu fahren, da waren die unheimlichen Geräusche von neuem zu hören: Tapp, tapp. Und dann: Pff, pff.

Tapp, tapp. Und dann: Pff, pff.

Tapp tapp – pff, pff.

Der lange Larsen war nahe daran davonzulaufen. Saß hier vielleicht im Winkel der Klabautermann, von dem so viele Seemannslieder erzählten, und wollte er sie necken? Aus der linken Ecke bei den Rohren waren die verdächtigen Geräusche jedesmal gekommen! Larsen schaltete erneut das Licht an und beugte sich blitzschnell nach vorn.

Da sah er es.

Er sah es und konnte nur noch den Kopf schütteln, ehe er erschöpft auf die harte Koje sank.

Und nun schaute auch Hein Meck genauer hin. Und was er gewahrte, trieb ihm schier das Wasser in die Augen. Da saß auf einem der heißen Rohre ein Mäuschen! Im Dunkel war es jedesmal spazierengegangen, und dabei hatte es tapp, tapp gemacht. Weil aber das Rohr doch gar so heiß war, hatte das Mäuschen nach zwei Schritten immer wieder innegehalten und sich die Pfoten kühlgeblasen – und daher stammte das pff, pff!

Beinahe gespenstisch:

»Was wünschst du denn, mein Junge?« fragt der Mann am Postschalter. Der Junge holt tief Atem, dann sagt er: »Ich soll eine Poltkarteweste holen.«

»Eine was?«

»Eine Kaltpestworte, nein, eine Barwestkolte, eine Kaltpostwerte, eine Wellprostkatze . . .«

»Ach«, lacht der Beamte, »du meinst eine Weltpostkarte!«

»Ja«, nickt der Junge, »eine Weltagprotze, nein, eine Weltsportkaste, eine – ach, Sie wissen es ja schon!«

Gespensterfunk: Nachrichten aus aller Welt

Amsterdam:

Die Bewohner eines Grenzdorfes freuten sich schon auf jeden Sonntagvormittag, wenn sie nach dem Kirchgang ihr Radiogerät anschalten konnten. Dann hörten sie nämlich »ihren« Sender. Er brachte ein ganz einmaliges Programm, eigens für das Dorf zusammengestellt. Meistens handelte es sich um Schallplattenübertragungen, die man sich in der Woche vorher – jede einzelne Programmnummer fünfundzwanzig Cent! – selber wünschen konnte. Einige »Äther-Piraten« mit nicht genehmigten Sendeanlagen machten so ein kleines Geschäft und ein großes Vergnügen.
Wie aber staunten die Leute, als eines Sonntags aus den Lautsprechern der unheimliche Hilfeschrei eines Jungen ertönte: »Papa, Papa, hilf mal schnell!« Die Erklärung dieses ungewöhnlichen Vorkommnisses sickerte schon bald durch. Unter den fünf Schwarzsendern war man sich wegen der Sendezeiten uneins geworden. Und weil der eine Sender dem anderen ins Programm funkte, fuhr man von dort kurzerhand ins Sendehaus des Konkurrenten, wo gerade der Sohn Schallplatten auflegte und nun die seinem Vater zugedachten Hiebe einstecken mußte. Es waren also weder Mörder noch Gespenster unterwegs gewesen – wohl aber wenig später einige Polizisten, die prompt alle Sendeanlagen beschlagnahmten.

Tokio:

Eine Expedition, die auf Niederländisch-Neuguinea seltenen Pflanzen und Tieren nachspürte, stieß unvermutet auf vier Japaner, die der Krieg dorthin verschlagen hatte. Das wäre freilich nicht des Erzählens wert, denn das war schließlich das Schicksal Tausender. Geradezu unheimlich mutete jedoch an, daß diese Männer mehr als ein halbes Jahrzehnt nach Ende des Krieges noch nichts von diesem Ende wußten. Sie wurden mit einem Flugzeug in die Heimat gebracht, in eine Heimat, deren Entwicklung und Veränderung ihnen nicht weniger unheimlich vorkommen mußten.

Lübeck:

Wer in den ersten Maitagen durch die öffentlichen Anlagen der Stadt schlenderte, konnte einem seltsamen Arbeitstrupp begegnen. Es waren Gärtner, die an den Tulpenbeeten standen und sich an den Blüten zu schaffen machten. Ein Fremder, der nicht Bescheid wußte, und diesen Leuten in der Dämmerung begegnete, nahm schnell Reißaus, als er erkannte, daß sie mit Messern bewaffnet waren und von jeder einzelnen Blüte ein Blütenblatt abschnitten. Der Fremde bekam es mit der Angst zu tun, so unheimlich erschien ihm dieser Vorgang. Das städtische Gartenamt freilich hatte gute Gründe für diese Anordnung; es wollte mit der Schutzmaßnahme den Blumendiebstählen vorbeugen, die in den öffentlichen Grünanlagen auf den Muttertag hin regelmäßig in großem Ausmaß einsetzten. Die Gärtner hatten allerdings dreißigtausend Blüten zu »zinken«.

Putnam:

Das Hochwasser, das durch Wolkenbrüche verursacht war, setzte die Stadt eine Nacht lang in Schrecken. Dabei war das Wasser nicht einmal die schlimmste Überraschung! Vor der Stadt war vielmehr infolge der Überschwemmung eine Magnesiumfabrik in Brand geraten, und nun trieben mehr als hundert Tonnen Magnesium in Fässern den reißenden Fluß herunter, mitten durch die Stadt. Mit Stichflammen, die fünfzig und siebzig Meter hoch waren, bot das Treibgut ein gespenstisches Feuerwerk, so schauerlich schön, daß den Menschen der Atem stockte.

Manchester:

Rote Alarmlichter. Heulende Sirenen. Rettungskolonnen. In der Bradfordgrube vor der Stadt war im Maschinenhaus ein Feuer ausgebrochen. Ein paar überhitzte Kabel trugen die Schuld. Und nun stürzten zwei Fahrkörbe durch den Schacht in die Tiefe und zerrissen Licht- und Signalleitungen.
Rote Alarmlichter. Heulende Sirenen. Vierhundert Bergleute in der Grube eingeschlossen! Das Gespenst der Schlagenden Wetter, des Rauches und des Feuers, der Atemnot und des Durstes hockte im Dunkeln. Aber die verzweifelten Angehörigen, die zur Unglücksstätte gejagt waren, konnten aufatmen. Auf Umwegen erreichten die Bergleute einen anderen Schacht und konnten die Grube verlassen.

Rangun:

Der Pilot der Verkehrsmaschine, die von Rangun gestartet war und in Akyab landen sollte, meldete sich fünfzehn Minuten nach dem Start noch einmal beim Kontrollturm. Dann trat eine dreistündige Funkstille ein. Als er dann wieder mit dem Heimathafen Funkverbindung aufnahm, konnte er eine Geschichte auftischen, die sich wie eine Spukgeschichte des zwanzigsten Jahrhunderts anhörte.

Mitten im friedlichen Flug spürte der Pilot plötzlich einen Pistolenlauf im Nacken. Der Pilot dachte an die vierzehn Passagiere und drei Besatzungsmitglieder, deren Leben ihm anvertraut war, und deshalb fügte er sich dem Befehl der vier Luftbanditen, die ihn zu einer Landung an einer unzugänglichen Bucht in der Nähe von Bassein zwangen. Zwanzig Kisten eines Geldtransportes, den die Verkehrsmaschine mit sich führte, wurden ausgepackt; dann durfte der Pilot wieder starten. Die Räuber aber hatten Geld im Wert von über zwei Millionen Deutsche Mark erbeutet.

Paterson:

Die Polizeistreife traute ihren Augen nicht. Da ging am hellichten Tag ein Mann über die Straße, der einen riesigen Cowboyhut trug und an dessen Gürtel drei, vier, nein sechs Pistolen baumelten! Der Polizist trat auf die Bremse seines Motorrades, sprang vor den Mann und forderte ihn auf, mit zur nächsten Polizeiwache zu kommen. Der Schwerbewaffnete leistete keineswegs Widerstand, und auf der Wache mußte man ihn schleunigst wieder freilassen.

Es handelte sich um den Besitzer eines gutgehenden Restaurants, der seine letzten Einnahmen in Höhe von knapp zehntausend Dollars zur Bank tragen wollte. Weil er so oft von Raubüberfällen gehört hatte, beschloß er, sich selber um die Verteidigung seines Besitzes zu kümmern. Dabei achtete er sorgsam darauf, keines der Gesetze von New Jersey zu übertreten. Eines verbot das Waffentragen für rechtswidrige Zwecke – nun, er hatte einen sehr gerechten Zweck im Auge! Ein anderes Gesetz verbot das »versteckte« Waffentragen – nun, er trug seine sechs Pistolen ganz offen zur Schau! Ein drittes Gesetz schließlich verbot das Waffentragen innerhalb eines Wagens – nun gut, darum ging er eben zu Fuß!

Freilich mußte er, ehe er seinen Weg zur Bank fortsetzte, den Polizisten zugeben, daß sein Anblick ziemlich gespenstisch wirkte.

Der Mond fiel in die Pfütze

An diesem Nachmittag ihres Lagerlebens, das nun schon eine volle Woche währte, waren sie zu der Burgruine gezogen, die zwei Wegstunden gegen Westen lag. Mehr als der lange Marsch hatte sie das Klettern im Burggraben und das schrittweise Erforschen der unterirdischen Gewölbe ermüdet. Als sie sich wieder auf den Rückweg machten, fiel schon die Dämmerung in die Täler, und als sie bereits das Signal der zurückgelassenen Wache zu hören glaubten, war es schon Nacht.

Plötzlich blieb der kleine Benno, den wohl der Hunger an die Spitze der Gruppe getrieben hatte, jäh stehen. Im gleichen Augenblick und ohne daß

er etwas hätte sagen müssen, sahen es auch die anderen: Durch die Büsche vor ihnen leuchtete es ruhig und gespensterhaft hell.

Erst Alfons, der gleich ein paar Schritte nach rechts ausgewichen war, konnte sie alle lachend beruhigen: Hinter den Büschen spiegelte sich nur der Mond, der eben aufgegangen war, in einer Wasserlache.

Obwohl sie sehr müde waren, saßen die Jungen an diesem Abend noch lange beisammen und erzählten einander von allerlei Spukgestalten, denen sie auf früheren Fahrten und Lagern begegnet sein wollten ...

Alfons beginnt:

Das Gespenstergespenst

In Schloß Euleneck ging es um.

Wirklich. Da vorne! Weißgraue Gestalten! Und jetzt – pst! – ganz leis! Wo die ausgetretene Wendeltreppe sich ächzend aus den Kellergewölben hochschraubt, klirrte eine Kette. Hu!

Ausgerechnet in diesem Moment mußten sich draußen die dummen Wolken so nah um den Vollmond drängen! Daß man nicht deutlicher – pst!

»Ritter Hannes von Rasselbund« tönte es hohl durch den Gang. »Ich glaube, es hat längst Mitternachtsstunde geschlagen.«

»Nicht schlimm, Ritter Elmar von Zitterbein«, flüsterte es schaurig-näselnd als Antwort. »Wir kriegen die Bande schon wach; ich schlag' mit der Kette einen Höllenradau!«

»Und wenn sie aufgewacht sind, schock' ich – Mensch, Hannes – jetzt hab' ich meinen Kopf im Keller liegenlassen!«

»›Ohne‹ wirkst du noch viel gespenstischer!«

»Radieschen! Nicht meinen eigenen, sondern den aus Holz, mit dem ich ›Fangerles‹ spielen will, wenn die andern erst einmal hochgeschreckt sind!«

»Dann hol' ihn halt schnell; ich wart' hier so lange.«

»Wwwww – willst du nicht lieber mitkommen?«

»Fürchtest du dich?«

Angst? Das durfte ein Ritter von Zitterbein sich nicht nachsagen lassen, erst recht nicht von seinem besten Freund! So zottelte Elmar denn allein zurück.

Den düsteren Gang entlang. In der Linken krampfthaft das Kerzenstümpfchen haltend. Wild flackerte die kleine Flamme.

Es war nicht der erste Streich, aber doch der gruseligste, den sich die zwei Dreizehnjährigen ausgedacht hatten, die mit dreißig ihresgleichen auf Schloß Euleneck ein paar Ferienwochen verbrachten. Gestern, das mit der Schnitzeljagd war auch toll gewesen: Willi, der Jüngste vom Schloßverwalter – er war etwas älter als sie – hatte ihnen einen Weg verraten, den die anderen unmöglich ... halt! Bewegte sich da vorne nicht etwas? An der Ecke des Ganges?

Elmar blieb stehen. Nein, hinter ihm war es! Er fuhr herum. Ach, bloß die lange Bettuchschleppe war über den Boden gerutscht. Das Bubengespenst raffte den Umhang hoch und schlich auf Wollsocken weiter; lediglich die neugierige rechte große Zehe klatschte ungeschützt auf die Steinfliesen auf. Da! Schon wieder! War das nicht ein Lichtschein gewesen? – Alles blieb still. Nun ja, es konnte vielleicht auch nur der Vollmond sein Spiel getrieben haben. Schlotternd schlich das Gespenst, das heute nacht dreißig Jungen erschrecken wollte, dicht an der Wand entlang weiter. Die enge Wendeltreppe hinunter. Ins erste Kellergewölbe hinein. Dort lag der Holzkopf, der von irgendeiner morschen Museumsfigur herrühren mochte. Was grinste der Kopf nur so abscheulich? Elmar hielt Kriegsrat mit sich selbst, ob er nicht lieber ohne Holzkopf umkehren sollte. Aber Hannes, sein Freund, der vor dem Schlafsaal auf ihn wartete, würde ihn dann sicherlich auslachen. Und das durfte nicht sein!

Also hin und den Holzkopf gepackt!

Hu! – Elmar ließ fast die Kerze fallen – Hatte der Kopf nicht eben gehustet?

Jetzt wieder!

Nein, das kam ja vom Eingang her! Elmar sah hin – und erstarrte: Unter der offenen Tür stand – ein Gespenst! Aber ein richtiges! Das sah Elmar gleich.

Nun war auch das Schicksal des Kerzenstummels endgültig entschieden: Er fiel auf den Boden und verlösche nach einem vergeblichen Zucken. Dunkel war es jetzt in der Gruft, stockdunkel.

Eine Weile rührte sich nichts. Elmar konnte nicht verhindern, daß ihm die Knie zitterten wie angeschlagene Klampfensaiten. Ob er schreien sollte? Aber wer würde ihn schon hier unten hören? Nicht einmal Hannes.

Zu dumm auch, daß er die Kerze hatte fallen lassen! Jetzt konnte er das Gespenst nicht einmal beobachten! Ob es nicht vielleicht schon dicht vor ihm stand? Der Bub starrte in die Kellernacht hinein. Nichts! Oder lauerte es gar schon dicht hinter ihm? Er fuhr herum. Starrte. Nichts!

Da traf ihn ein Lichtstrahl wie ein Peitschenschlag, grell und scharf. Und neben sich spürte er einen riesigen Schatten.

Ach so, bloß der eigene war es!

Es mußte eine ganz frische Batterie sein, die das fremde Gespenst in seiner

Taschenlampe trug. »Ein modernes Gespenst!« wagte Elmar mit Galgen-humor zu denken.

Als hätte der Spukgeist Elmars Gedanken erraten, hielt er eine silber-funkelnde Taschenuhr in den Lichtkegel hinein. »Schon dreißig Minuten über zwölf!« schrie er dabei.

Elmar wurde blaß bei der Gießkannenschepperstimme dieser Nachteule. Da sprach diese auch schon weiter: »Was stehst du noch untätig hier herum, statt Menschen zu erschrecken, wie es sich für uns Gespenster in der Mitternachtsstunde geziemt?«

Elmar wagte kaum noch zu atmen. Jetzt lachte die schreckliche Spukgestalt höhnisch, daß es im Gewölbe nur so widerhallte: Bist du vielleicht gar kein richtiges Gespenst?«

»Ich – ich – ich –«, stotterte Elmar.

»Mir scheint«, fiel ihm das Ungeheuer an der Tür in die Rede, »mir scheint, du bist einer von den Taugenichtsen, die seit vierzehn Tagen mein Schloß unsicher machen? Na, warte nur, Bürschchen!«

Hier änderte das Gespenst plötzlich seinen Ton und fragte den zitternden Buben barsch: »Was wolltest du hier unten?«

Elmar hatte es die Sprache nun ganz und gar verschlagen. Bebend deutete er auf den Holzkopf, der immer noch auf dem Boden lag und tückisch grinste, als wollte er sagen: »Hähähä! Das hab' ich kommen sehen!«

Das echte Gespenst ergriff den Kopf höchst unsanft bei der Nase, hob gleichzeitig mit der rechten Hand den heruntergefallenen Kerzenstummel auf und fragte, während es sich keuchend aufrichtete: »Wo steckt denn dein sauberer Genosse, der uns altehrwürdige Gespenster in lächerlichen Faschingsaufzug verhöhnen wollte? He?«

Da wurde Elmar mit einem Mal tapfer: »Das sag' ich nicht!«

»Ei, das Menschenkind wird trotzig!« lachte das zornige Schloßgespenst. »Na – das kriegen wir schon!«

Knall! Die Tür war zu.

Ratsch! Der Schlüssel knirschte.

Der Strahl der Taschenlampe, der durch einen schmalen Türritz spitzte, wurde schwächer und schwächer.

Das grausame Gespenst machte sich auf die Suche nach Hannes.

Dieser Hannes war schon etwas ungeduldig, weil Elmar so lange aus-blieb. Aber da kam er ja endlich um die Ecke! Mit der flackernden Kerze. »Los! Tempo!« winkte Hannes. Und nun kam sein Freund – wie er meinte – rasch herangeflattert. Daß er ein wenig größer geworden war

und die Bettücher etwas anders umhängen hatte, fiel Hannes gar nicht
auf. Wie hätte er auch an so etwas denken können, wo der andere doch
den grinsenden Holzkopf in Händen hielt? Zudem machte das Kerzen-
lichtlein nicht sonderlich hell.

»Mach zu! Ich frier' mir schon die Füße an!«

Der unechte Elmar nickte nur und folgte bis zur Schlafsaaltür. Hannes
drückte sacht auf die Klinke. Nanu? Er rüttelte leise. Tatsächlich: ab-
gesperrt! Er drehte sich nach seinem Begleiter um. Der nickte nur wieder.

»Ob die vielleicht was gespannt haben da drinnen?« Der vermeintliche
Freund wackelte vieldeutig mit dem verhüllten Haupt.

»Was tun wir?«

»Zurückgehn!«

Hannes fuhr zusammen. Das war doch nicht Elmars Stimme gewesen?

»Du, Elmar!« bat Hannes.

Das zweite Gespenst nickte.

»Bist du's?« bettelte der Bub.

Sein Begleiter schüttelte den Kopf.

»Du willst mich nur fürchten machen!«

Der andere nickte.

»Du Heini!«

Der andere schüttelte.

»Gehst du mit hinunter?«

Nicken.

»Herrschaft, werd' doch vernünftig!«

Schütteln.

»Elmar!«

Nicken.

»Elmar!«

Schütteln.

Da packte den Hannes der Graus. Er lief davon. Doch das Gespenst hinterher. Den Gang entlang. Das Gespenst hinterher. Die Treppe hinunter.
»Doch nicht so rasch!« kreischte das Gespenst mit scheppernder Herings-
dosenblechdeckelstimme.

Hannes raste nur um so schneller. Er lief wie um sein Leben. Drei, vier
Stufen nahm er auf einmal. Fast wär' er gestürzt. Er merkte erst unten,
daß das Gespenst nicht mehr hinter ihm war.

Aber, waren heute denn alle Türen in Euleneck verhext? Die Tür zum
Kellergewölbe, das ihm und dem verschwundenen Elmar als Gespenster-

Ankleideraum gedient hatte, war jetzt gleichfalls verschlossen! Hannes fingerte am Schloß herum – der Schlüssel steckte.

Ratsch. Die Tür flog auf. Aber wie ein erstes schmales Bündel Licht vom Vollmond her in den dunklen Kellerraum fiel – prallte Hannes erschrocken zurück: Da stand schon wieder so ein furchtbares Gespenst!

»Hannes!« rief dieses.

»Elmar!« erkannte es dieser.

Und im nächsten Augenblick lagen sich zwei befreundete Gespenster in den Armen und schworen gegenseitig, nie wieder »Gespensterles« spielen zu wollen.

Als sie mit ihren Bettüchern unterm Arm endlich zum Schlafsaal hoch-schlichen, war dessen Tür – Potztausend! – wieder aufgesperrt. Immer noch die ausgestandene Angst in den Gliedern, kroch jeder der beiden Helden behutsam, daß er ja die anderen nicht aufweckte, in sein Bett und zog – man kann nie wissen! – die Zudecke bis über die Nase.

In der gleichen Minute legte sich einen Stock höher Willi, der Sohn des Verwalters, mit zufriedener Miene schlafen. Sogar jetzt, wo er nochmals ein Kreuz über sich machte, konnte er ein feines Lächeln nicht unterdrücken.

Nochmal gut ausgegangen

Der kleinen Rosemarie ist beim Essen etwas in die unrechte Kehle ge-
kommen. Sie muß fürchterlich husten und wird ganz rot im Gesicht.
»Na, was machst du denn für Sachen«, fragt der Vater besorgt, »hast du
dich verschluckt?«
»I – nein!« ist die Antwort. »Ich bin schon noch da!«

Die zweite Geschichte am Lagerfeuer:

Dattes und das Flußgespenst

Konrad war mit seiner Gruppe zum erstenmal auf Lager. Auf einer großen schönen Wiese, schräg gegenüber der fremden Stadt, hatten sie die drei Viermannzelte aufgeschlagen.

Eigentlich hätten ja auch zwei Zelte genügt, denn die Gruppe der Seeadler, wie sie sich stolz nannte, war nur acht Mann stark. »Drei sehen besser aus!« hatte Dattes gemeint, und so hatten sie eben das dritte Zelt auch noch mitgeschleppt.

Dattes – kein Mensch wußte, warum er diesen komischen Spitznamen hatte, aber jeder meinte, daß er recht gut zu ihm passe – Dattes hatte den Ausspruch aber im Hinblick auf etwaige Lagerüberfälle gemacht, von denen er seit Wochen Tag und Nacht träumte. Dattes war nämlich ein wenig furchtsam oder – wie er selber von sich sagte – vorsichtig. »Besser ist besser!« hatte er von seinem Großvater als Wahlspruch gelernt, und der war Heftpflasterfabrikant gewesen.

»Die Wache von zwölf bis eins hat Dattes!« verkündete Konrad, der Gruppenführer, am ersten Abend. Dattes schrak zusammen. »Das geht doch nicht!« stammelte er, »so mitten in der Nacht!«

»Was denn! Die andern stehn doch auch«

»Aber nicht von zwölf bis eins!«

Warte, mein Lieber, dachte Konrad still bei sich und tat heimlich einen feierlichen Schwur: Dir vertreib' ich noch deine Hasenfüßigkeit! – Laut sagte er »Gut, dann tauschst du heute mit Benno, und stehst von elf bis zwölf!«

Das fiel den Seeadlern nicht wenig auf, denn es kam selten vor, daß ihr Gruppenführer so leicht nachgab. Daß er aber am nächsten Vormittag über die Brücke in die Stadt hinüberging, weil noch »Verschiedenes zu erledigen wäre«, nahm keinen wunder. Sie legten sich derweil alle faul in die Sonne, um möglichst braungebrannt nach Hause zu kommen; denn auch bei ihnen galt die Hautfarbe als Gradmesser für die Güte eines Lagers.

An diesem zweiten Abend traf die Wache Dattes unwiderruflich von zwölf bis eins. »Ich denke nicht, daß du Angst vor Gespenstern hast«, meinte Konrad so obenhin.

Die großen Glocken der Stadt hörte man in der stillen Nacht bis zum Lager herüber. Eben schlugen sie Mitternacht. Benno übergab Dattes den Wimpelspeer. »Mach's gut!«

Dattes klapperte mit den Zähnen. »Willst du nicht noch ein bißchen dableiben, Benno?« fragte er.

»Sonst nichts! Ich hab' noch von gestern eine Stunde nachzuschlafen!«

Damit verschwand die abgelöste Lagerwache in das mittlere Viermannzelt. Der neue Wächter aber hockte sich dicht neben das Feuer. Da war es wenigstens hell! »Wenn ich schon überfallen werde, dann hier!« war sein heldischer Entschluß.

Es raschelte – einmal hier und einmal da; dann wieder glaubte Dattes im Gebüsch Äste knacken zu hören oder schleichende Schritte hinter den Zelten. Jedesmal riß der Junge die Augen weit auf und starrte angestrengt in die gefährliche Richtung; aber da sah er natürlich nichts! Selbst wenn wirklich etwas dagewesen wäre, hätte er es nicht bemerkt, weil er ja so ungeschickt im hellen Feuerschein saß, daß seine Augen geblendet waren.

Wieder drang ein Geräusch an sein Ohr. Diesmal klang es ganz eigenartig. Hörte es sich nicht so an, als würde einer über den Fluß herüberrudern? Ja, genauso war es!

Und wie vorsichtig der Kerl die Ruder ins Wasser tauchte. Oder waren es gar mehrere Kerle?

Dattes riß die Augen weit auf.

Und jetzt meinte er auch etwas zu erkennen. Ja, tatsächlich! Es kam jemand über den Strom gerudert. Wie ein verschwommener Schatten hob sich eine Gestalt gegen die Brücke mit ihren unregelmäßigen Lichtflecken ab. Ein Boot sah man nicht, dafür um so deutlicher den etwas helleren Oberkörper des Paddlers und sein Ruder, das er langsam und fast feierlich durchs Wasser zog.

Nun wäre das alles ja eigentlich gar nichts Besonderes gewesen! Es konnte doch auch einmal ein harmloser Städter eine Nachtfahrt unternehmen, vielleicht weil er nicht einschlafen konnte oder vom Arzt ein wenig Ausgleichssport verordnet bekommen hatte!

Aber da war eben noch etwas, und das verursachte bei Dattes beinahe Schüttelfrost: Der fremde Wasserfahrer, der übrigens genau auf die Wiese mit den drei Zelten zuhielt, sang. Oder vielmehr. Er sang nicht, sondern heulte! Heulen war vielleicht auch nicht das rechte Wort. Es war eher eine Mischung zwischen Radio-Rückkoppelung, Katzengebalge, Kleinkinder-schluchzen und Eulenrufen. Dazwischen rasselte hin und wieder eine Kette.

Jetzt – jetzt stieß der Unheimliche ans Ufer.

Jetzt – jetzt stieg er an Land.

Jetzt – jetzt kam er langsam auf das Wachfeuer zu. Ganze dreißig Meter lagen noch zwischen ihm und dem Jungen.

Dattes fand gerade noch Zeit, bei sich zu schwören, daß er nie mehr auf Lager mitgehen und erst recht nicht während der Geisterstunde Wache stehen werde, da war der unheimliche Gast schon bis auf zwanzig Meter herangekommen.

Jetzt unterschied der Bub erst, was dieser unheimliche Besucher überhaupt meinte mit seinem Singen, Kichern, Flüstern und Stöhnen. Es war nicht etwa ein wirres Wortgemisch, sondern – leider! – etwas durchaus Sinn-volles. Immer näher und immer deutlicher hörte Dattes den Text:

> »Wenn ich nurrr wüßt' – chuchachi
> wooo einerrr ist – chuchachi
> derrr sich grad hier – chuchachi
> fürchtet vorrr mir – chuchachi;
> deen mach' ich gleichchch – chuchachi
> ganz einfach bleichchch – chuchachi!«

Bei dem letzten Satz machte das tanzende Paddelgespenst eine nicht miß-zuverstehende Geste des Halsumdrehens. Dattes stockte fast das Blut in den Adern.

Fünfzehn Meter war die gräßliche Spukgestalt nur noch entfernt, und schon begann sie wieder von neuem: »Wenn ich nur wüßt' – chuchachi...« Aber sie brachte ihr Verslein nicht zu Ende. Bei der Zeile » ... fürchtet sich vor mir« tat Dattes etwas, was ihm weder Konrad, noch irgendein anderer aus der Gruppe der Seeadler zugetraut hätte, etwas, was sogar das Gespenst überraschte.

Sagte ich »überraschte«? Erzittern machte! Denn mitten im Satz blieb ihm die Stimme stecken. Es guckte, als sei ihm selber ein Gespenst begegnet, und dann machte es kehrt. Rannte in die Dunkelheit zurück. Ans Ufer. Ins Boot. Mit hastigen Ruderschlägen floh es aufs dunstige Wasser hinaus und verschwand schließlich hinter den noch schwärzeren Brückenpfeilern im Dunkel der Nacht.

Sprachlos starrte Konrad, der das Gespenst – einen alten Schulfreund in der Stadt – doch noch selber am Morgen »bestellt« hatte, aus dem Zelt.

Wortlos kamen die Seeadler, die bis auf Dattes allesamt eingeweiht waren, aufs Lagerfeuer zu. Sie hatten alles genau mitverfolgt und waren schon beim bloßen Anblick des Paddelgespenstes erschrocken, obwohl sie doch wußten, wie harmlos es war. Und Dattes lachte das Gespenst einfach aus? Ausgerechnet Dattes, den sie bisher immer für einen Hasenfuß angeschaut hatten?

»Sag einmal, Dattes«, bestürmten sie ihn, »wie hast du das nur fertiggebracht, da noch zu lachen?«

»Oh«, meinte Dattes, »weil dieser komische Uhu ›vor mir‹ gesagt hat, wo es doch ›vor mich‹ heißen muß!«

Jetzt war die Reihe an Dattes, sich mächtig zu wundern, denn nun brachen die andern plötzlich in ein unbändiges Lachen aus!

Hoffentlich weißt du, warum?

Weil wir gerade beim Dativ sind

Hugo fühlte sich von seinen vielen Schularbeiten so mitgenommen, daß ihn seine Eltern zur Erholung in ein Ostseebad schickten. Dummerweise lehnte. er sich auf der Fahrt zu weit über Bord und fiel ins Wasser. Ich frage euch jetzt: Ist er nun in der Ostsee oder in die Ostsee gefallen? In die? O nein, in der Ostsee muß es heißen, denn es ist Dativ (= da tief!).

Hugo hatte aber Glück und wurde von einem Dampfer, der nach Hamburg fuhr, gerettet. Er gab ein Telegramm an seine Eltern auf und bezog einstweilen Quartier in einem Hotel. Bescheiden nahm er mit einem Zimmer im fünften Stock vorlieb. Weil er sich aber auch hier einmal zu weit aus dem Fenster beugte, konnte es nicht ausbleiben, daß er das Übergewicht bekam und stürzte. Meine Frage: Ist er nun auf der Straße oder auf die Straße gefallen? Auf die? Nein, auf der Straße muß es heißen, denn es war doch der zweite (!) Fall.

Doch unser Hugo überstand auch diesen Sturz, und als die Antwort seiner Eltern eintraf, machte er sich auf die Reise in das neue Urlaubsziel, nämlich auf die Insel Norderney. Unterwegs fiel er jedoch nochmals über Bord. Fiel er nun in der oder in die Ostsee? Sie sagen: In die Ostsee? Leider völlig verkehrt! Er fiel nämlich weder in der noch in die Ostsee, sondern in die Nordsee!

Eberhard erzählt:

Gorro mit dem Brotmesser

»Und wenn Du einmal durch unser Städtchen kommst, dann kannst Du ruhig bei uns übernachten!« So hatte es deutlich in dem Brief von Onkel und Tante gestanden, als sie sich für das Glückwunschgedicht zu ihrer Silberhochzeit bedankten. Weil Onkel doch so ein großer Musikfreund ist, hatte ich sogar Noten über meinen Vierzeiler geschrieben; mein Bruder behauptete allerdings, daß sie höchstens von einem stockheiseren Bariton gesungen werden könnten.

Egal, Onkel hatte sich darüber gefreut, denn sonst hätte er mich ja nicht eingeladen. Zwar nicht für vierzehn Tage, wie ich es mir heimlich erträumt hatte, aber doch immerhin für eine Übernachtung. Und nun lag ich also im »guten« Zimmer auf der Couch und schwitzte!

Vor Aufregung.

Denn aufregend war es ganz gewiß, was sich bis jetzt ereignet hatte . . .

Wegen einer Panne an meinem Fahrrad war ich erst spät abends angekommen; es mochte so gegen elf Uhr gewesen sein. Tante hatte mir noch einen Imbiß gerichtet und dann das Licht ausgeknipst. »Der Schalter ist nicht mehr ganz intakt«, hatte sie gesagt, »und die Laterne drüben macht ja hell genug!«

So war es dann auch wirklich gewesen. Die Wohnung lag im Hochparterre, und genau meinem Fenster gegenüber, auf der anderen Seite der Gasse, brannte eine Laterne. Es war – ich sah es, als ich kurz vor dem Schlafengehen das Fenster öffnete, ganz genau: Es war eine Gaslampe auf einem altmodischen, verschnörkelten Wandarm, der sich nachts für eine Kunstschmiedearbeit ausgab, aber bei Tag besehen doch nur ein gewöhnliches Stück Gußeisen war.

Ich sah das verschlungene Muster auch jetzt noch ganz deutlich vor mir, während ich unter der Decke lag und schwitzte. In meinem Zimmer war es stockfinster. Die nachbarliche Laterne war erloschen – und wahrscheinlich hatte man sie sogar absichtlich ausgemacht, denn ich war von irgendeinem Geräusch wach geworden und hatte dann Schritte gehört, die sich eilig entfernten.

Ein paar Wochen zuvor hatte ich in einem Heftchen von »Gorro, dem Villenknacker« gelesen, daß er immer zuerst im nächsten Umkreis die Straßenlaternen auslöschte, ehe er einen Einbruch wagte. Das fiel mir in diesem Augenblick wieder ein.

Gorro saß zwar, wenn man sich auf das bunte Heftchen verlassen konnte, augenblicklich hinter Schloß und Riegel. Aber konnte ein so gewiegter Einbrecher nicht ganz schnell auch einmal ausbrechen?

Auf jeden Fall schien es mir ratsam, auf der Hut zu sein – zumal mir plötzlich siedeheiß die Erinnerung kam, daß ich ja das Fenster sperrangelweit aufgemacht hatte!

Holla! Kamen da nicht schon schleichende Verbrecherschritte die Gasse her? Ein harmloser Heimkehrer? Nein, der hielt nicht so plötzlich an. Jetzt schien er etwas abzustellen. Eine Leiter? Es kratzte leise an der Mauer. Schob er jetzt den Haken (den mit der Strickleiter!) zum Fensterkreuz hinauf?

Kein Zweifel, hier war Gorro, der Villenknacker, am Werk! Offenbar schien er von den Villenvierteln in die Innenstädte übergewechselt zu sein. Mir brach der Schweiß aus allen Poren. Was sollte ich tun? Schreien? Und wenn schon einer bei mir im Zimmer stand? Wenn ich zu spät aufgewacht war?

Ich lauschte ins Zimmer. Ich starrte in die Dunkelheit. Ich vergaß für Augenblicke das, was draußen auf der Straße vor sich ging, und beobachtete nur den Raum, von dem ich jetzt in der Dunkelheit gar nicht recht wußte, wo Tisch und Schrank und Klavier standen und wo die Tür zu suchen war. Nur die viereckige Öffnung des Fensters hob sich, um eine Kleinigkeit heller, von der übrigen Wandfläche ab. Doch im Zimmer blieb alles ruhig und regungslos. Da wagte ich es, mich sachte von der Couch herunterzuschieben.

Auf den Zehenspitzen schlich ich zum Fenster hin.

Sobald ich den metallischen Haken spüren würde, mit dem Gorro seine Strickleiter am Fensterkreuz zu befestigen pflegte, wollte ich ihn weit in die Gasse hineinschleudern, das Fenster zuschlagen und Onkel und Tante und das ganze Stadtviertel alarmieren!

Ohne ein Geräusch zu machen, tastete ich das Fensterbrett ab. Hier – nein, das war nur eine der eisernen Schlaufen für die kleinen Fähnchen, mit

denen die Tante an Festtagen die Straßenfront zu schmücken pflegte. Der eiserne Haken von Gorro war noch nicht ...

»Hilfe!« jäh geblendet schloß ich die Augen. Ganz plötzlich war die Laterne von gegenüber wieder aufgeflammt.

»He, du wirst doch kein Schlafwandler sein!« ließ sich da eine Stimme von der Straße her vernehmen. Ich erkannte, immer noch ein wenig geblendet, den Mann nicht, der es halblaut zu meinem Fenster heraufgerufen hatte. War es Gorro gewesen? Hatte er mich am Fenster bemerkt und deshalb die Laterne schnell wieder angezündet?

Ich war unfähig, eine Antwort zu geben. Ich wankte nur schleunigst zu meiner Couch zurück.

Aber nicht weit. Denn plötzlich sah ich ihn. Oder vielmehr – seinen Schatten.

Wie er so schnell zum Fenster herauf und ins Zimmer hereinkommen konnte, war mir schleierhaft. Mir war überhaupt vieles schleierhaft in diesem Augenblick. Denn von Gorro hatte ich gelesen, daß er seine Opfer nur immer mit einem kurzen Taschenmesser bedrohte. Der hier aber hielt das reinste Brotmesser in der Hand!

Ich bewegte mich nicht. Und auch er stand ganz starr hinter mir, weitausholend mit der Hand, die das tödliche Messer umklammert hielt.

Mit angehaltenem Atem stand ich zwei, drei Sekunden regungslos da; dann hielt ich das nervenzermürbende Warten nicht länger aus. Mit einem schrillen Aufschrei drehte ich mich um und warf mich ihm entgegen.

Und schlug ihn zu Boden.

Nachtrag: Bei diesem aufregenden Abenteuer wirkten außer meiner Heldenperson noch mit zwei Studenten, die mutwillig die Straßenlaterne ausgelöscht hatten, was jedem von ihnen – ein Schutzmann hatte sie beobachtet – einen Strafzettel eintrug.

Ferner der städtische Laternenanzünder, der vom gleichen Schutzmann geschickt worden war, die Laterne wieder zum Brennen zu bringen.

Und schließlich noch die Gipsbüste eines bekannten Geigers, die mein Onkel von seinem Gesangverein zur Silberhochzeit geschenkt bekommen hatte und die im Zimmer auf dem Klavier gestanden hatte.

»Daß du sie mir kurz und klein geschlagen hast, könnte ich dir ja noch verzeihen«, meinte der Onkel, als ich mich am nächsten Morgen ziemlich kleinlaut verabschiedete, »aber daß du den Schatten des Geigenbogens für den Schatten eines Brotmessers angeschaut hast – also da kann man nur sagen: Wie ein so hochmusikalischer Onkel nur einen so unmusikalischen Neffen haben kann!«

Oskar berichtet:

Fünfter Stock – Zimmer 117

Der Portier sah mit einem schnellen Blick zum Geschäftsführer hinüber, der gerade am Eingang zum Fahrstuhl stand. Ich fühlte es mehr, als daß ich es erkennen konnte, wie der Geschäftsführer nickte. Und dann wandte sich der Portier auch schon wieder mir zu und erklärte freundlich: »Ja, mein Herr, ein Zimmer haben wir gerade noch frei!«

Aber das Lächeln stand ihm wie eine Maske.

»Zimmer 117!« rief er zum Liftboy hin. Der Junge holte den Schlüssel aus dem Wandregal, nahm mir meinen kleinen Koffer ab und deutete mit einladender Geste auf den Fahrstuhl.

Ich sah, wie er am Schaltbrett den schwarzen Knopf drückte, neben dem eine römische Vier auf die Aluminiumplatte eingraviert war. Vierter Stock, überlegte ich. Ziemlich hoch also! Aber was macht das schon aus, wenn ich nur überhaupt heute ein Dach über dem Kopf habe! – »Viktoria« war nämlich bereits das sechste Hotel gewesen, wo ich seit meiner Ankunft am Mittag nach einem Zimmer gefragt hatte. Die große internationale Ausstellung, die einen Tag später begann, hatte die Stadt mit Fremden überflutet; alle Hotels waren überbelegt – bis auf mein Zimmer Nummer 117 im fünften Stockwerk.

Ob es eine besondere Bewandtnis mit meinem Zimmer haben mochte, weil der Portier so eigentümlich dreingeschaut hatte? Und beobachtete mich jetzt nicht auch der Liftboy ganz verstohlen von der Seite? Gerade so, als würde er mich abschätzen, ob ich stark genug sei? Aber warum und wozu? Sollte mit Nummer 117 vielleicht nicht alles stimmen? Ich hatte einmal eine Geschichte gelesen, wo es in einem Hotelzimmer spukte . . . Ach was, Hirngespinste! Wo gab es denn so etwas im zwanzigsten Jahrhundert!

»Bitte sehr, der Herr!« der Liftboy riß die Kabinentür auf. »Nach rechts bitte!«

Rechts führte eine Treppe noch ein Stockwerk höher. Hm, da lag mein Zimmer also direkt unter dem Dach? Egal.

Die Treppe war reichlich ausgetreten; daran konnte auch der grellrote Kokosläufer nichts ändern. Die einzelnen Bretter stöhnten, als wir jetzt Stufe um Stufe höherkletterten.

Das Linoleum in dem schmalen Gang, den wir jetzt betraten, wies ein abscheuliches gelbbuntes Muster auf. Lauter ineinander verschlungene Schlangen erkannte ich, und es lief mir zum erstenmal kalt den Rücken hinunter: Wenn das nur gut ausging!

Zimmer 117 lag am anderen Ende des Ganges. Es war ein kleines überraschend freundliches Zimmer mit einem frischüberzogenen Bett, dessen Leinen knisterte, so steif war es gebügelt. Neben dem Bett stand ein kleiner Nachttisch, links vom Fenster ein größerer viereckiger Tisch zum Schreiben, daran stieß ein Sessel, dessen Polster schon leichte Falten warf. Dann kam der Schrank mit einem Spiegel, der einen dick und häßlich machte, und hinter der Tür war der Heizkörper angebracht, der zu dieser späten Stunde eine unerträgliche Hitze aussprühte. Gleich am Eingang befand sich auch noch das Waschbecken, groß und sogar mit einem eigenen Hahn für heißes Wasser. Alles in allem, ein ordentliches Hotelzimmer, in dem man bequem und – wie ich aus dem Preisschild neben dem Lichtschalter ersah – verhältnismäßig billig übernachten konnte.

Der Liftboy – das wurde mir erst jetzt bewußt, hatte mich die ganze Zeit, während ich mich im Zimmer umblickte, von der Seite angeschaut. »Wünscht der Herr noch etwas?« fragte er jetzt, und ich meinte, ein Aufatmen aus seinen Worten herauszuhören. Hatte ich vielleicht etwas übersehen, wovor er Angst gehabt hatte, daß ich es entdecken könnte?

»Danke«, sagte ich langsam, »stellen Sie den Koffer nur dort auf den Stuhl.« Und ich schaute nochmals schnell in alle Winkel; aber nichts Verdächtiges war zu erkennen.

»Ich wünsche dem Herrn eine angenehme Nachtruhe!« Der Boy verbeugte sich elegant und trat einen Schritt zurück. Aber während er die Tür hinter sich zuzog, schaute er nochmals in mein Zimmer, und zwar auf eine ganz bestimmte Stelle. Er machte dabei ein Gesicht, daß man sich fürchten konnte. Daran mochte jedoch, wie mir noch rechtzeitig einfiel, allein der Spiegel schuld sein; denn ich hatte den Boy nur im Spiegel beobachten können, in diesem Spiegel, der einen dick und häßlich machte.

Wo hatte der Junge aber nur so angestrengt hingestarrt? Ich stellte mich selber an die Tür und probierte die verschiedensten Richtungen aus. Es gab keinen Zweifel: Dort zwischen Fenster und Schreibtisch mußte es sein – wenn es in diesem Zimmer überhaupt etwas Besonderes gab.

Auf den Zehenspitzen schlich ich hin. Ich brauchte den Vorhang, dessen giftgrüne Farbe mir erst jetzt auffiel, gar nicht zur Seite zu schieben. Dort, hinter dem Tisch, leuchtete es mir in Stuhlhöhe schon von der hellfarbenen Tapete entgegen: ein großer roter Fleck. Blut! Einzelne Tropfen waren weit zur Seite gespritzt, und die ganze Stelle sah aus, als habe man versucht, das Blut mit Tüchern wieder abzuwischen; aber es war wohl schon zu tief in das Papier eingedrungen gewesen. Etwas nachgedunkelt sah mich der grausige Fleck an und schien zu sagen: Hüte dich! Daß es dir nicht auch so ergeht!

Und zum zweitenmal lief es mir kalt über den Rücken.

Wenn ich nicht sicher gewesen wäre, in der ganzen Stadt kein freies Zimmer mehr aufzutreiben – ich wäre wahrlich noch im gleichen Augenblick aus Nummer 117 hinausgestürzt. Und wenn ich zu Fuß alle fünf Stockwerke hätte hinunterrennen müssen! In dieser Jahreszeit aber im Freien zu übernachten, schien mir doch noch unangenehmer, als neben einem Blutfleck auf der Tapete einzuschlafen.

Der Schlaf, den ich in allen Gliedern spürte, gab den Ausschlag: Ich blieb. Während ich einiges aus meinem Koffer auspackte und mich wusch, überlegte ich, was hier eigentlich passiert sein mochte. Das Naheliegende war, an einen Mord zu denken. Man verspritzte ja sein Blut nicht zum Zeitvertreib! Und daß sich jemand beim Rasieren nur ein bißchen die Haut geritzt hatte, das konnte mir niemand weismachen; dafür war der Blutfleck an der Wand denn doch zu groß.

Wie aber kam denn der ruchlose Mörder überhaupt in mein Zimmer, fragte ich mich weiter. Im Hotel sperrt man seine Tür bekanntlich von innen ab, um unbesorgt schlafen zu können. Vielleicht – oh, vielleicht hatte der Mörder unter dem Bett versteckt gelegen? Oder hatte er sich im Kleiderschrank verborgen gehalten?

Ich ließ wie von ungefähr meine Seife fallen, und während ich sie wieder aufhob, schielte ich schnell unter das hochbeinige Bett. Da lag aber nur eine Schachtel darunter, die zu klein war, als daß sich jemand darin verstecken konnte.

Also blieb nur noch die eine Möglichkeit: der Schrank! Aber halt! Köpfchen! Wenn ich jetzt die Tür aufsperrte, stürzte mir der Kerl womöglich mit gezogenem Messer entgegen! Schlau muß man sein, sagte ich mir und trug leise den Stuhl neben den Schrank. Dann stellte ich mich auf den

Stuhl und öffnete die Schranktür, indem ich meinen mitgebrachten Kleider-
bügel in den Schlüsselring steckte und langsam drehte.

Das Schloß sprang zurück; die Tür ging mit leisem Wimmern ein Stück
weit auf. Es war nur gut, daß ich das Schrankinnere im Spiegel, der über
dem Waschbecken hing, vollständig, wenn auch reichlich verzerrt, sehen
konnte. Ich atmete auf: Der Schrank war leer.

Gedankenlos wickelte ich ein mitgebrachtes Butterbrot aus und fing an zu
kauen, obwohl es mir gar nicht schmecken wollte. Ich redete mir jedoch
ein, daß ich bei Kräften bleiben müsse, denn wer wußte schon, was mir
zwischen den blutbesudelten Wänden noch alles bevorstand!

Der Mörder weilte also nicht im Zimmer; das war fürs erste recht beruhigend. Aber konnte er nicht noch hereinkommen? Ich vergewisserte mich,
daß die Tür fest verschlossen war. Obendrein schob ich noch den Riegel
vor. Nun war es auch einem gewiegten Einbrecher unmöglich, von außen
aufzumachen.

Aber mein Zimmer hatte ja auch ein Fenster! Konnte man nicht vielleicht
von dort...? Oder kauerte nicht schon einer hinter dem zugezogenen
Vorhang? Ich tat, als würde ich meine mitgebrachten Hausschuhe anziehen
– und warf dann blitzschnell meinen einen Stiefel gegen den Vorhang.
Es gab ein Geräusch, wie wenn einem Besiegten die Puste ausgeht; aber
dann war es doch nur der morsche Vorhangstoff gewesen, wie sich anschließend herausstellte, der sein Leben ausgehaucht hatte.

Allein, der Riß war noch nicht das einzige Mißgeschick! Fast gleichzeitig
klirrte es nämlich, wie wenn Glas splitterte, und die innere Scheibe des
Doppelfensters war entzwei. Schreck laß nach, stöhnte ich, das wird eine
teure Übernachtung geben!

Aber immerhin blieb mir die Gewißheit, daß niemand hinter dem Vorhang
lauerte...

Aber es wurde nicht nur eine teure Rechnung, sondern auch eine unruhige
Nacht! Und dabei stellte sich dann am Morgen heraus, daß der rote Fleck
nur von einer Tomate herrührte, die eine Dame tags zuvor an die Wand
geworfen hatte – aus Wut über den Spiegel, der einen so dick und häßlich
machte.

Werner kramt noch eine Erinnerung aus:

Das Gespenst im Kirchenspeicher

»Wenn ihr damit fertig seid«, sagte der Bruder Sakristan und deutete zur Kommunionbank, »dann könnt ihr euch mal übers Ewige Licht machen. Aber blitzblank! Die goldene Ampel muß nur so funkeln!«
Daran hatten wir uns bis jetzt noch nie wagen dürfen. Das war etwas Neues. Und wir drei waren uns wortlos einig, gleich mit dieser weit reizvolleren Arbeit zu beginnen. Schließlich konnte es dem Küster sonst auch einfallen, die Ampel, die jetzt fast auf den Steinfliesen streifte, vom Kirchenspeicher – wir kannten uns dort droben recht gut aus! – wieder hochzuziehen.
»Schaut mal!« wies Theo, während wir die mächtige, herrlich gearbeitete Ewig-Licht-Schale bewunderten, auf etwas Blitzendes, das unter der Kugel hing, in der die drei schweren Halteketten zusammenliefen. »Schaut mal, ein ganz kleines goldenes Figürchen!«
»Ein Engel!« meinte Otto.
»Aber er hat weder Flügel noch lange Haare«, stellte Theo sachlich fest.
»Vielleicht ein Hirtenjunge aus einer kostbaren Krippendarstellung«, riet ich, um auch etwas zu sagen.
»Aber warum hängt er denn verkehrt herum? Mit dem Kopf nach unten?«
Darauf wußte ich nun auch keine Antwort.
Da machte Otto auf das Spruchband aufmerksam, das dem kleinen goldenen Knaben aus der linken Faust herausflatterte. Wir entzifferten gemeinsam die winzigen Buchstaben, die hineingeätzt waren: »Inoboedientia semper perrumpit.« Und dann noch ein paar große Buchstaben, die aber überhaupt kein lesbares Wort ergaben.
»Es ist Latein!« jubelte Theo, der in die erste Klasse des Gymnasiums ging und sich nicht wenig freute, wenigstens die Gattung der fremden Sprache herausgefunden zu haben.

»Semper heißt immer!« wußte Otto. »Aber perrumpit? Und inoboedientia? Das ist vielleicht ein Name!«

Ich wußte auch nichts Bestimmtes. Also sagte ich, was ich oft von meinem Lateinlehrer zu hören bekam: »Na, klassisches Latein ist das aber auch nicht!«

»Was habt ihr drei denn für lateinische Sorgen?« ertönte da halblaut hinter uns eine tiefe Stimme. Wir fuhren herum. Der Pater Prior!

Wir grüßten so artig, wie wir nur konnten. Und dann zeigten wir ihm unsere Entdeckung.

»Hm, hm«, machte der hochwürdige Herr und strich sich mehrere Male über den dichten, schönen Mönchsbart, »das hatte ich nun auch noch nie gesehen.« Er beugte sich und studierte die Inschrift genauer. »1721 also«, murmelte er dann und legte den Finger auf die sonderbaren Buchstaben am Schluß, die offenbar eine Jahreszahl ergaben. Aber wir hätten doch gar zu gerne gewußt, was die drei Worte bedeuteten! Jedoch der Klosterobere verriet es uns noch nicht.

»Übermorgen nach der Nachmittagskirche könnt ihr einmal dableiben; die anderen natürlich auch. Vielleicht kann ich euch dann mehr dazu sagen. – So, und jetzt brecht mir nichts ab beim Putzen!« Damit ließ er uns mit der goldenen Ampel und den weichen Poliertüchern allein.

Wir konnten kaum den nächsten Sonntagnachmittag erwarten. Sonst waren wir immer gleich nach der Andacht auf dem Klosterspeicher verschwunden, wo wir unser Reich hatten. Es war dort oben immer ein wenig düster, ja geheimnisvoll unter dem alten, staubigen Dachgebälk. Aber das liebten wir, und daß der Speicher für uns verboten war, erhöhte nur seine Anziehungskraft. Er lockte uns wie ein Abenteuer.

Heute jedoch verzichteten wir auf unseren gewohnten Besuch im Dämmerreich von Balken, Brettern, Ziegeln und Kaminen. Nicht aus plötzlichem Gehorsam etwa, sondern aus Neugierde, was der Pater Prior wohl über das kleine goldene Figürchen an der Ewig-Licht-Ampel zu erzählen hatte und wie wohl die Inschrift hieß, die auch Franz, unser bester Lateiner, nicht übersetzen konnte, weil die Schale längst wieder in ihrer gewöhnlichen Höhe hing und wir drei Entdecker die schwierigen Worte – außer semper – nicht mehr richtig zusammenbrachten.

Hei, da stand ja schon der Klosterobere unter der Sakristeitür und winkte. Er ging uns in den großen Saal voraus; das war die Bibliothek. Keiner von uns Ministranten war schon da drinnen gewesen. Wir staunten: An allen Wänden Büchergestelle bis zur Decke. Richtige hohe Leitern davor.

Wo man auch hinsah: Bücher und nochmals Bücher! War dieser Saal nicht noch düsterer als unser Speicher? Wer diese Bücher alle geschrieben hatte? Und erst, wer die alle lesen mußte! Mir gruselte . . .

Mittlerweile war der Pater Prior an einen Tisch auf der Fensterseite getreten. Ein riesiges Buch, schwerer als ein Meßbuch, wie Theo feststellte (und er mußte es genau wissen, denn er war schon zweimal mit dem Meßbuch hingefallen), lag dort aufgeschlagen. Da hinein deutete Pater Prior, und wir lasen über seinem Finger: »1721 – 3. Februar.«

»Aber das ist ja alles mit Tinte geschrieben!« wunderte sich Heinz.

»Ganz recht«, erklärte der Pater, »das ist nämlich ein Band aus unserer Klosterchronik. Und darin habe ich auch das Geheimnis um unsere Ewig-Licht-Ampel und den goldenen Knaben gefunden. Aber ich will es euch erzählen, wie sich alles nach den Berichten zugetragen hat.«

Wir durften uns auf mehrere Kisten und einige große Bücher mit starkem Ledereinband setzen und hörten bestimmt aufmerksamer zu, als wenn der gute Pater von der Kanzel herunter gepredigt hätte.

»Vor mehr als zweihundert Jahren standen hier schon Kloster und Kirche. Das Gotteshaus freilich war damals zum Teil niedergebrannt gewesen, und die Bauarbeiten noch nicht ganz fertig. Selbstverständlich gab es auch damals Ministranten in unserer Klosterkirche, und die waren halt vom gleichen Holz geschnitzt wie ihr – oder nicht? Jedenfalls stellt euch vor –« dabei sah uns der Pater der Reihe nach an, »die gingen damals immer wieder heimlich auf den Klosterspeicher hinauf, obwohl es ihnen streng verboten war!«

Der Pater Prior machte eine kleine Pause, und von uns dachte jeder: »Allerdings, Kerle wie wir!« Und wir schauten dabei schnell irgendwo anders hin, nur nicht dem Klostervorsteher ins Gesicht. Der fuhr schon fort:

»Damals besaß der hiesige Klosterspeicher sogar einen Anziehungspunkt mehr als heute, nämlich – ein Gespenst! Die Leute in der Stadt erzählten es sich wenigstens so: ›Wissen Sie schon . . . ? Haben Sie das noch nicht gehört? Im Klosterspeicher geht es um! Ja, ganz bestimmt, ein toter Pater geht dort um!‹ Und ihr habt es vielleicht auch schon erfahren: Nichts wird von manchen Leuten so leicht geglaubt wie eine Spukgeschichte.

Nun, für die damaligen Ministranten war es nur ein Grund mehr, den abenteuerversprechenden Kirchenspeicher aufzusuchen.

Eines Spätnachmittags tummelten sie sich wieder einmal oben. Es war im Jahre 1721, genau einen Tag nach Mariä Lichtmeß. Einer von den Jungen – wir wissen sogar seinen Namen aus der Chronik; er hieß Johannes und ging etwa in die letzte Volksschulklasse – mußte seine Kameraden suchen, die sich in die dunklen Speicherwinkel oder auf schräge Dachbalken oder unter die Bretter versteckt hatten, die damals, allerdings nur zur Hälfte erst, über dem Steingewölbe der Kirche lagen. Ja, dort, wo das Ewig-Licht-Seil durch die Decke ging und das Gewölbe fast einen Meter weit durchbrochen war, war nur eine leichte Stuckverzierung angebracht, die nach unten hin das Lüftungsloch so verdeckte, daß die verbrauchte Kirchenluft noch durch die Spalten abziehen konnte. Diese Stelle nun ... aber ich will ja der Reihe nach erzählen!

Unser kleiner Johannes hatte also bis dreißig gezählt, laut und langsam, wie es die Spielregel erforderte. Jetzt drehte er sich um, ob er irgendeinen der versteckten Kameraden erspähen könne. Ah, da vorne! – Aber nein! Was Johannes durch die verschiedenen offenen Zwischentüren hindurch kommen sah, war – ein Mönch!

Der Junge schrak zusammen. Schon deswegen, weil es ja verboten war, den Klosterspeicher zu betreten. Noch mehr aber, weil der Mönch, der da langsam näher kam, so sonderbar aussah. Man konnte nämlich gar kein Gesicht erkennen. Er trug die Kapuze tief über dem Kopf.

Jetzt jagte dem erregten Knaben ein furchtbarer Gedanke durch den Kopf: Das ist sicherlich... ›Der Geist!‹ schrie er auf und stürzte mit einem Angstschrei davon. Er wollte über das Loch springen, von dem ich euch eben erzählt habe, stolperte in der Aufregung und – sprang mitten hinein. Natürlich hielt die dünne Gipsverzierung nicht. Polternd krachte sie mit dem Jungen in das Kirchenschiff hinunter.«

Wir saßen atemlos gespannt. Warum dieser kleine Johannes aber auch... Da begann der Pater Prior aber schon wieder weiter zu erzählen.

»Einmal versuchte sich Johannes noch am Seil, das die schwere Ampel trug und an einem Dachbalken festgemacht war, anzuklammern, er mußte aber gleich wieder loslassen, bekam es nochmals zu fassen und vermochte sich wiederum nicht zu halten. Er stürzte auf die Steinfliesen zu ... Im letzten Moment dann blieb er mit der Jacke an einem Zacken des Ewigen Lichtes hängen, von wo ihn der erschrockene Bruder Sakristan wie einen reifen Apfel abpflückte.«

Gott sei Dank! Das war ja noch gut abgegangen! Mäuschenstill war es in dem großen Bibliothekssaal. Wir Buben hielten wohl alle ein wenig Gewissenserforschung.

Nach einer Weile fragte Otto, der immer sehr praktisch eingestellt war: »Ist er dann noch bestraft worden?«

»Das weiß ich nun nicht«, antwortete der Prior mit leisem Schmunzeln.
»Ich denke, der Schrecken hat ihm genügt. Er wird künftig sich ein bißchen
mehr um Gebote und Verbote gekümmert haben!«

»Und der Mönch – war das wirklich ...«

»Das war natürlich kein Gespenst, sondern ein richtiger lebendiger Pater,
der, in seinem Studium gestört, einmal im Speicher nach dem Rechten
sehen wollte.«

»Aber die Kapuze!«

»Die hatte er sich fest über die Ohren gezogen, denn es war ein empfind-
lich kalter Februartag.«

Wir schnauften auf. Jetzt wußten wir also die Geschichte.

»Aber der lateinische Satz mit ... semper!« erinnerte Theo.

»Kommt gleich«, tröstete der Pater. »Da schaut nochmals in die Chronik!«

Er überschlug einen dicken Pack Blätter und deutete auf einen Absatz. Franz, als der Älteste von uns, durfte vorlesen, und der Prior half ihm dabei:

»Heute erschien der Goldschmiedegeselle Johannes Tegener, der zuletzt in Augsburg bei dem berühmten Meister Thellot gelernt hat, und überbrachte sein Gesellenstück: eine zierliche, aus Gold getriebene Figur eines Knaben. Er bat, diese bei der Ewig-Licht-Ampel unserer Klosterkirche aufzuhängen, zum Andenken an seine Rettung vor drei Jahren, wo er als Ministrant durch den Speicherboden gebrochen und an der Ampel hängengeblieben war. Dem Figürlein hat er nach eigenem Entwurf ein gleichfalls goldenes Spruchband in die linke Faust gegeben mit den Worten: Inoboedientia semper perrumpit.«

»Und was heißt das auf deutsch?« fragte uns der Pater Prior.

Da wir kleinen Lateiner aber alle beharrlich schwiegen, sogar der gescheite Franz, übersetzte er es uns selber:

»Merkt es euch gut«, sagte er, und dabei schaute er uns wieder sehr eindringlich durch die dunkle Brille an, »merkt es euch recht gut, ihr Schlingel: Ungehorsam bricht allemal durch!«

Unheimliche Stellen . . .

. . . aus Schüleraufsätzen

Die alten Ägypter wickelten ihre Toten so fest in harzgetränkte Leinwandbinden ein, daß sie sich nicht mehr rühren konnten.

Er und sein Freund kannten sich bis auf den letzten Blutstropfen.

Die Bewohner der Schweiz nähren sich fast ausschließlich von Touristen.

Wenn der Rhein nach Süden flösse, müßten die Leute in Köln verdursten.

Die Römer waren ein sehr tapferes Volk; jetzt benutzt man sie nur noch, um Wein aus ihnen zu trinken.

Auch eine »Programmnummer«:

Sturm um die Rabenburg

Nacht überm Land.
Nacht und tosende Gewitternot!
Taghell ein Brand!
Blitze zucken! Und der Himmel – loht!
Donner, als bersten die Felsen entzwei!
Und die Elemente jauchzen:
Jetzt sind wir frei!

Burg überm Tal:
Letzter Trutz aus verfallener Zeit.
Grelles Fanal!
Hei, wie die alte Wetterfahne schreit!

Sturm rast um die alten,
morschen Mauern,
scheckert und höhnt:
Lang wird's nimmer dauern!

Doch – da –
öffnet sich das schwere Tor:
Weißgekleidet –
tritt eine Gestalt hervor.
Und sie starrt mit steinernem Blick
in die grausige Runde;
und sie hebt, erbleichend, die Hände
in der mitternächtigen Stunde
zum verhangenen Himmel empor
– schrecklich drohende Gebärde! –
und sie schreit ins Toben der verhexten Erde;
schreit – ach,
wer kann den Ruf ertragen! –,
schreit! – ach,
wer darf zu lauschen wagen! –
schreit!! – ach,
daß sich ihr doch endlich
nahe ein Erretter! –
schreit:
»O mai, is des a Weder!«

Der Sturm um die Rabenburg läßt sich mit Kochtopfdeckeln und dergleichen
geradezu schrecklich echt darstellen; nur muß er immer wieder soweit
abebben, daß man den Sprecher, der langsam die Stimme immer mehr
steigert, noch gut versteht!

Ein anderes Mal kam es zu einer richtigen

Gespenster-Diskussion

Wir saßen auf der Veranda der Jugendherberge beisammen. Kurt hatte uns eine Gespenstergeschichte erzählt, daß einem das Blut in den Adern gefrieren konnte. Nun mochten wir noch nicht in unsere Betten gehen.
Zunächst schwiegen wir eine Weile, dann warf einer eine Frage in den Kreis, und am Schluß hatten wir das schönste Rundgespräch. Thema: Gespenstergeschichten!

Kurt, der sich in dieser Literaturgattung am besten auszukennen schien, reihte wahllos ein paar Höhepunkte aus »klassischen« Gespenstergeschichten aneinander. Das lautete etwa so:
»Hämisch grinsend, in der linken Hand ein Kerzchen, in der rechten so ein langes Messer! Nur noch zwei Schritte war sie entfernt, jetzt nur noch einen, und jetzt ... jagte dem erregten Knaben ein furchtbarer Gedanke durch den Kopf: das ist sicherlich ... ›Der Geist!‹ schrie er auf und stürzte mit einem Angstschrei davon ... Und dann – dann ging das Auge auf – langsam – ganz langsam – lauernd – oh, so lauernd ... ›Wer hat mein goldenes Beinchen? Wer hat mein goldenes Beinchen?‹ wimmerte es währenddessen am Fenster ... und wirklich, da vorne stand einer im Totenhemd; der winkte ihm ...«
»Na, wem es da nicht gruselt!« nahm Oskar das Wort. »Aber man sieht doch schon aus diesen Beispielen deutlich, daß allein die Phantasie unserer Dichter und Geschichtenerzähler die Gespenster geboren hat!«

Richard widersprach ihm sehr energisch. »Es gibt schon Gespenster!« behauptete er. »Freilich sehen die ein wenig anders aus, als wir es uns gewöhnlich ausmalen. Darf ich vielleicht dazu eine Geschichte erzählen?
In meiner Heimatstadt hatte eine Frau in der Lotterie gewonnen. Sie

verwahrte das viele Geld auf der Sparkasse. Eines Abends nun saß die Frau in ihrer Stube – die Wohnungstür hatte sie fest verriegelt! –, da ging plötzlich die Zimmertür auf und herein sprang fauchend und polternd eine schwarze Spukgestalt. Unter Drohen befahl der unheimliche Gast der zitternden Frau: ›Schaff mir bis morgen nacht dein Geld zur Stelle! Sonst bring' ich dich um!‹ Dabei ahmte er deutlich die Bewegung des Halsabschneidens nach.

In ihrer Angst versprach die Frau ihm alles. Doch am nächsten Morgen kamen ihr Bedenken, und sie meldete den Vorfall der Polizei. Daraufhin schickte man ihr heimlich einen Polizisten ins Haus, der sich hinter dem Ofenschirm versteckte.

Und wirklich! Spät am Abend erschien das Gespenst erneut und verlangte das Geld. Die Frau deutete auf eine Schachtel, die auf der Fensterbank stand. Unter Murmeln und Fauchen wollte sich der schwarze Geselle die Schachtel holen. Als er jedoch am Ofen vorbeikam, sprang der Polizist vor, packte den Unheimlichen und zerrte ihn in den Lichtkreis der Lampe. Da stellte sich nun heraus, daß es keineswegs ein höllischer Geist, sondern ein reichlich angerußter Einbrecher war!«

»Ja, das gibt es natürlich auch«, ließ sich jetzt Rudi vernehmen, »daß Leute die Rolle eines Gespenstes spielen, um dadurch irgendeine Untat zu tarnen. Aber meistens wird es doch so sein, daß sie etwas anderes im Schilde führen, wenn sie sich schwarz anstreichen oder ein weißes Bettuch über den Kopf werfen. Auf unserer letzten Sommerfahrt hatten wir so ein Erlebnis. Wenn ihr es hören wollt?

Wir zelteten damals in der Nähe einer Schloßruine. Alfons, unser Gruppenführer, hatte ein paar Gespenstergeschichten erzählt und dann gefragt: ›Wer fühlt sich jetzt noch stark genug, um heute nacht Wache zu stehen?‹ Natürlich wollte keiner von uns als Feigling gelten, und so meldeten sich selbst unsere Jüngsten.

Um Viertel nach zwölf kommt Elmar in mein Zelt gekrochen. ›Du, Rudi!‹ flüstert er erregt. ›Komm schnell heraus! Da draußen steht jemand!‹

›Wo?‹ frage ich.

›Auf dem Weg zum Schloß! Schnell!‹

Ich krieche schleunigst aus meinem Schlafsack, fingere nach meiner Taschenlampe, um meine Sandalen anzuziehen. Jetzt erst sehe ich, wie blaß Elmar ist; er zittert vor Angst.

›Habt ihr Alfons schon geweckt?‹

›Der ist nicht wachzukriegen!‹ flüstert Elmar. ›Hoffentlich ist ihm nicht schon was geschehen!‹

›Na, so schlimm wird es nicht sein!‹ suche ich zu beruhigen, aber ich bringe kaum selber vor Aufregung meine Schuhriemen zu. Endlich kriechen wir beide ins Freie. Langsam, vorsichtig wie Jäger in der Nähe des Wildes, so pirschen wir uns durch unsere kleine Zeltstadt.

›Da vorne!‹ deutet Elmar.

Vor dem Zelt unseres Gruppenhäuptlings stehen fünf, sechs, sieben Buben zu einem schwarzen Klumpen zusammen. Jetzt kommt auch Alfons schlaftrunken heraus.

›Was ist denn los?‹ fragte er und gähnt ganz laut. Aber ich merke, er tut nur so schläfrig. Warum bloß?

›Da vorne!‹ deutet Elmar wieder, und nun schaut auch Alfons zum Waldrand hin. Da steht einer.

Tatsächlich! Da steht einer!

›Was denn?‹ fragt Alfons wieder. ›Was soll denn da vorne sein?‹

›Ja, siehst du denn nicht?‹ fragen drei, vier gleichzeitig. ›Dort bei dem Busch
steht doch einer!‹

›Dann geht doch einmal hin und fragt, was er will! Da weckt man doch
nicht gleich das ganze Lager! Wer hat denn jetzt Wache?‹

›Der Ernst und der Elmar!‹

‹Nein!‹ Wehren sich die beiden. ›Es ist schon halb eins, und da kommen
Fritz und Willi dran!‹

›So übergibt man aber keine Wache!‹ entscheidet Alfons.

›Los, Elmar und Ernst! Hingehen und nachschauen, ob wirklich jemand
dort steht!‹

›Ja, siehst du ihn denn immer noch nicht?‹ fragen jetzt alle.

›Ob wirklich jemand dort steht‹, fährt Alfons fort, ›und wenn, dann fragt
ihn, was er will!‹

Elmar und Ernst schauen sich an. Ernst schüttelt den Kopf.

›Nein‹, meint da auch Elmar zu Alfons hin, ›du hast selber einmal zu uns
gesagt: Wenn's schwummrig wird, bin ich auch noch da!‹

Alfons verzieht das Gesicht; fast hätte er gelacht, glaube ich.

›Na, gut!‹ sagt er und geht.

Inzwischen sind wohl auch die letzten wach geworden und stehen hier
draußen herum. In unserem Rücken brennt das Lagerfeuer. Unsere Körper
werfen lange Schatten. Plötzlich knallt es hinter uns. Wir fahren erschrocken herum. Funken sprühen aus dem Feuer; es knallt und zischt!
›Alfons!‹ schreit Bruno, unser Lagerbenjamin. Aber von Alfons ist nichts
mehr zu sehn. Schrecklich!

Und dabei war alles so harmlos gewesen, daß wir noch tagelang lachen
mußten, wenn wir uns vorhielten, wer mehr erschrocken sei. Arthur hatte
nämlich das Gespenst am Waldrand gespielt. Alfons, der Bescheid wußte,
hatte sich absichtlich so lange schlafend gestellt. Und die Knallfrösche?
Die hatte ein dritter Eingeweihter im rechten Augenblick ins Lagerfeuer
geworfen!«

»Na ja«, meinte Kilian, der Längste in unserer Runde, »das mag immer
wieder einmal vorkommen, daß übermütige Kerle ›Gespensterles‹ spielen!
Aber meistens wird es doch so sein, daß uns irgend etwas wie Gespensterei

anmutet, nur weil wir uns die Erscheinung nicht gleich erklären können: Der Vollmond meinetwegen, der sich in einer Pfütze spiegelt, oder sonst irgend etwas durchaus Harmloses im Wald oder Moor, auf dem Speicher, im Keller oder in der Scheune ...«

»Ja«, fiel ihm Willi in die Rede, »da schreit zum Beispiel ein Nachtvogel wie ein kleines Kind, das man hinter dem Busch versteckt glaubt. Oder ein Strauch nimmt in der Dämmerung die Form eines Menschen an, und ein Ast, der im Winde auf und nieder wippt, täuscht uns den Stutzen eines Wildschützen vor. Wenn Tiere durchs Dickicht brechen, meint man gleich Räuber zu hören, und wenn das Mondlicht auf eine weggeworfene Zeitung fällt, denken wir: es spukt! ›Gespenster‹ rufen wir – und dabei hat uns die Natur nur ein bißchen geneckt!«

»Da hat mein Vater einmal etwas erlebt!« wußte Klaus zu berichten. »Spät am Abend sah er in seinem Gartenhäuschen ein Licht brennen. Ruhig, unbeweglich leuchtete es im Dunkel der Nacht. ›Mal sehen, was das ist!‹ sagte sich mein Vater und ging darauf zu. Aber je näher er hinkam, desto größer wurde das Licht, so groß wie ein Suppenteller etwa. Und jetzt, jetzt wurde es wieder kleiner mit jedem Schritt! Das war doch merkwürdig! Als mein Vater nun dicht davorstand, war es nur noch ein leuchtendes Pünktchen.

Doch es war kein Spuk, wie mein Vater erleichtert feststellen konnte, vielmehr nur ein Johanniswürmchen. Das saß genau im Mittelpunkt eines von Tautröpfchen beperlten Spinngewebes, in dem sich sein Lichtlein spiegelte, das je nach der Entfernung des Beschauers größer oder kleiner erschien.«

»Darf ich also zusammenfassen?« lachte Kurt, der unseren Diskussionsleiter spielte. »Wenn Leute meinen, sie hätten ein Gespenst gesehen, so ist da meistens Angst oder Einbildung schuld. Gespenster gibt es nicht!«

Doch da meldete sich Gerald zu Wort und erzählte folgende Spukgeschichte aus seiner Heimat:

»In einer Ortschaft im Sudetenland steht ein altes Holzhaus, in dem es um Mitternacht nicht geheuer ist; genau von zwölf Uhr bis null Uhr fünfzehn soll es dort spuken. Hier wohnte einst ein Beamter der Holzfabrik, die gleich gegenüber liegt; der hatte nichts anderes im Kopf als Schimpfen und Schlagen und Fluchen! Selbst sein Weib, das herzensgut und fromm war, verschonte er nicht.

Eines Tages nun war die Frau tot. So schrecklich hatten die Nachbarn den Mann noch nie fluchen hören wie jetzt, wo er seine Frau in den Sarg legte. Keinen ließ er heran; ganz allein schaffte er den Sarg in die nahe Großstadt.

Kurz danach brachte er auch seine zwei Kinderchen auf die gleiche Weise weg, und schließlich zog er selber in die Stadt.

›Er hat sie erwürgt‹, flüsterten nun manche im Dorf, ›erwürgt, weil die Frau ihre Kinder taufen lassen wollte!‹

Nicht lange, da kam aus der Stadt die Nachricht von seinem schimpflichen Ende: Er hatte sich selber erhängt.

Seitdem muß er in jenem Holzhaus Nacht für Nacht seine Verbrechen wiederholen. Man hört markerschütterndes Kindergeschrei, Gepolter, als wenn Betten, Schränke, Tische und andere Möbel umgeschmissen würden, und dazwischen immer wieder seine deutlich fluchende Männerstimme. Kein Mensch will in dieser unseligen Dachkammer wohnen.

Eines Nachts waren nun zwei Männer im Ort sternhagelbetrunken, als es wieder zu rumoren anfing. Mutig gemacht vom Alkohol, beschlossen sie, der Sache auf den Grund zu gehen. Sie torkelten die Treppe hinauf und rissen die Kammertür auf. Undurchdringliches Schwarz gähnte sie an.

Plötzlich klatschte jedem ein Faustschlag ins Gesicht, eine Hand griff nach ihrem Hals... Sie rissen sich los und stürzten die Treppe hinunter. Erschöpft und käseweiß brachen die beiden Männer in der Küche zusammen. Der Spuk aber treibt noch heute in jenem Holzhaus sein grausiges Spiel.«

»Ach was!« Jochen, der Gerald genau gegenübersaß, machte eine abwehrende Bewegung mit der Hand. »Spinnstubengeschichten sind das!« meinte er. »Mein Vater hat mir erzählt, daß vor siebzig, achtzig Jahren in keinem Bauernhaus das Spinnrad fehlte und daß man mit dem Spinnen die langen Winterabende verbrachte. Da saß dann die ganze Familie, manchmal auch noch die Nachbarschaft, beisammen, und man erzählte sich zur Arbeit Geschichten. Keiner konnte die nachkontrollieren, und jeder schmückte sie noch ein bißchen gruseliger aus. Und am Schluß – wurden sie wirklich geglaubt!«

»Ich kenn' auch so eine Spinnstubengeschichte«, schaltete sich Wolfgang ein, der aus Nordwestdeutschland war. »Ihr denkt nun sicher, was soll schon in dem flachen Land, wo es keine Berge und keine großen Wälder gibt, an Gespenstern herumgespukt haben! Doch die scheinen sich gerade im Land der Heide und der Moore und der Birken an den Straßen recht wohl gefühlt zu haben . . .

Etwa um die Zeit Karls des Großen stand dort, wo heute am Ostufer der Ems die Stadt Lingen liegt, die Burg des grausamen Raubritters Machurius. Lange schon hatte er seine Nachbarn gequält. Endlich beschlossen die, seinem gewalttätigen Treiben ein Ende zu setzen.

Eines Nachts überrumpelten und töteten sie die Besatzung der Burg, zündeten das Raubnest an und besetzten alle Ausgänge, weil sie den Machurius lebendig haben wollten. Er hatte sich nämlich nach verwegener Verteidigung ins Innere seiner Feste zurückgezogen.

Allein, die Sieger warteten vergebens auf ihn. Als die Gemäuer schließlich zusammenbrachen, nahm man allgemein an, daß er unter den rauchenden Trümmern begraben liege.

Und wirklich, der schwerverletzte Raubritter stöhnte in einem Winkel seiner qualmenden Burg und merkte, daß er bald sterben müsse. Da sah er plötzlich neben sich zwei Wesen stehen: bei seiner Schwerthand eine schöne, lichte Gestalt, die ihn zur Reue und Buße aufforderte und ihm dafür einen himmlischen Lohn versprach; bei seiner Schildhand einen finsteren Gesellen, der ihm Befriedigung seiner Rache bot, wenn er ihm als Entgelt sechs Monate des Jahres diene.

Machurius war in seinem furchtbaren Grimm sofort bereit, auf den zweiten Vertrag einzugehen. Er ritzte sich mit einer Nadel die linke Seite und unterschrieb mit dem herausfließenden Blut das Dokument, das ihm der höllische Vertragspartner reichte. Dann drehte er sich um. Machurius war tot.

Die umfangreichen Güter des Raubritters hatten die Teilnehmer des nächtlichen Rachezuges unter sich aufgeteilt. Doch sie wurden ihres neuen Besitzes nicht froh: Kaum war ein halbes Jahr vorbei, so begann der Geist des Raubritters sein nächtliches Unwesen zu treiben, soweit seine früheren Besitzungen reichten. Es wurde so schlimm, daß diese Gegend, von den Leuten ängstlich gemieden, für Jahrhunderte öde und verlassen blieb.

Später wurde das Land an der Ems Eigentum der mächtigen Grafen von Tecklenburg. Ein Sohn des regierenden Grafen, der von einem Kreuzzug aus Palästina in die Heimat zurückgekehrt war, faßte den Entschluß, auf den Trümmern des verfallenen Raubnestes seine Burg zu errichten. Obgleich ihm wegen des dort hausenden Geistes dringend abgeraten wurde, ging er unerschrocken ans Werk, erbaute die Burg und warb Siedler für das umliegende brache Land.

Nur zögernd folgten die Bauern seiner Aufforderung, denn je mehr die Bevölkerung der neu angelegten Stadt wuchs, desto häufiger und bösartiger wurden auch die Untaten, die der Geist des Machurius nächtlicherweise verübte.

Da versprach der Graf den Mönchen, die es wagen würden, den Unhold zu bannen, ein Kloster zu stiften. Es meldeten sich zwei Benediktiner, die dazu bereit waren. Am Morgen fanden sich die Gläubigen der ganzen Umgebung ein, um beim feierlichen Meßopfer für einen guten Ausgang der Sache zu beten. Danach schritten die beiden Mönche zu dem Platz, wo der Geist am liebsten hauste, zogen um den Ort einen Kreis heiliger Kreuzeszeichen, beteten das Benedicitus, riefen den Geist dreimal beim Namen, sprachen die geheimnisvollen Bannworte, besprachen den Geist und zwangen ihn, in einem bereitstehenden Wagen zwischen ihnen Platz zu nehmen. Schleunigst fuhren sie nun zum Stadttor hinaus. Aber auch jetzt besaß der Unhold noch große Gewalt: Dem neugierigen Fuhrmann, der sich trotz Warnung der Mönche einmal umsah, saß der Kopf gleich verkehrt auf dem Rumpfe. Und nochmals zeigte der Geist seine unheimlichen Kräfte, als der Wagen mit der Fähre über die Ems gesetzt wurde: Machurius drückte so sehr auf die Fähre, daß sie zu versinken drohte. Trotzdem erreichte man wohlbehalten das gegenüberliegende Ufer, und die Mönche führten den Geist noch tiefer in die Heide hinein. Im Laufe der Jahrhunderte aber soll sich der Geist der Stadt schon wieder bedenklich genähert haben!«

»Oho!« lachte Werner. »Dann müssen wir uns ja vorsehen, daß er uns nicht erwischt, wenn wir mal in eure Gegend kommen!« Und er stellte nochmals fest: »Es bleibt dabei: Es gibt keine Geister und Gespenster!«

Theo, der bis jetzt geschwiegen hatte, schüttelte den Kopf. »Es gibt keine Gespenster, aber Geister«, sagte er langsam. »Gespenster sind nur Witzblattfiguren! Aber Geister gibt es, weil Gott selber ein Geist ist. Auch die Engel sind von Gott als reine Geister erschaffen. Also ist auch der Teufel, der doch zunächst zu den himmlischen Chören gehörte, ein Geist. Und jeder Mensch besteht neben dem Leib aus dem Geist! Geist ist mithin etwas Gottgeschaffenes! Und weil jeder erschaffene Geist irgendwie dem ungeschaffenen Geist – also Gott! – ähnlich ist, deshalb ist Geist etwas Großes und Gewaltiges. Nichts Lächerliches!«

Theo hatte unserem Gespräch eine ganz neue Richtung gegeben. Leo, der neben ihm saß, griff den Gedanken auch gleich noch einmal auf. »Klar, daß es Geister gibt!« meinte er. »Und wer glaubt, es gäbe keine, der soll doch nur einmal in seinem Katechismus nachlesen!«

»Aber ein Geist – das ist doch etwas Unsichtbares?« fragte Helmut. »Weil er doch ganz und gar nicht aus Stoff besteht! Wie kann es dann sein, daß man so einen Geist sieht? Oder gar hört und spürt?«

Franz, der aus der gleichen Stadt wie Helmut kam und sich in der Bibel auszukennen schien, zählte auch gleich ein paar Begebenheiten aus dem Neuen Testament auf, wo Geister für Menschen wahrnehmbar waren: »Der Engel zur Rechten des Rauchopferaltares, als Zacharias Priesterdienst hatte. Der Erzengel Gabriel im Haus von Nazareth. Die himmlischen Boten auf den Fluren vor Bethlehem. Der Teufel, als er Jesus versuchte. Die zwei Männer in glänzendem Gewand am österlichen Grab des Herrn. Der Engel, der Petrus aus dem Gefängnis befreite ...«

Und nach einer kurzen Pause fuhr Franz fort: »Gott ist allmächtig; also kann er auch machen, daß Geister, die sonst nicht wahrnehmbar sind, von Menschen gesehen und gehört werden können, ja vielleicht nur von ganz bestimmten Menschen, wie es vielleicht im Kerker des Petrus der Fall war, wo die vierfache Wache den Engel wahrscheinlich nicht wahrnehmen konnte.«

»Wenn ein Geist sichtbar wird«, führte Walter das Gespräch weiter, »dann doch nur mit Erlaubnis oder im Auftrag dessen, der alle Geister erschaffen hat! Daß aber Gott bisweilen einem Geist die Kraft dazu gibt, ist leicht einzusehen, wenn es dabei um das Heil eines Menschen geht!«

Und Walter erzählte dann noch den Bericht, den er in einer religiösen Zeitschrift gelesen hatte. »Es handelte sich um ein merkwürdiges Ereignis aus dem Leben des Jesuitenpaters John B. Pittar, der achtzehn Jahre als Seelsorger in der Stadt Washington gewirkt hat.

Mitternacht war es gewesen, als einmal ein kleiner Junge am Pfarrhaus läutete und Pater Pittar bat, zu einem Kranken zu kommen. Es war gegen ein Uhr nachts, als der Priester in das bezeichnete Haus kam. Die Fenster waren finster. Er fand die vordere Tür unversperrt und trat ein; da er im ersten Stock Licht bemerkte, ging er hinauf und klopfte an. Die Tür öffnete sich, und ein Mann mit einem Revolver trat dem Pater entgegen. Überrascht, einen Priester vor sich zu sehen, fragte der Mann den Pater grob, was er denn wünsche.

›Ich bin hierher zu einem Kranken gerufen worden‹, lautete die Antwort.

›Ich bin nicht krank‹, sagte der Mann, ›und ich habe Euch auch nicht verlangt! Wer hat Euch denn gerufen?‹

Der Priester schilderte den Knaben, so gut er es vermochte.

›Das ist die Beschreibung meines Sohnes, der mir vor fünf Jahren gestorben ist!‹ antwortete der Mann mit sichtlicher Bewegung. ›Als mir der Knabe und seine Mutter gestorben waren, wurde ich schwermütig, und schließlich wollte ich mir das Leben nehmen, und diese Absicht wollte ich gerade in der heutigen Nacht ausführen; in einigen Minuten wäre ich eine Leiche gewesen!‹

Pater Pittar redete nun dem Mann ins Gewissen, und als er nach längerer Zeit fortging, ließ er ihn in der besten Verfassung zurück. Überdies besuchte er ihn in der Folgezeit noch öfter.«

»Schön«, sagte Kurt, der auf seine Armbanduhr geschaut hatte. »Dann können wir also zum Abschluß unserer Diskussion folgendes zusammenfassen:

Erstens: Es gibt ohne Zweifel *Geister.* Diese sind unsichtbar, können aber, wenn Gott es zuläßt oder will, für Menschen wahrnehmbar werden. Aber so etwas wird dann immer eine ganz große Ausnahme sein!

Zweitens: Gespenster gibt es dagegen keine! Gespensterberichte beruhen auf Selbsttäuschung oder lassen sich auf irgendwelche Streiche zu-

rückführen oder sind dichterische Erfindungen, um sich recht spannend zu unterhalten!

Drittens: Fürchten braucht man sich in keinem Fall! Denn entweder ist etwas gar kein Geist, dann müßte man sich hinterher nur selber auslachen! Oder wir erleben wirklich einmal etwas, was wir uns nicht erklären können, dann gilt: Gott ist der Herr auch über alle Geister!«

Bei unserem langen Rundgespräch war es späte Nacht geworden. Über dem Dach der Jugendherberge stieg das Sternbild des Großen Wagens auf.

Das Geheimnis der grünen Tapete

Die Zwillinge stöhnten vor Langeweile. Daß ihnen aber auch so etwas passieren mußte! Krank werden in der fremden Stadt, auf die sie sich schon so gefreut hatten!

In den ersten Tagen, als das Fieber die beiden Jungen laut und ängstlich sprechen ließ, waren die Eltern kaum von den Betten gewichen. Aber nunmehr, wo es den Zwillingen besser ging, erledigten Vater und Mutter tagsüber all die Geschäfte, derentwegen sie die Reise unternommen hatten. Die beiden Jungen waren jetzt meistens allein, und sie wußten kaum, was sie anstellen sollten, bis – ja bis der eine von ihnen an der grünen Tapete zog, die in Kopfhöhe neben seinem Bett einige Zentimeter lang abgesprungen war. Erst ging er recht behutsam zu Werke; als er aber auf der Rückseite

vergilbtes, bedrucktes Papier erkannte, packte ihn die Neugier, und er zog kräftiger.

Er dachte in diesem Augenblick nicht mehr daran, daß es ein Hotelzimmer und folglich eine fremde Tapete war, die er da beschädigte. Er kam sich vielmehr wie ein Forscher vor, der etwas unerhört Interessantes entdeckt hat.

Wie würden die Eltern am Abend staunen!

Sein Zwillingsbruder war eingeschlafen, aber später las auch er in der seltsamen, vergilbten Zeitung, während die Dämmerung ins Zimmer fiel, und die Abenteuerlust färbte die bisher so blassen Wangen mehr und mehr rot ...

Das stand alles in der Zeitung:

Hamburg:

Die letzten Sturmtage haben manches Treibgut an den Strand geschwemmt, unter anderem auch eine Flaschenpost, die schon zwei Jahrzehnte unterwegs war. Sie wurde seinerzeit vom Institut für Meeresforschung ausgesetzt, denn mit solchen gläsernen Briefen lassen sich billig Stärke und Richtung der Meeresströmung ermitteln.

Früher, als der Nachrichtenverkehr noch nicht so ausgeklügelt war, barg die Flaschenpost oft die letzten Grüße verlorener Seeleute. Die erste Flaschenpost soll Christoph Kolumbus dem Meer anvertraut haben. Sein Chronist berichtet, der kühne Seefahrer habe auf der Rückfahrt in einem schweren Sturm selber an einer Heimkehr gezweifelt und deshalb seine Tagebücher in Wachstuch eingeschlagen und in eine Holztonne stecken lassen, die mit Pech abgedichtet wurde. Leider hat man vom weiteren Schicksal dieser ungewöhnlich großen Flaschenpost nie wieder etwas gehört. Vielleicht wurde sie irgendwo aufgefunden, und nur der Schrecken vor einer so unheimlichen Fracht hat den Finder die wertvolle Post wieder ins Meer werfen lassen?

Wien:

Die Nacht vom 14. auf 15. April 1912 war eine Schreckensnacht, von der die ganze Welt noch lange mit Beklemmung sprach. Damals stieß die Titanic auf ihrer Jungfernfahrt mit einem Eisberg zusammen. Über dreitausend Menschen waren an Bord, nur 685 konnten gerettet werden.

Einer der letzten Überlebenden der Katastrophe weiß zu berichten, daß es damals gar nicht leicht war, die Besatzung für den neuen Riesendampfer anzuheuern. Zwar war dort alles tipptopp an Bord, und die Heuer betrug mehr als anderswo, aber unter den Seeleuten galt die Titanic von Anfang an als Unglücksschiff. Schon gleich nach dem Auslaufen stieß sie mit einem Kohlenfrachter zusammen, und tags darauf brach im Kohlenbunker ein Feuer aus. »Das Gespensterschiff« nannte man den Luxusdampfer in manchen Hafenkneipen. Das Ende dieses Schiffes war wirklich gespenstisch!

Sydney:

Eine siebzig Tonnen große Luxusjacht wurde in den Hafen eingebracht. Man hatte das Schiff auf See treibend aufgefunden, mit Schlagseite und teilweise vollgelaufen, ohne daß man sich erklären konnte, wohin seine Besatzung und die Passagiere verschwunden waren! Es erinnerte dieses Vorkommnis an den Fall der »Marie Celeste«, die als »Gespensterschiff« in die Akten eingegangen ist. Man entdeckte die »Marie Celeste«, die von New York nach Genua unterwegs war, im Dezember 1872 auf dem Atlantik verlassen, aber völlig unbeschädigt. Niemals ist aufgeklärt worden, warum und wohin Besatzung und Reisende der »Marie Celeste« von Bord gegangen sind.

Neapel:

Beim Ausbruch des Vesuvs vor rund 1900 Jahren müssen sich in Pompeji schreckliche Szenen abgespielt haben. Eine davon wurde durch neuere Ausgrabungen fast deutlich greifbar. Beim Abräumen der Lava-Asche rings um eine Patrizier-Villa entdeckte man nämlich in einem schmalen Raum gegenüber dem Haupteingang neun Skelette, umgeben von Bergen von Münzen aus Bronze, Silber und Gold. Das gespenstisch anmutende Bild legte die Vermutung nahe, daß die Umgekommenen noch versucht hatten, das Geld zu retten – aber entweder hatten die giftigen Gase die Überraschten getötet oder die Asche ihnen den Weg nach draußen versperrt.

Montreux:

In einem Tal der Umgebung bildete sich mit Donnergepolter ein Krater, dem ein alter Kirschbaum und ein Haus zum Opfer fielen. Die Bewohner selber waren noch rechtzeitig durch ein unheimlich dumpfes Grollen gewarnt worden. Sie konnten gerade noch ins Freie stürzen und mußten dann zusehen, wie mehrere tausend Kubikmeter Erde in der Tiefe verschwanden.

Sams Abenteuer:

Der zusammengesetzte General

Der General war schon mehrmals in dem Hotel abgestiegen, und der Portier wußte auch sofort wieder Bescheid. »Der Boy steht Ihnen jederzeit zur Verfügung, mein Herr«, sagte er. »Sie brauchen nur zu klingeln.« Und seinem Kollegen, der ihn hinter der Empfangstheke ablöste, raunte er eine Weile später zu: »Armer Kerl, der General! Hat allerlei mitgemacht! Ein Bein verloren, einen Arm verloren und sogar ein Auge verloren! Läßt sich aber nichts anmerken! Hat mehr Humor als viele Gesunde!«

Der Hotelboy, ein Negerjunge, hatte von diesem Gespräch allerdings nichts gehört, und als er am frühen Abend zum General geschickt wurde, raunte ihm der Portier lediglich zu, dem alten Herrn beim Zubettgehen behilflich zu sein.

Sam hatte dem General eben geholfen, den Rock auszuziehen, da sagte dieser: »So, und nun nimm mir das Bein ab!« Er sagte es in einem so sachlichen Ton, wie man etwa bittet, das Fenster zu schließen. Sam glaubte, er müsse sich verhört haben. Aber da drehte sich der General nach ihm um und meinte: »Dann muß ich es eben selber machen!« Und er schnallte sein hölzernes Bein ab und legte es auf die Schuhbank.

»So, jetzt nimm mir wenigstens den Arm ab, Sam!« lautete der nächste Befehl. Sam war schon ganz grau im Gesicht. »Massa«, rief er mit vor Angst krächzender Stimme, »ich habe noch niemandem einen Arm abgenommen!«

»Das ist doch ganz einfach!« tat der General geringschätzig, schnallte auch seinen künstlichen Arm ab und legte ihn auf den Tisch.

Der Negerjunge war schon ein paar Schritte rückwärts zur Tür gegangen, da rief ihm der General zu: »Komm her, heute will ich mir auch das Auge herausnehmen!« Und mit geübtem Griff entfernte er das Emailleauge aus der Augenhöhle.

Sam starrte zitternd auf den unheimlichen Gast. Als dieser sich aber jetzt behaglich im Bett streckte und dem Jungen lachend zurief: »Nun komm schon her und nimm mir meinetwegen auch noch den Kopf ab!«, da war es bei Sam mit aller angelernten Selbstbeherrschung vorbei. Er stürzte aus dem Zimmer, die Treppen hinunter und in die Portierloge hinein. »Droben, auf Nummer dreizehn«, keuchte er, »das muß ein Spukgeist sein! Der Herr liegt da und reißt sich selber in Stücke!«

Tante Eulalia . . .

. . . kennt nur ein »Gespenst«, nämlich den kleinen Max. So klein er noch ist – fragen kann der! Eine Unterhaltung zwischen ihm und seiner Tante hört sich dann etwa so an:

»Was ist das, Tante?«

»Das ist Heu, mein Kind!«

»Woraus macht man das Heu, Tante?«

»Aus Gras, mein Kind!«

»Und wer macht denn das Gras?«

»Der liebe Gott!«

»Macht er es bei Tag oder bei Nacht?«

»Immer, bei Tag und bei Nacht.«

»Auch am Sonntag?«

»Ja, auch am Sonntag.«

»Aber am Sonntag darf man doch kein Heu machen, Tante!«

»Es macht ja auch niemand am Sonntag Heu!«

»Aber du hast doch gesagt . . .«

»Du mußt genau hinhören: Gras habe ich gesagt!«

»Aber man darf am Sonntag doch auch kein Gras machen.«

»Aber das wird doch nicht gemacht, sondern das wächst.«

»Hast du schon einmal Gras wachsen sehen?«

»Nein, mein Kind, aber frag doch nicht so viel; ich werde ja ganz müde!«

»Nur noch eine einzige Frage, Tante, ja?«

»Also gut, mein Kind.«

»Hast du schon einmal eine winzige Fliege Zucker lecken sehen, Tante?«

Ein Beamter . . .

. . . *der wichtige Dokumente in die Stahlkammer zu bringen hatte, steckte den Schlüssel vorsorglich ein, als er den Tresor betrat. Unglücklicherweise fiel aber die Tür, die sich von innen nicht wieder öffnen ließ, hinter ihm zu. Ein Kollege, der zufällig Zeuge wurde, rief die Feuerwehr herbei. Mit elektrischen Bohrern und Schweißgeräten unternahm man das Rettungswerk. Der Beamte aber wußte für den nächsten Erzähl-Abend eine »selbsterlebte« Gespenstergeschichte!*

Der »Meisterdetektiv«:

Der Kopf, der mitten auf der Straße lag

Buchhalter Zimperbach besaß einen Bücherschrank. Und dieser Bücherschrank hatte drei Fächer, und alle drei Fächer waren mit Büchern ganz
vollgestopft. Es ging wirklich kein Band mehr hinein, und deshalb lagen
wohl auch einige auf dem Tischchen gleich neben dem Bett.
Buchhalter Zimperbach schien farbenfrohe Umschläge zu lieben: Die oberste Reihe leuchtete nämlich knallrot, die mittlere himmelblau und die unter-
ste giftgrün. Die Bändchen mit dem giftgrünen Rücken waren die fürch-
terlichsten, alle miteinander waren sie aber nichts anderes als – Kriminalromane. Buchhalter Zimperbach hatte eine Leidenschaft dafür.
Nur ein paar wenige Eingeweihte wußten, wie es sich genau verhielt:
Wenn Herr Zimperbach seine Zahlenkolonnen abends gut im Geschäfts-
tresor eingeschlossen hatte (damit sie ja niemand bis zum nächsten Morgen
durcheinanderbringen konnte!), dann war er mit einemmal ein ganz anderer
Mensch.
Dann war er Detektiv, Meisterdetektiv sogar!
Heute beeilte sich Buchhalter Zimperbach ganz besonders, frühzeitig nach
Hause zu kommen; denn heute hatte er ja noch den schwierigen Fall mit
dem gestohlenen Halsband der Gräfin Ypsilon zu lösen! Da würde es
sicher wieder Mitternacht werden, bis er den Täter entlarvt hatte – und
den Roman in den Bücherschrank zurückstellen konnte!
Dumm, daß es den ganzen Nachmittag über geschneit hatte! Man kam nur
sehr mühselig und langsam mit dem Fahrrad vorwärts. Und Buchhalter
Zimperbach wohnte doch ein gutes Stück außerhalb der Stadt!
Er trat in die Pedale, daß er zu schwitzen begann. Aber dann – auf einmal – auf einmal – da wurde ihm ganz kalt. Da sah er nämlich vor sich im
Schnee, von seinem Fahrradlicht schwach angeleuchtet, eine Hand. Eine steif-
gefrorene, blutleere, weißschimmernde Menschenhand.
Und ehe Herr Zimperbach noch bremsen konnte, strahlte der Scheinwerfer

einige Meter weiter vorne einen Fuß an, einen steifgefrorenen, blutleeren, weißschimmernden Menschenfuß.

Und – und – und nochmals weiter vorne, da lag etwas – Herr Zimperbach konnte es jetzt deutlich erkennen: Es war ein Kopf, ein steifgefrorener, blutleerer, weißschimmernder Menschenkopf. Mit hellblonden Haaren! Buchhalter Zimperbach hätte nicht einmal die Hälfte aller Kriminalromane gelesen haben müssen, um sofort zu erkennen: Hier muß etwas Entsetzliches geschehen sein! Eine Bluttat, wie sie sonst höchstens in der giftgrünen Romanreihe vorkam!

Wie es ihm gelang, sein Fahrrad auf der schneeglatten Straße ohne Unfall zu wenden und in drei Minuten an der Polizeiwache des Außenviertels zu sein, das vermochte Herr Zimperbach später selber nicht mehr zu sagen.

Sein Fahrrad ließ er gleich einfach gegen die Hauswand fallen und stürzte mit zitternden Knien vier ausgetretene Stufen hinauf. Mit letzter Kraftanstrengung stieß er dann die Tür zur Wache auf und röchelte: »Mo – mo – mord!«

Der Beamte hinter dem Schreibtisch sprang auf. Grell tönte seine Signalpfeife – und da kamen die anderen Polizisten auch schon aus dem angrenzenden Zimmer gerannt.

»Wo denn? Erzählen Sie doch!« rüttelte der Wachhabende Herrn Zimperbach an den Schultern.

Aber der Buchhalter war nur noch fähig, mit der Hand eine ungefähre Richtung anzudeuten. Doch dann gab er sich einen Ruck. Er, der große Detektiv, durfte jetzt nicht schwach werden! An ihm allein lag es doch, ob man den ruchlosen Mörder recht schnell dingfest machen konnte.

»Eine blonde – blonde Frau!« stotterte er also und versuchte seiner Stimme Festigkeit zu geben. »Etwa drei Kilometer – meter von hier, sta – ha – ha – hadtauswärts! Ermordet und ver – ver – gräßlich verstümmelt! Vielleicht sind es auch mehrere; ich weiß – weiß nicht. Ich – ich – ich – bin nämlich gleich umgekehrt, als ich das O – o – opfer erblickte!«

Der wachhabende Polizist hatte schon die Nummer des Überfallkommandos gewählt und gab den Alarm weiter. Während draußen zwei Mann auf ein Krad sprangen und von fern die Sirene des Überfallkommandos aufheulte, wankte Buchhalter Zimperbach langsam zur Tür. Wie selbstverständlich folgte ihm einer der Polizisten. Zu zweit gingen sie die Straße entlang, und Herr Zimperbach schob sein Fahrrad. Er fühlte sich zu elend im Magen, um fahren zu können. In seinen Romanen waren ihm die Verbrechen eben doch nicht so nahegegangen!

Auf halbem Wege wurde Herr Zimperbach vom Überfallkommando überholt. Das Sirenengeheul und das weithin strahlende blaue Licht am Wagen beeindruckten ihn tief. So nahe hatte er das eigentlich noch nie miterlebt! Und diesmal waren sie sogar auf seinen – auf seinen! – Alarm hin gestartet. Irgendwie fühlte sich Buchhalter Zimperbach trotz seines schlechten Magens beinahe glücklich.

Sie werden mich anstaunen und loben, daß ich so schnell reagiert habe, dachte er. Und ich werde in die Zeitung kommen!

Als er noch zwanzig Meter vom Tatort entfernt war, liefen sie ihm auch schon entgegen.

»Erschrecken Sie bitte nicht«, sagte der vorderste Beamte, der den steifgefrorenen, blutleeren, weißschimmernden Menschenkopf – in den Händen trug. »Erschrecken Sie bitte nicht, Herr Zimperbach, es sind nämlich nur die Glieder einer Schaufensterpuppe, die von einem Lieferwagen heruntergefallen sein muß!«

Der »Held«:

Im Friedhof steht einer und winkt

Herr Knöpfle weilte schon über eine Woche im Kurbad, aber sein Leiden war keineswegs besser geworden, im Gegenteil: Er wog jetzt schon zwei Zentner und vier Kilogramm, also ganze drei Kilogramm mehr als daheim. Verwunderlich war beides nicht, weder daß Herr Knöpfle so schwer wog, noch daß er in einer Woche so viel zugenommen hatte. Herr Knöpfle war nämlich Inhaber eines gutgehenden Feinkostgeschäftes, dessen treuester Kunde – er selber war. Auch jetzt im Kurort, wohin er sich zwei Kisten Fressalien im voraus hatte schicken lassen!

»Sie müssen mehr spazierengehen!« rieten seine Ferienfreunde.

»Muß das sein?« antwortete Herr Knöpfle und strich sorgenvoll über seinen kugelrunden Bauch. Wie konnten die anderen auch ahnen, welche Strapazen ihn das kosten würde! Gleichwohl, es mußte eben sein! Am Abend verließ Herr Knöpfle das Hotel. Vorher wäre es auch viel zu heiß gewesen zum Spaziergang! Jetzt wehte wenigstens ein angenehmes Lüftchen.

Es war schon sehr dämmrig, als Herr Knöpfle in den Wald kam, wohin es nach Auskunft der Kurverwaltung nur eineinhalb Kilometer sein sollten. Schuld an der Verzögerung war natürlich wieder nur – Herr Knöpfle blieb stehen und wischte sich mit dem Taschentuch über die Stirn. »Zwei Zentner acht!« seufzte er dabei halblaut. Da raschelte es neben ihm im Laub.

»Nanu?« staunte Herr Knöpfle. »Was hat denn so spät noch zu rascheln?« Aber weiter dachte er sich nichts dabei.

Plötzlich brachen hinter ihm Äste. Kam da jemand? Ja sicher! Immer mehr näherte sich der Unbekannte ihm, Herrn Knöpfle von der großen, gutgehenden Feinkosthandlung. Herr Knöpfle war nicht furchtsam; er griff nach seinem Spazierstock, der ihm am linken Arm hing. Daß der Stock bei dieser weiten Reise um Herrn Knöpfles Bauch herum zu Boden fiel, dafür konnte unser Kurgast ganz bestimmt nichts.

Im gleichen Augenblick aber hörte das Ästebrechen auf. Und dann ergriff der Unbekannte polternd die Flucht.

»Das wird ja lustig!« murmelte der Dicke. »Einmal spazierengehen – und schon wollen sie einem ans Leben!« Ächzend bückte er sich, und nach vier vergeblichen Versuchen gelang es ihm auch, seinen Spazierstock wieder aufzuheben.

»Jetzt aber schleunigst ins Hotel zurück!« stand es für Herrn Knöpfle fest; freilich, was heißt hier schon »schleunigst«!

Der nächtliche Spaziergänger, der zwei Zentner und vier Kilogramm wog, war bestimmt nie Pfadfinder gewesen. So kam es, daß er nicht den alten Weg zurückfand. Es traf sich nur gut, daß der Mond vom Himmel schien, sonst wäre Herr Knöpfle, der auch noch etwas kurzsichtig war, in dieser Nacht sicherlich nie mehr heimgekommen.

Nun stöhnte er einen Feldweg entlang und blickte sich dabei immer wieder einmal um, ob ihm der Waldräuber nicht von ferne folge. Einmal hatte er ja vorhin einen Schatten gesehen, aber so genau vermochte er es eben doch nicht durch seine randlose Brille zu erkennen.

Glück muß der Mensch haben! Das Städtchen kam langsam näher. Plötzlich stellte Herr Knöpfle peinlich berührt fest, daß sein Weg direkt in den Friedhof mündete. Jawohl, ringsum erhoben sich die kleinen und großen Kreuze, schwarz oder silbrig leuchtend, je nachdem sie im Mondlicht standen oder nicht.

Herr Knöpfle hielt an. Leise ging der Wind durch die Buchsbaumhecken und spielte dann mit der Tür einer Grablaterne. »Ächchch!« drehte sich die in den verrosteten Angeln.

Herr Knöpfle zog sein Taschentuch heraus – aber er kam nicht dazu, sich damit über die feuchte Stirn zu fahren. Er ließ es fallen wie vorhin im Wald seinen Stock und starrte zum Friedhofsausgang hin.

Da – da stand einer!

Einer im Totenhemd!

Und der winkte ihm! Jawohl – der winkte – ihm.

»Das kann doch nicht sein! Das kann doch nicht sein!« Herr Knöpfle rückte an seiner Brille. Umsonst! Das Gespenst tat ihm nicht den Gefallen, schnell zu verschwinden. Es winkte ihm weiter. Ganz deutlich sah er es.

Auf dem Absatz machte Herr Knöpfle kehrt. Er ließ sein Taschentuch auf dem Friedhofsweg liegen und rannte zurück, zum Eingang, und um den Friedhof herum nach Hause, in sein Hotel.

Tünchermeister Kreidekloß hängte eine knappe halbe Stunde später seinen weißen Kittel an den Kleiderhaken. »Es ist spät geworden«, meinte seine Frau Eugenie, »bist du wenigstens fertig?« »Nein, ich habe es heute nur grundiert«, gab Herr Kreidekloß zur Antwort. »Morgen nach Feierabend will ich das Kreuz dann fertigstreichen!«

Im Hotel zur »Goldenen Schnecke« fiel die Telefonklappe von Zimmer 22 herunter. »Wie bitte?« fragte der Portier nochmals zurück. Dann rief er dem Pikkolo zu: »Herr Knöpfle von zweiundzwanzig wünscht als Abendessen lediglich einen Pfefferminztee!«

Zum Vortragen:

Messer-Ballade

Sitzt der Vater mit dem Sohn
in der dämmerfahlen Stube,
schaut ihn an, spricht keinen Ton.
Hu! – Es zittert bang der Bube.
   Gleich wird Schluß sein;
   doch – es muß sein!

»Bring ein Messer!« würgt er tonlos
endlich vor. »Doch – daß es tauge!«
Und dabei starrt er den Sohn groß
an mit glasig trübem Auge.
   Gleich wird Schluß sein;
   doch – es muß sein!

»Nimm die Kerze in die Linke!
In der Rechten halt das Messer!
Heb es höher, daß es blinke!
so seh' ich's im Keller besser!«
   Gleich wird Schluß sein;
   doch – es muß sein!

Und sie schleichen aus der Stube.
Vorneweg mit Dolch und Leuchter
wankt der zitterbange Bube;
von der Stirn perlt's feucht und feuchter.
   Gleich wird Schluß sein;
   doch – es muß sein!

Dunkle Treppen geht's hinunter,
dann durch einen finst'ren Gang.
Schwarze Schatten huschen munter
an der Kellerwand entlang.
   Gleich wird Schluß sein;
   doch – es muß sein!

In der letzten Kammer spricht
kalt der Vater: »Leuchte besser,
denn im Dunkeln seh' ich nicht!
So ist's gut! – Jetzt reich das Messer!«
   Gleich wird Schluß sein;
   doch – es muß sein!

Und der Vater zückt den Stahl,
daß die blanken Schneiden blinken,
und – stößt zu!
– – – – – Im Räuchersaal
schnitt er ab den letzten Schinken.

Zum wirkungsvollen Vortrag der Messerballade gehört, daß den Refrain
»Gleich wird Schluß sein; doch – es muß sein« ein ganzer Chor düster
schauender und noch düsterer sprechender Buben wiederholt.

Geburtstagspunsch im Zoo

Oberwärter Krause war nicht nur den Tieren, sondern auch den Menschen gut, vor allem denen, die es auch ihrerseits wieder gut mit den Tieren meinten. So war es kein Wunder, daß die jungen Hilfspfleger und Praktikanten Oberwärter Krause wie einen guten Onkel verehrten. Er war in seiner Arbeit nie nachlässig und forderte auch von seinen Mitarbeitern in allem Genauigkeit, aber man konnte doch jederzeit zu ihm kommen, wenn man etwas nicht verstanden oder gar verkehrt gemacht hatte. Oberwärter Krause wußte immer einen Ausweg.

Wenn Herr Krause Geburtstag hatte, gehörte der Vorabend dem jungen Volk. Das war schon seit vielen Jahren Tradition. Es gab Punsch, den Frau Krause nach altem Geheimrezept ansetzte, und zwischen den einzelnen Runden wurde gelacht und gesungen und erzählt.

Diesmal ging es schon gegen Mitternacht, und niemand, nicht einmal Frau
Krause, hatte Lust, schon nach Hause zu gehen. Da fragte einer – er war
erst vor einigen Wochen als Lehrling in die Raubtierabteilung gekommen –,
ob Herr Krause nicht auch schon recht unheimliche Geschichten mit Tieren
erlebt habe.

Herr Krause setzte das Glas, das er eben zum Munde führen wollte, wieder zurück. »Unheimliche Geschichten mit Tieren?« wiederholte er scheinbar
nachdenklich. »Ja, mein Junge«, sagte er dann und nickte vielsagend mit
dem Kopf.

»Erzählen Sie!«

»Erzählen! Bitte, erzählen!« rief nun die ganze Versammlung. Und Oberwärter Krause begann ...

Bei den Bären

Füttern streng verboten

Otto war begeistert. Das war einmal ein Schulausflug nach seinem Geschmack! Der Omnibus hatte sie in die fremde Großstadt gebracht; dort hatten sie eine Stunde lang dem Flugbetrieb auf dem internationalen Flugplatz zugeschaut und waren schließlich vom Rollfeld und den mächtigen Passagiermaschinen nur fortzulocken gewesen durch die Aussicht auf den Besuch des Zoologischen Gartens.

Im Haufen der anderen war Otto von Gehege zu Gehege gelaufen, von Käfig zu Käfig. Immer wieder hatten sie sich gegenseitig ihre Freude und Überraschung und Bewunderung mitgeteilt: »Du, Erwin, schau mal!« – »Du, wenn der jetzt die Gittertüre aufmachen könnte!« – »Ach, wenn ich dürfte, würde ich in den Käfig hineingehen!« – »Ich hätte auch keine Angst – du, Benno?« – »Kommt, da drüben sind die Bären!«

Otto hatte gar nicht bemerkt, daß die anderen schon längst zum Bärengehege weitergegangen waren. Er stand immer noch bei den Affen und schnalzte mit den Fingern, und wenn eines der possierlichen Tiere dann endlich zu ihm hersah, schnitt er ihm eine Grimasse, die ihm das Äffchen (wie er glaubte) mit seiner Grimasse quittierte.

Als Otto endlich gewahr wurde, daß links und rechts und hinter ihm lauter fremde Leute standen, verdrückte er sich schleunigst.

Vor dem Bärengehege blieb er dann von neuem stehen. Wie groß diese Tiere doch waren! Und wie gemütlich sie dreinsahen! »Brummbär!« sagte Otto leise. Der braune Riese, der am nächsten beim Gitter stand, sah ihn etwas verträumt an.

Otto spürte plötzlich so etwas wie Mitleid mit dem Tier, das hier hinter Gittern leben mußte und seine Heimat nicht vergessen zu können schien. Er meinte, er müsse es an sich drücken und ihm über den zottigen Pelz streichen. Und weil Otto meistens nicht lange überlegte, wenn ihn ein

plötzlicher Gedanke angeflogen hatte, stieg er – es war gerade sonst niemand in der Nähe – über das Gitter in das Bärengehege hinein.

Gewiß, ein wenig klopfte ihm das Herz doch, als er jenseits der Abgrenzung wieder festen Boden unter den Füßen spürte. Aber die drei Bären verhielten sich still. Sie schienen von der Anwesenheit des Jungen keine Notiz zu nehmen – und das beruhigte Otto sehr.

Plötzlich fiel ihm ein, daß er ja noch ein Stück Brot in der Tasche hatte. Er wühlte es heraus, wobei ihm das Taschentuch auf den Boden fiel. Er bückte sich danach – wahrscheinlich ein wenig zu hastig, denn die zottigen Riesen sahen plötzlich wie auf ein geheimes Kommando zu ihm her. Erst setzte sich der am weitesten entfernte Bär in Bewegung; der zweite und der dritte folgten. Drohend, wie es Otto jetzt vorkam, gingen sie auf ihn zu. Als der vorderste Bär nun gar den Rachen aufsperrte, als wenn er den Jungen verschlingen wollte, war es mit Ottos ganzem Mut vorbei. Er wich an die Mauer des Geheges zurück – doch das schien die Tiere nur noch mehr zu reizen. Mit flackernden Augen sah sich der Junge um. Dort waren in der Mauer ein paar Steine los, und zwei Meter über dem Boden befand sich ein Gitter. Mit äußerster Kraftanstrengung meisterte Otto die Kletterei. Aber nun waren die Bären munter geworden. Ein paar holprige Sätze – und schon waren sie an der Mauer. Langsam richteten sie sich in ihrer ganzen Größe auf. Mit ihren Tatzen versuchten sie den Jungen zu erreichen. Otto zog die Füße an, und in diesem Augenblick fühlte er mit Erleichterung, daß das Gitter nachgab. Aufatmend schob er sich in den dunklen Gang hinein. Gerettet! Die Füße zitterten zwar noch, aber er war gerettet! Am anderen Ende des Ganges befand sich wieder ein Gitter. Das Schloß war zwar eingeklinkt, ließ sich aber leicht von innen öffnen. Nun würde er ins Freie rutschen können, ohne daß er jemanden in sein Abenteuer hätte einweihen müssen. Otto wußte nämlich, in solchen Dingen verstand sein Lehrer keinen Spaß.

Der Junge schob das Gitter auf und beugte sich weit hinaus, um die Höhe des Sprunges zu messen. Ganz so hoch wie im Bärengehege kam ihm der Ausgang nicht vor. Es bestand also nicht einmal die Gefahr, daß er sich beim Sprung den Fuß verstauchen könnte.

Schon setzte Otto zum Absprung an – da erstarrte er jäh. Das Blut wollte ihm in den Adern gefrieren. Im allerletzten Moment hatte er nämlich dicht unter sich, behaglich in der Sonne ruhend, die gestreifte Raubkatze entdeckt. Und wenige Meter rechts von ihr stand eine zweite! Um ein Haar wäre der Junge in das Gehege zweier Tiger gesprungen!

Otto konnte sich gerade noch zurückschieben und das Gitter wieder schließen. Dann packte ihn ein Weinkrampf, daß selbst die beiden Raubtiere Mitleid zu bekommen schienen. Jedenfalls standen nun beide unweit der Mauer und starrten unbewegt zum Gitter hinauf.

Das sah auch der Wärter, der gerade am Gehege vorbeikam. Er entdeckte auch die zwei Füße hinter dem Gitter und folgerte richtig, daß zu den Füßen noch verschiedenes andere gehören müsse. Und so wurde Otto schneller als er es sich hätte träumen lassen, aus seiner schrecklichen Lage befreit.

Klar, daß er am nächsten Tag in der Schule, als das nach einem Ausflug übliche Aufsatzthema gestellt wurde, von seinem Abenteuer im Bärengehege schrieb. Der letzte Satz darin lautete: »Als ich schon springen wollte und im allerletzten Augenblick den Tiger sah, bin ich so erschrocken wie noch nie in meinem Leben; es war mein gruseligstes Abenteuer, und ich möchte es nicht noch einmal erleben.«

Der Quälgeist ...

... fragt seinen Vater: »Du, Papa, woran ...«
Vater: »Junge, laß mich doch endlich in Ruhe mit deiner dauernden Fragerei!«
Der Quälgeist: »Nur noch eine einzige Frage, Papa!«
Vater: »Also gut!«
Quälgeist: »Du, Papa, woran ist denn das Tote Meer gestorben?«

Kreissäge um Mitternacht

Man kann sich kaum eine friedlichere Landschaft denken als das Wiesental, an dessen Ende die Untere Mühle liegt. Nach Westen, Norden und Osten erheben sich Berge, die mit Buchen und Eichen besetzt sind. Ein schmaler Bach fließt durch die Wiesen, deren Grün stellenweise von weißen, gelben und blauen Blumen völlig überdeckt wird.

Über dem Tal kreist ein Raubvogel im Aufwind dieses heißen Mittags; aber selbst er scheint den Frieden nicht brechen zu wollen und schwebt lautlos in immer größeren Kreisen bis hinter den schwarzgrünen Horizont. Die Untere Mühle, die aus einem stattlichen weißgetünchten Wohnhaus und ebenso freundlichen Nebengebäuden besteht, hat schon seit Jahrzehnten keine Getreidefuhre in den Hof fahren sehen. Statt dessen halten dort die langen Holzfuhrwerke, denn schon der vorige Besitzer hat die Mühle in ein Sägewerk umgebaut. Auch ist es nicht mehr der kleine, lustige Bach, der die Maschine treibt, sondern die Kraft der Elektrizität. Die Leitung, die über den Berg zur Mühle herunterzieht, hebt sich von dem dunklen Hintergrund nur wenig ab; lediglich die drei, vier Betonmasten wirken ein wenig fremd.

Der Sägemüller sitzt im Hausschatten auf der Bank und hält die Zeitung in den Händen. Aber er liest nicht. Er denkt nach. Siebenmal – er zählt die Nächte an den Fingern ab – siebenmal hintereinander ist es nun vorgekommen, daß gegen Mitternacht die große Kreissäge zu heulen begann. Niemand hatte sie eingeschaltet. Und dennoch war jedesmal, wenn er hinausstürzte, der Schalthebel nach unten gelegt. Jemand von der Familie oder vom Gesinde war es gewiß nicht; die waren alle so rechtschaffen müde, daß sie sich genau wie er selber über die gestörte Nachtruhe nur ärgern konnten. Und irgendein Fremder? Ein Fremder kam nicht nachts in dieses abgelegene Tal! Und schon gar nicht sieben Nächte hintereinander. »Es spukt«, hatte die Magd gesagt und allerlei Geschichten aus ihrer

Heimat zum besten gegeben. Nun, ihm, dem Sägemüller, waren solche Gedanken auch schon gekommen; aber zugeben durfte er das nicht. Schließlich war er der Chef, der mit solchen abergläubischen Dingen nichts zu tun haben wollte.

Der Sägemüller stand auf. Die Zeitung war zu Boden geglitten. Als er sie aufhob – ein wenig mühsam ächzend wegen seiner Körperfülle –, fiel sein Blick zufällig auf ein Inserat im »Stellenmarkt«. Dort hieß es kurz und grammatikalisch nicht ganz einwandfrei: »Nachtwächter, auch nach auswärts möglich, billig und ehrlich. Angebote unter . . .«

Warum nicht, überlegte der Sägemüller. So ging das keinesfalls weiter, daß sie Nacht für Nacht aus dem Schlaf gerissen wurden. Am Ende würden ihm auch noch die tüchtigsten Arbeiter davonlaufen! Nein, es mußte ein Nachtwächter her, und wenn schon, dann am besten einer, der von auswärts kam. Der von nichts wußte. Der würde dem Spuk schon ein Ende bereiten.

Am übernächsten Abend war der Nachtwächter da. Es war ein kleines, schüchternes Männchen mit rötlichem Schnurrbart und einer großen Brille aus falschem Gold. Der neue Nachtwächter sah ganz so aus, wie man sich einen Nachtwächter eben nicht vorstellte. Auch der Sägemüller, der Nachtwächter bisher nur in den Märchenbüchern seiner Kindertage kennengelernt hatte, war ein bißchen enttäuscht. Aber er ließ sich nichts anmerken, führte den Mann selber im Anwesen herum und legte sich dann, keineswegs beruhigter als an den letzten Abenden, zu Bett.

Und richtig – eine Viertelstunde nach Mitternacht begann die Kreissäge wieder zu heulen, noch lauter und schauerlicher als in den Nächten zuvor, falls das überhaupt möglich war.

Der Sägemüller sprang in die Hose, die er vorsichtshalber schon bereitgelegt hatte, zog an den Stiefeln, daß schier die Nähte platzten, warf sich im Hinausrennen noch eine Jacke über und kam keuchend und struwwelig beinahe gleichzeitig mit dem neuen Nachtwächter an der großen Kreissäge an.

»Haben Sie wen gesehen?« schrie der Sägemüller und schnappte nach Luft. Der Nachtwächter, der auf eine solche Überraschung nicht vorbereitet war, schien Herzklopfen zu haben. Er brauchte eine ganze Weile, bis er endlich leise und unter Kopfschütteln versicherte, daß er niemanden, keine Menschenseele gesehen hätte.

Der Sägemüller warf ihm einen geringschätzigen Blick zu, trat nach der Katze, die sich an seine Füße schmiegen wollte, schaltete brummend den Hebel auf Aus und ging übellaunig ins Haus zurück.

Das Frühstück am nächsten Morgen verlief recht einsilbig. Nur die Magd tuschelte in ihrer Ecke ein paarmal nach links und rechts, und der Säge-müller glaubte zu verstehen, daß sie sagte: »Jetzt haben wir einen Nacht-wächter, und es wird auch nicht besser. Das ist bestimmt ein Spuk, irgend-ein abscheulicher schwarzer Spuk!«

Der neue Nachtwächter ließ sich den Tag über nicht sehen. Nur das Essen, das man ihm vor die Tür gestellt hatte und von dem er auch nicht ein einziges Bröckelchen übriggelassen hatte, gab Zeugnis, daß er noch da war. Bis Mittag hatte er sicher geschlafen, und jetzt – vielleicht dachte er nach? Ja, das schüchterne Männlein mit der Brille aus falschem Gold und dem rötlichen Schnurrbart dachte nach. Sein guter Ruf stand auf dem Spiel. Er mußte herausbringen, wer sich da diesen albernen Unfug mit der Kreissäge erlaubte. Oder steckte vielleicht mehr dahinter als nur Unfug? Oder weni-ger?

Der Abend kam und zu vorgerückter Stunde suchte der Sägemüller wieder sein Schlafzimmer auf. Er trat noch einmal ans Fenster. Alles war friedlich und ruhig. »Wenn nur heute die Säge nicht wieder anfängt!« murmelte der Sägemüller, der wieder einmal eine Nacht ungestört durchschlafen wollte. Aber als hätte das Stichwort genügt, heulte plötzlich die Säge auf. Schrill! Schaurig.

Im nächsten Augenblick schon war der Sägemüller an der Tür und stapfte hinaus. Der Nachtwächter kam ihm entgegen. In den Armen trug er die Katze, die wohl Angst vor dem Fremden hatte und deshalb so laut klagte. »Hier habt ihr den Übeltäter«, erklärte der Nachtwächter unter Lachen. »Ich habe sie beobachtet, wie sie immer näher zur Kreissäge heranschlich. Sie war es, die den Hebel nach unten zog. Sie scheint sehr musikalisch zu sein, eure Katze; das Kreischen der Säge ist für sie wie Musik.«

Der Sägemüller wußte nicht recht, was er von der Geschichte halten sollte. Aber nachdem er am nächsten Tag einen verschließbaren Kasten vor dem Schalthebel angebracht hatte, wiederholte sich der Spuk nicht wieder. Also mußte der Nachtwächter doch recht gehabt haben. Das furchtbare, schwarze Gespenst war niemand anderer gewesen als die kleine, ach so musikalische Katze.

Vor Pegula wird gewarnt

Laute Straßen ohne Leute

Eva war acht, Gerlinde sieben Jahre alt, und die holprige Landstraße, die von Gärtendorf nach Murrstadt führte, wurde kaum befahren. Frau Kellermann konnte es also schon einmal wagen, die beiden Mädchen allein zu ihrer Schwester nach Murrstadt zu schicken. Sie gab ihnen eine Handvoll Ermahnungen mit und eine Tasche voll Eier und Butter.

Die Ermahnungen betrafen das alte Milchauto, dem die beiden Mädchen sorgsam auf den Feldrain hinauf ausweichen sollten; sie betrafen auch die roten Sonntagskleider, die sie heute, an einem Werktag, hatten anziehen dürfen. Die Tasche mit Butter und Eiern aber stellte das Namenstagsgeschenk für die Tante dar.

»Die Tasche trägt Eva«, hatte die Mutter bestimmt. Unter anderen Umständen hätte Eva eine Schnute gezogen: Das hat man davon, wenn man die Älteste ist! Heute freilich, wo es zur Namenstagsfeier der Tante ging, hätte Eva auch eine doppelt so schwere Tasche getragen.

Auf dem etwas verwitterten Holzschild am Dorfausgang stand: »Nach Murrstadt.« Und darunter, kaum mehr lesbar: »Für Fußgänger vier Kilometer.«

Darüber lachten allerdings nur die Fremden, die wenigen Händler, die sich nach Gärtendorf verirrten, oder die Leute eines kleinen Wanderzirkus, der sich gerade wegen der Abgeschiedenheit des Dorfes ein ausverkauftes Zelt versprach. Auch der Lehrer hatte darüber gelacht, damals, als er jung und unerfahren nach Gärtendorf gekommen war. Inzwischen wußte er es so gut wie die Einheimischen, daß das mit den vier Kilometern für Fußgänger durchaus stimmte. Auf halber Strecke, wo die Straße die meisten Schlaglöcher hatte und über einen kleinen Waldhügel führte, konnten die Fußgänger nämlich ein beträchtliches Stück abkürzen. Die Fuhrwerke und

Autos hatten einen wenigstens zwei Kilometer längeren Weg. Genau hatte diesen Unterschied noch niemand nachgemessen.

Eva kannte sich aus. »Wir gehen geradeaus hier den Pfad weiter«, sagte sie, als die Straße am Waldrand beinahe rechtwinkelig abbog. Und Gerlinde, die vor dem dunklen Wald ein wenig Angst hatte, war sofort einverstanden, denn der Pfad schlängelte sich genau auf der Grenze zwischen Wald und Wiese dahin.

Der Fahrer des Polizeiwagens, der um diese Zeit des Weges kam, schien die Abkürzung jedoch nicht zu kennen. Jedenfalls ließ er, da er niemanden auf der Straße laufen sah, das Mikrophon seines Wagens ausgeschaltet. Als die beiden Mädchen zu den ersten Häusern von Murrstadt kamen, wunderten sie sich noch nicht. Der Tag war ihnen von Anfang an wie ein Feiertag vorgekommen, so daß es sie viel mehr erstaunt hätte, wenn sie Leute in Arbeitskleidern und unter offenen Ladentüren gesehen hätten. Als sie aber tiefer in die Stadt hineinkamen, wurde es sogar Gerlinde bewußt, daß sie noch niemandem begegnet waren. »Ob die Leute hier noch alle schlafen?« fragte sie.

Als ob es nur dieses einen Satzes bedurft hätte, erhob sich plötzlich vor ihnen und dann auch links und rechts und hinten und überall ein Schreien und Rufen.

Die beiden Mädchen schauten bestürzt an den Hauswänden hoch. Fast überall sahen Leute aus den Fenstern und fuchtelten wild mit den Armen und riefen den Mädchen etwas zu. Aber weder Gerlinde noch Eva verstanden, was sie meinten.

Schließlich blieben die beiden Mädchen stehen. Sofort verdoppelte sich der Schwall der Stimmen, so daß Gerlinde ängstlich die Hand der größeren Schwester faßte. »Wollen die etwas von uns?«

Eva zuckte mit den Schultern. »Sollen sie doch herunter zu uns, wenn sie etwas wollen«, sagte sie endlich.

»Mir ist so unheimlich«, gestand Gerlinde.

»Mir auch!«

In diesem Augenblick bog ein Auto um die Ecke der menschenleeren und doch so lauten Straße. Der Fahrer trat auf die Bremse, daß der Gummi der Räder auf dem Asphalt eine schwarze Radierspur hinterließ. »Schnell herein zu mir!« schrie ein Mann in Uniform und langte nach den beiden Mädchen. »Ein Löwe ist los!«

»Habt ihr denn nichts von Pegula gehört, dem Löwen, der dem Wanderzirkus entlaufen ist? Es ist ein altes, griesgrämiges Tier und unberechenbar.

Zwei so zarte Mädchen hätten ihm wohl zum Frühstück nicht schlecht ge-
schmeckt!« Eva und Gerlinde schüttelten sich, als der Polizist unterwegs
so zu ihnen sprach.
Kurz vor der Polizeiwache, wohin er sie sicherheitshalber bringen wollte,
begegnete ihnen ein Auto der Feuerwehr. Die beiden Fahrzeuge hielten an,
und einer der Feuerwehrleute rief lachend zu dem Polizisten hinüber: »Kannst
deine Gäste freilassen! Wir haben Pegula wieder hinter Schloß und Riegel
gesetzt!«

Gespenster auf vier Füßen

Ventimiglia:

Eine fette Beute erhoffte sich der Sporttaucher Antonio, als er in etwa fünf Meter Tiefe einen riesigen Fisch auf dem Meeresgrund liegen sah. Er legte die Unterwasser-Flinte an, dankbar und zugleich auch ein wenig besorgt, weil sich der Fisch kein bißchen bewegte. Ohne jedoch abzudrücken, ließ Antonio plötzlich seine Flinte fallen und jagte mit heftigen Stößen zur Wasseroberfläche hinauf. Eine ganze Abteilung Karabinieri machte ein paar Stunden später dann nochmals Jagd auf den gespenstischen Fisch, den Antonio gerade noch rechtzeitig als eine Zehn-Zentner-Bombe erkannt hatte, die seit dem Krieg an dieser Stelle lag.

Aalborg:

Die Reisenden, die im Bahnhof der Insel Seeland auf den Zug von der Insel Falster warteten, wurden langsam ungeduldig. Eine halbe Stunde Verspätung nahm man ja noch hin; schließlich war es ein Unterschied, ob die Schienen über festen Boden oder wie hier nur über eine drei Kilometer lange Brücke führten. Aber nun warteten sie bereits über eine volle Stunde! Und dabei sah man den Zug schon die ganze Zeit! Aber er schien nur im Schrittempo zu fahren obwohl doch überhaupt kein Hindernis zu sehen war!
Endlich, nach einer weiteren halben Stunde Wartezeit kam die Lokomotive mit den wenigen Wagen an. Was der Zugführer den staunenden Leuten erzählte, klang unwahrscheinlich, wie ein Kapitel aus einem Gespensterbuch: Man hatte schon bei der Abfahrt in Falster einen riesigen Mückenschwarm über dem Wasser beobachtet, aber ihm weiter keine Bedeutung beigemessen. Auch nicht, als man plötzlich in diesen Schwarm hineinfuhr. Aber die Mücken – es mußten Tausende und Abertausende gewesen sein! – rächten sich auf ihre Art. Sie hielten die Schienen dicht besetzt, und wenn sie auch von den schweren Rädern zermalmt wurden, so wurde doch

gleichzeitig die Schiene dermaßen schlüpfrig, daß der Zug ohne Gefahr nur im Schrittempo weiterfahren konnte.

»So etwas habe ich in all den Jahren noch nie erlebt!« meinte der Zugführer. »Es war ein richtiger Spuk der Natur.«

Donaueschingen:

Der Landarbeiter, der spätabends über den einsamen Feldweg nach Hause ging, erlebte eine wilde Jagd, wie er sie einmal als Wodans wilde Jagd in seinem Lesebuch beschrieben gefunden hatte. Dicht vor ihm jagte es im fahlen Dunkel vorüber: Ein, zwei, sieben, zehn und noch mehr Tiere! Waren es Pferde? Der Boden zitterte, Staub warf sich ihm in dichten Wolken übers Gesicht – und die Jagd ging noch immer vorbei.

Da – und jetzt! Ein Lärm! Ein Krachen und Bersten!

Rufen! Das waren menschliche Stimmen. Und jetzt wehes Geschrei von Tieren. Das waren Schafe! Hilflos verendeten sie auf dem Bahndamm, auf den sie in wilder Panik gestürzt waren. Einen Triebwagen samt Anhänger hatten sie aus den Gleisen geworfen. Zum Glück wurde von den Reisenden niemand verletzt. Aber siebzig Schafe fehlten in dem nahen Pferch. Ein wildernder Hund, selber wie ein nächtlicher Spuk in den Pferch einbrechend, hatte sie in die kopflose Flucht gejagt.

Düsseldorf:

»Große gute Bananen – direkt aus Guatemala!« So hatte der Verkäufer mit schülerhafter Schrift auf seine Schiefertafel am Obststand geschrieben. Der Handel ging an diesem Tag besonders gut, und die letzten Bananenstauden sollten gerade den Besitzer wechseln, als der Verkäufer einen schrillen Schrei ausstieß. Die Bananenstaude, die er fallen gelassen hatte, kollerte noch einen halben Meter auf dem Boden weiter – und neben ihr lag plötzlich ein etwa dreißig Zentimeter langer dicker Strick, der sich träge bewegte.

»Eine Schlange!« erkannten nun auch die Umstehenden den Zusammenhang und suchten das Weite. Zehn Minuten später betrat der Direktor des städtischen Aquariums mit einem Wärter die Halle. Die junge Boa, die den Leuten einen so gespenstischen Schrecken eingejagt hatte, wurde gefangen. »Wahrscheinlich ist sie beim Verladen der dichten Bananenstauden unbemerkt in den Kühlraum gelangt und dort bei einer Temperatur von nur zwölf Grad für die Dauer der ganzen Reise erstarrt«, meinte der Wärter. Und der Direktor fügte erklärend hinzu: »Die Boa braucht nämlich zur Beweglichkeit eine Luftwärme von fünfundzwanzig bis dreißig Grad!« Der Verkäufer aber erklärte mit einem noch ziemlich schüchternen Lachen: »Ein Spukgeist hätte mich nicht ärger erschrecken können!«

> In einem dunklen, dunklen Wald
> stand ein dunkles, dunkles Haus,
> und in dem dunklen, dunklen Haus
> war ein dunkler, dunkler Gang.
> Und dieser dunkle, dunkle Gang
> führte zu einer dunklen, dunklen Tür.
> Und hinter der dunklen, dunklen Tür
> lag ein dunkler, dunkler Saal.
> In dem dunklen, dunklen Saal
> stand ein dunkler, dunkler Schrank,
> und in dem dunklen, dunklen Schrank
> – kauerte ein Gespenst!

Zum wirkungsvollen Vortrag

... verhilft die folgende »Deklamierungsanweisung«: Man beginne mit dunkler Stimme und werde immer langsamer und leiser, geheimnisvoller. Die letzte Zeile aber spricht man rasch und laut und am besten, indem man jäh mit dem Finger auf einen der Anwesenden deutet.

Gespenstische Witze

Frechdachs hat sich eine eigenartige Witzsammlung angelegt. »Gespenster-
witze« hat er auf die blaue Mappe geschrieben, und nur seinen besten
Freunden leiht er sie aus. Zum Beispiel mir. »Sonst haben meine Witze
schon alle einen Bart, bis ich sie erzähle«, erklärte Frechdachs seine Zurück-
haltung. Aber dann erlaubte er doch, daß ich hier einige davon abdrucke ...

Eine Dame saß im Café und trank heiße Schokolade. Plötzlich ging die Tür
auf, ein schwarzer Pudel kam herein, lief zur Theke und bestellte ein Glas
Zitronenmilch.
Der Mixer reichte ihm das Getränk, der Pudel leerte das Glas, zahlte seine
sechzig Pfennige und verschwand.
Die Schokolade der Dame war inzwischen kalt geworden. Sprachlos und

ihr eigenes Getränk ganz vergessend, hatte sie nur immer den Pudel ange-starrt. Jetzt schüttelte sie den Kopf, und der Ober, der gerade vorbeikam, hörte sie »nicht möglich« vor sich hinmurmeln.

»Nicht wahr, da staunen Sie auch«, sagte da der Ober über die Schulter. »Wo er doch sonst immer Bananenmilch trinkt!«

Um Mitternacht – der Vollmond hing über dem Rathausdach – begeg-neten sich zwei auf dem Marktplatz. Sagte der erste: »Ziemlich gespenstisch hier, wie?«

Lachte der zweite: »Ha, was! Sie glauben wohl gar an Gespenster?«

Nickte der erste: »Allerdings!« Und – verdunstete!

Ein Fremder kam die Bahnhofstraße herunter. »Guten Morgen!« sagte das Pferd vor dem Milchwagen.

Der Mann stutzte, sah sich um, ging weiter.

»Hallo!« rief das Pferd hinter ihm her. »Sie kennen mich doch!«

»Oh!« staunte der Mann. Dann schüttelte er den Kopf. »Nicht daß ich wüßte!«

»Aber ich bin doch der Derby-Sieger vom letzten Samstag!« sagte das Pferd.

In diesem Augenblick kam der Milchmann aus dem Laden. Er sah die verwunderte Miene des Fremden und war sofort im Bilde. »Glauben Sie ihm nicht!« sagte er zu dem Mann. »Es übertreibt immer – es war am letzten Samstag ja nur der zweite!«

Das Schulorchester probte. Schließlich stand der Musiklehrer seufzend auf. »Einer hat richtig gespielt«, sagte er und sah mit traurigen Augen in die Runde. »Ja, einer hat richtig gespielt, ich weiß nur nicht wer!«

Walter mußte eine Stunde nachsitzen. Die ganze Familie wartete mit dem Mittagessen. Der Vater empfängt den Jungen mit strenger Miene. »Und warum hast du nachsitzen müssen?« fragte er.

»Ich – weil ich – nur weil ich den Kopf geschüttelt hab'«, stotterte Wal-ter.

»Nur weil du den Kopf geschüttelt hast?« braust der Vater auf. »Das ist doch unmöglich! Diesem Lehrer werde ich es aber besorgen! Man kann einen doch nicht für ein Kopfschütteln einsperren!«

»Vielleicht – vielleicht doch!« gibt Walter kleinlaut zu. »Es war näm-lich nicht mein eigener!«

In der Diele war es ganz still. Plötzlich hörte man Schritte. Unheimliche Schritte! Tapp, tapp, tapp machte es. Jochem lauschte und zählte. Neunhundertneunundneunzigmal machte es tapp, ein einziges Mal tipp. Was das wohl war?

Das ist doch ganz einfach: ein Tausendfüßler mit einem Holzfuß!

Der tollgewordene Fernschreiber

Der Oberingenieur der Leuchtturmgesellschaft zündete sich die dritte Zigarette an. Was sollte er tun? Ausgerechnet heute, am letzten Tag des alten Jahres, war der Wächter vom »Leuchtturm am Roten Felsen« erkrankt und mußte abgelöst werden. Freilich gab es da Ersatzleute, die man schicken konnte. Der Oberingenieur hielt die Liste mit den Namen in Händen. Aber es waren alles Männer mit Familien, die den Jahreswechsel gerne mit ihren Frauen und Kindern gefeiert hätten! Wer weiß, seit wie-

viel Jahren es ihnen wieder einmal vergönnt war! Und nun hatten sie sich
ganz darauf eingestellt . . .

Während der Oberingenieur einem Rauchkringel nachstarrte, kam ihm der
Gedanke, doch selber die paar Tage, die bis zur nächsten Wachablösung
blieben, zum Roten Felsen zu gehen. Er kannte sich in den Obliegenheiten
eines Leuchtturmwärters wie kein zweiter aus, und was seine eigene Be-
reitschaft als leitender Ingenieur betraf – die würde ihm sicher sein

Freund, der im Dienst gleichzeitig sein Stellvertreter war, abnehmen. Nach ein paar Telefongesprächen war alles geordnet, und ein paar Stunden später schaute der Oberingenieur schon von der Plattform am Roten Felsen auf das Meer hinaus.

Der Leuchtturm war nicht allzuweit vom Land entfernt, so daß man schon vor Jahren ein Kabel hinübergelegt hatte. Der angeschlossene Fernschreiber stand im Dienstraum.

Kurz vor Mitternacht fing der Apparat zu ticken an. Der Oberingenieur nahm den Papierstreifen zur Hand – er las den übermütigen Neujahrswunsch seines Freundes. »Und paß auf, wenn die Gespenster kommen!« schloß der Streifen.

»Auf einem modernen Leuchtturm mit elektrischem Licht und Fernschreiber ist kein Platz mehr für Gespenster!« schrieb der Oberingenieur zurück. Aber bei sich selber dachte er, ohne jede Angst: Auch die Technik kennt das Unheimliche ...

Und während er so in der Glaskanzel saß, fielen ihm eigene Erlebnisse ein und später auch ein paar Berichte, die er irgendwo gehört oder gelesen hatte ...

Die Taucher der »Sorima«

Der Millionen-Schatz

Eine rote Boje schwamm an der Stelle, wo in einhundertvierzehn Meter Tiefe der sagenhafte Schatz liegen sollte, nach dem es die Gold-Abenteurer aller Herren Länder gelüstete. Bis jetzt hatten jedoch die Taucher nur den Kopf geschüttelt. »Siebzehn Millionen Goldmark«, hatte einer von ihnen gemeint, »das ist zwar ein ganz hübscher Haufen Geld. Aber in dieser Tiefe mögen vielleicht See-Gespenster auf den Tresortüren schaukeln – wir sind nicht lebensmüde; wir lassen die Finger davon!«
Eines Tages aber war dann doch ein Schiff an die bewußte Stelle gekommen und war täglich viele Stunden lang gekreuzt. Es war ein weißes Schiff mit seltsamen Aufbauten; an Bord trug es ein paar Männer, die zu den erfahrensten Unterwasserspezialisten gehörten. Wenn man nahe genug herankam, konnte man den Namen des Schiffes lesen. »Sorima« stand mit großen Lettern beiderseits am Bug. Und wer sich in den Schiffslisten auskannte, wußte, daß er es hier mit einem Spezialschiff für Taucherarbeiten zu tun hatte.
Als die Sorima eines Morgens verschwunden war, schwamm gut verankert die rote Boje auf dem Wasser. Und die Fische dieser Gegend, die nach dem Untergang der »Egypt« so viele fremde Dinge kennengelernt hatten, fanden sich auch mit der roten Boje ab.
Es vergingen mehrere Wochen, bis in einer späten Abenddämmerung das weiße Schiff erneut bei der roten Boje Anker warf. An diesem Abend wurde noch nicht gearbeitet. Statt der grellen Scheinwerfer leuchteten bunte Lampions an Deck, und die Klänge eines Schifferklaviers zogen bis in den Maschinenraum, wo einen Tag später eine Hölle von Geräuschen entfesselt sein würde. Heute aber feierte man ein kleines Bordfest. Die Direktion der Gesellschaft hatte dazu eingeladen – aber es täuschte sich niemand: Morgen würde die Arbeit beginnen, eine nervenaufreibende Arbeit! Eine unheimliche, eine – gespenstische Arbeit!

Einhundertvierzehn Meter tief lag das gesunkene Schiff auf dem Grund des Ozeans. In dieser Tiefe bot die Taucherglocke keine Sicherheit mehr, und der beste Taucheranzug würde hier zum Totenhemd werden. Die einzige Chance versprach ein druckfester Stahlzylinder, mit dem sich die Männer in die tödliche Tiefe hinunterließen und aus dem heraus sie dann die Geräte dirigierten. Über Fernsprecher. Ohne selbst zugreifen zu können.

Aber das würde alles erst morgen an sie herantreten. Heute wollten sie noch einmal feiern. Die Lampions wiegten sich an gespannten Tauen, es kam ein leichter Wind auf.

Die Klänge des Schifferklaviers wurden leiser, der Spieler schien müde zu werden . . .

Abseits von der Festtafel, die aus ein paar Teerfässern und Bohlen zusammengezimmert war, saß der Schiffsjunge. Erst hatte er lange zu den Männern hinübergesehen, die im bunten Lampenschein saßen. Die hatten Mut! Die würden sich in die grausige Tiefe wagen! Jeder von ihnen würde sein Abenteuer erleben . . . Pitt träumte.

Sterne standen am Himmel, und der Mond schüttete silberne Schuppen aufs Wasser. Pitt dachte an das Wasser und seine Tiefe. Purpurne Schwärze stellte er sich vor, die von grellen, vieltausendkerzigen Scheinwerfern durchschnitten wird. Fische ziehen vorüber, leuchten jäh auf in phosphoreszierenden Farben. Große und kleine Fische; winzige, die wie ein Blitz vorüberzucken; Riesen, die wie Unterwasserzeppeline heranschweben, bedächtig und bedrohlich.

Pitt dachte flüchtig daran, daß die ferngesteuerten Sägen ein Leck in den Rumpf des gesunkenen Schiffes fressen und ferngelenkte Heber Kisten mit Gold ans Tageslicht zerren würden. Aber gleich waren all seine Gedanken wieder beim Meer und beim Wrack und bei den seltsamen Fischen. Gespenstisch mußte es dort unten aussehen – aber er, er würde sich nicht fürchten! Nein, er würde selber auch einmal ein kühner Taucher sein!

Jagd auf KN-BA

Es war elf Uhr. Mit jeder Minute stieg die Fieberkurve des Großstadtverkehrs noch weiter an. Zwischen zwölf und ein Uhr würde sie wieder ihren ersten täglichen Höhepunkt erreichen.

Wer war jetzt nicht alles unterwegs! Hausfrauen, die sich beim Einkauf verspätet hatten; Vertreter, die schnell noch vor dem Mittagessen einen Kunden besuchen wollten; Büroangestellte, die auf dem Weg zur Bank oder Post den kleinen Umweg nicht scheuten, um an den Schaufenstern mit neuen Sommerkleidern vorbeizukommen; Schuljungen, die wegen der großen Hitze die letzte Vormittagsstunde schulfrei hatten und sich nun bis zum Mittagessen auf den Straßen herumtrieben ...

Die Fremden, die vom Café am Rathausplatz aus dem Verkehr zusahen, kamen auf ihre Rechnung. Das war Schnelligkeit! Das war Leben! Hier hielt man die Hand am Puls einer wirklichen Großstadt.

Plötzlich mischte sich in das Konzert der Motore und Hupen ein neuer Ton. So erregend schrill war er, daß die Fremden auf der Caféhausterrasse die Tassen, die sie schon in der Hand hielten, zurücksetzten und in den sonnengleißenden Himmel sahen.

Und da hatte ihn auch schon der erste entdeckt, den Flieger, der den blauen Himmel über Sydney wie ein Sprungtuch zu benutzen schien. Wirklich, das war kein ruhiges Fliegen, wie man es von den großen Passagierflugzeugen gewohnt war, die bei bestimmten Wetterlagen die Innenstadt überflogen. Und Kunstflug war aber doch auch hier wie über allen Städten verboten. Der Pilot dort oben schien sich um eine solche Bestimmung nicht zu kümmern. Eben drückte er die Maschine wieder an und riß sie dann in einen Looping hinein.

»Abschwung – großartig!« sagte wenig später einer der Caféhausgäste zu seinem Nachbarn. Er war wohl selber einmal bei den Fliegern gewesen und kannte sich aus. »Aufschwung – na ja, beinahe hätte er es nicht mehr geschafft. Hallo – ja was macht er denn jetzt! Gleich wird er ins Trudeln

kommen, wenn er nicht endlich drückt! Da hab' ich's nicht gleich gesagt! Er trudelt!« Der ehemalige Pilot hatte vor Erregung die Hand seines Tischnachbarn erfaßt. »Sehen Sie doch!«

Aber nicht nur die Kaffeehausgäste starrten nun ausnahmslos auf die kleine Maschine, die flügellahm zu sein schien und sich um sich selber drehend rasch Höhe verlor; auch in den Straßen war man aufmerksam geworden. Finger deuteten nach oben. Autos hielten an, und gerade in dem Augenblick, in dem sich die Maschine, wenige hundert Meter über dem Dächermeer, wieder gefangen hatte und, noch leicht torkelnd, im Horizontalflug Geschwindigkeit aufholte, heulten einige Straßenkreuzungen weit entfernt die Sirenen von Polizeiautos auf. Nach dem Abschwellen der Sirenen aber brüllten die großen Lautsprecher los, die auf den Wagen befestigt waren: »Sofort die Straßen freimachen! In die Keller gehen! Über der Stadt kreist ein führerloses Flugzeug, das jeden Augenblick abstürzen kann!«

Sirenengeheul.

Und wieder die Warnung!

Und wieder die Sirenen . . .

Die Menschen auf den Straßen standen einen Augenblick wie erstarrt. Auf alles wären sie eher gefaßt gewesen als auf diese Meldung. Daß man vor einem Unwetter gewarnt oder zur Mitfahndung nach Verbrechern aufgefordert wurde, das gab es immer wieder einmal. Aber daß ein Flugzeug ohne Pilot am Himmel kurvte, das hätte niemand für möglich gehalten.

Doch jetzt war nicht die Zeit zu langen Überlegungen. Autos fuhren scharf an die Bordsteine heran und parkten, wenn es sein mußte, direkt neben den Verbotstafeln. Straßenbahnen wurden mit Schnellbremse zum Stehen gebracht, und überall sah man Leute in die nächsten Häuser springen.

In der Ferne dröhnte noch immer einer der Lautsprecher: »Sofort die Straßen freimachen! In die Keller gehen! Über der Stadt kreist ein führerloses Flugzeug...«

Während das Gespensterflugzeug so die Millionenstadt in Aufregung hielt, starteten auf dem nahegelegenen Flugplatz die ersten Jagdmaschinen. Einer der Jäger war jener unglückliche Pilot, der vor einer halben Stunde zum Kunstflug hatte starten wollen und dabei seine Maschine allein auf die Reise geschickt hatte. Das war so gekommen: Der Pilot hatte den Anlasser betätigt, aber die Luftschraube stand im sogenannten toten Punkt; der Anlasser griff nicht an. Das kam bei diesen Maschinen öfter vor, und es wäre sicher alles glatt verlaufen, wenn ein Mann vom Bodenpersonal in der Nähe gestanden hätte. Der Pilot wartete eine Weile unlustig, dann stieg er nochmals aus und drehte selber die Luftschraube durch. In der Eile hatte er aber vergessen, die Zündung auszuschalten. Er konnte gerade noch seine Hände zurückreißen, so unvermutet sprang der Motor plötzlich an. Der Gashebel stand auf Vollgas – kein Wunder, daß die beiden Bremsklötze, die nicht fest angelegt waren, im Nu zur Seite rutschten. Schon rollte die Maschine an, kam auf Fahrt und erhob sich, wenn auch schwankend, in die Luft. Gewann Höhe. Kippte ab. Gewann wieder Höhe und vollführte über der Stadt jenen Hexentanz, bei welchem den Leuten vom Flugplatz schier das Herz stehen blieb.

Freilich hatte man sofort Alarm gegeben – aber was sollte man tun? Die Maschine abschießen? Dann würde der Absturz mitten in die Großstadtstraßen hinein unausbleiblich sein! Wenn man aber Glück hatte...

Die Weisung, die den Jägern über die Funksprechanlage zuging, war eindeutig: Maschine verfolgen, wenn nötig abschießen, möglichst günstige Gelegenheit dazu wählen, etwa über einem der weiten Plätze, die wie alle Straßen von der Polizei geräumt sein würden. Wenn man aber Glück hätte und der Wind...

Man hatte Glück. Der Wind trieb die Maschine von der Stadt weg übers Wasser hinaus. Dort schoß sie der Pilot, der an ihrem Geisterflug schuld war, mit einem einzigen Feuerstoß ab. Er wußte zwar, daß er sich nach der Landung für seinen Leichtsinn würde verantworten müssen, aber er atmete doch erleichtert auf, als er das Flugzeugwrack auf dem Wasserspiegel schwimmen sah: Es war niemand zu Schaden gekommen.

Nur im Caféhaus hatte einer der Gäste vor Aufregung seinen Mokka über das weiße Tischtuch geschüttet. Aber der Ober lächelte nachsichtig. Auch er war froh, daß sie von dem motorisierten Gespenst verschont geblieben waren.

Auf einer Landstraße ...

... irgendwo im Süden trafen sich ein Esel und ein alter Wagen. »He du!«
rief der Grauhaarige. »Was stellst du denn dar?«
»Ich bin ein Auto«, sagte der alte Wagen. »Und du?«
»Ha!« lachte der Esel. »Dann bin ich ein Pferd!«

Telefongespenst

Der vierte Apparat

»So, das hätten wir wieder einmal«, meinte aufatmend der Mann vom Störungsdienst und legte den Arbeitsnachweis zur Unterschrift vor. Er brauchte der Hausfrau nicht mehr zu erklären, wo und warum sie ihren Namen auf die Bescheinigung setzen müsse – er war heute ja immerhin das zehntemal in diesem Monat wegen des Telefons bei ihr! Ein merkwürdiges Jubiläum, dachte der Mann bei sich. Laut sagte er: »Hoffen wir, daß es diesmal hält!« Die Frau sah ihn unsicher an. »Ich weiß nicht«, meinte sie ein wenig beklommen, »mit diesem Wunsch haben wir uns schon öfter verabschiedet . . .« »An uns liegt es aber gewiß nicht, gnädige Frau«, verteidigte der Mann seine Arbeit und seine Firma. »Es waren doch unsere fähigsten Leute da und haben alles untersucht. Wir haben neue Leitungen gelegt. Wir haben die Anschlüsse überprüft. Wir haben alles getan, was man machen kann. Daß dennoch Ihre Gespräche plötzlich unterbrochen werden, weil der Apparat ausfällt, ist uns unerklärlich. Übrigens: Apparat – dieser ist auch schon der dritte, nein vierte, den wir Ihnen in die Wohnung gestellt haben. Am Telefonapparat kann es also auch nicht liegen.«
»Dann werden es wohl Gespenster sein!« Die Frau hatte das nur so vor sich hingesagt. Eine kaum überlegte Redensart! Um den heimlichen Ärger zu verbergen!
Aber der Mann vom Störungsdienst griff den Gedanken auf: »Ja«, sagte er und nickte bedächtig, »da werden es wohl die Gespenster sein!« Und man konnte schlecht unterscheiden, ob das im Ernst oder im Spott gesagt war.
Die Frau aber saß an diesem Abend allein in der Wohnung – ihr Mann war zu einem Vortrag gegangen – und dachte, während die Stricknadeln in ihren Händen immer langsamer gingen, an das Telefongespenst. Ob es so etwas gab? Ach was, dummes Zeug!
Oder vielleicht doch?

Es war doch immerhin höchst sonderbar, daß ausgerechnet ihr Telefon dauernd ausfiel! Vielleicht war es bereits in diesem Augenblick schon wieder unbrauchbar?

Die Frau legte das Strickzeug nunmehr ganz weg und sah dabei zu dem kleinen schwarzen Apparat auf der gegenüberliegenden Zimmerseite. Mit seinem Zahlengesicht schien er sie anzulachen. Übermütig.

Oder höhnisch?

Die Frau wurde langsam nervös. »So geht das nicht weiter!« murmelte sie halblaut und stand auf. Die Telefonnummer ihrer besten Freundin wußte sie auswendig. Sie wählte. Das Rufzeichen ertönte – der Apparat war also noch in Ordnung.

Die Freundin meldete sich. »Was Besonderes?« fragte sie.

»Ach, eigentlich nicht. Ich wollte nur mal . . .«

»Ach so!« lachte die Freundin. »Du wolltest nur dein Telefon ausprobieren, ja? Hast wohl wieder einen neuen Apparat bekommen? Du, ich weiß,

woran es liegen könnte, daß er so oft ausfällt. Nimm doch mal bitte dein Bandmaß und miß die Zuleitungsschnur!«

»Was soll ich messen?«

»Die Leitung von der Anschlußdose an der Zimmerwand bis zum Apparat! Wie lang sie ist!«

»Oh, du! Mich kannst du nicht hereinlegen! Den alten Witz kenne ich schon! Damit haben wir letzten Silvester den Professor über uns hereingelegt. Das war ein Spaß, kann ich dir sagen, hahaha! Was haben wir damals alle gelacht, ha –«

Knack, machte es in diesem Augenblick in der Leitung.

»Hallo!« rief die Frau. »Bist du noch da, Elvira?«

Aber Elvira war nicht mehr da. Der Apparat schwieg.

Mit einem lauten Stöhnen sank die Frau in den Lehnstuhl zurück. »Der vierte Apparat – und schon wieder kaputt!« seufzte sie.

Und zum drittenmal an diesem Tag ging sie der Frage nach, ob es nicht doch so etwas wie Telefongespenster gab. Mit dem alten Witz (»Jetzt messen Sie doch mal bitte die Leitung vom Hörer zur Steckdose? Wie lang bitte? Mensch, haben Sie aber eine lange Leitung!«), mit diesem alten Witz also hatte sie das Telefongespenst offenbar gereizt. Erfolg? Sie mußte morgen früh erneut die Störungsstelle anrufen.

Die Telefongesellschaft schickte Fachleute von weither. Und einem von ihnen gelang es schließlich auch, das Gespenst zu entlarven. Er war stutzig geworden, als er bei den verschiedenen Berichten, die er von der Frau erhielt, feststellte, daß die Telefongespräche immer dann unterbrochen worden waren, wenn die Frau etwas Lustiges erzählt hatte. Der findige Ingenieur holte komplizierte Apparate und fing zu messen an – und dabei machte er einige Späße. Und da erwies sich seine Vermutung als richtig: Das Lachen der Frau hatte die gleiche Frequenz wie das mechanische Störsignal!

Als man die reparierte Telefonanlage erneut übergab, geschah es unter der Bedingung, daß die Frau am Telefon nicht mehr lachen dürfe!

Mikita, der Soldat

Fünf Minuten vor neun

Mikita fingerte nach den Streichhölzern. Die Kerze, die er anzündete, brannte mit einer großen gelben Flamme. »Erster Advent«, schrieb Mikita auf den Briefbogen, und dann füllte er ihn bedächtig Zeile um Zeile. Schließlich steckte er das Papier, säuberlich gefaltet, in einen Umschlag, auf den er die Anschrift seines Freundes geschrieben hatte.

Anschließend las Mikita in einem Buch. Nach einer Weile löschte er die Kerze und ging im Finstern zum Fenster hin.

In der Nachbarschaft war alles dunkel. Mikita öffnete das Fenster. Kein Laut war draußen zu hören, keine Stimme, kein Schritt.

»Ich könnte noch einen Spaziergang unternehmen«, überlegte Mikita, »ja, einen kleinen Stadtbummel!« Er ging in den Nebenraum, machte sich an einigen Hebeln und Schaltern zu schaffen. Dann trat er ins Freie.

Dort, wo ihn vorhin tiefe Schwärze angegähnt hatte, empfing ihn jetzt eine hellerleuchtete Straße. Mikita schien sich nicht darüber zu wundern. Auch nicht darüber, daß er in der ganzen Stadt der einzige Spaziergänger war und nicht einmal vor dem Kino mit anderen Menschen zusammentraf.

Mikita sah auf seine Armbanduhr. »Eigentlich könnte ich mir heute eine Vorstellung gönnen«, sagte er dann halblaut und ging zur Kasse. Aber er löste keineswegs eine Eintrittskarte, sondern betrat die Vorführkabine, schaltete auch dort an einigen Hebeln und zwängte sich dann durch eine Zwischentür in den Kinosaal, in dem das Licht eben langsam erlosch.

In der mittleren Loge nahm Mikita Platz. Er brauchte keine Angst zu haben, daß ihm jemand die gute Sicht versperren könnte – er war der einzige Anwesende!

Mitten im Film – es war eine Mondscheinszene am Weiher – schlief Mikita ein. Er hatte den Streifen schon des öfteren gesehen und wußte, daß alles gut ausging. Warum hätte er sich also vor Anteilnahme wachhalten sollen? Er schnarchte sogar ein bißchen, und es war niemand da, der es ihm übelgenommen hätte.

Rechtzeitig zum Schluß, als die Hochzeitsglocken dröhnten, wachte Mikita wieder auf. Er gähnte einmal laut, dehnte und streckte sich, schaltete in der Vorführkabine Licht und Geräte aus und ging auf die Straße zurück.

Plötzlich blieb er stehen. Es war an der Kreuzung unter der elektrischen Uhr. Sie zeigte fünf Minuten vor neun. Mikita nahm langsam die Hände aus den Taschen und griff nach der Pistole, die er am Gürtel trug. Dann ging er, fast an die Häuserwand angeschmiegt, in die Seitenstraße hinein, wo er den Schatten eines Menschen gesehen hatte.

Daß er bisher mutterseelenallein in der Stadt lebte, hatte ihm keine Angst einflößen können. Aber der Schatten eines anderen Menschen – und schon entsicherte Mikita die Pistole.

Noch zwanzig Meter, noch zehn Meter. Der Schatten, der quer über die Straße fiel, bewegte sich nicht. Auch als Mikita den Fremden anrief, geschah nichts. Und dann erblickte Mikita den anderen – und mußte lachen: Es war nur eine Schaufensterpuppe, die in einer Vitrine stand und, von einem Scheinwerfer angestrahlt, den drohenden Schatten warf. Mikita steckte die Pistole wieder zurück. Er war also doch ganz allein in der Stadt, und das schien ihn sehr zu beruhigen. Bevor er wieder sein Zimmer betrat, löschte er durch ein paar Handgriffe am großen Schaltbrett die Straßen- und Ladenbeleuchtungen aus. Dann schlief er zufrieden ein.

Einige Wochen später meldete die Presse, daß Mikita, ein amerikanischer Soldat, in die Heimat zurückgeholt worden sei. Ein ganzes Jahr hindurch

war es seine Aufgabe gewesen, einen amerikanischen Stützpunkt nach Abzug der Streitkräfte allein zu bewachen. Zwölf Monate hatte er nicht nur über ein eigenes Aggregat für Strom, sondern auch über mehrere Autos verfügen können. Seine Wäsche hatte er abwechselnd in sechs Waschmaschinen gewaschen.

Noch ein »Gespenster-Witz« von Frechdachs:

Herr Huber stand an der Bahnsteigsperre und starrte auf den neuen Automaten. »Ihr Gewicht und Ihr Schicksal!« las er auf der beleuchteten Tafel. »Bluff! Nichts als Bluff!« murmelte Herr Huber. »Aber ich könnte doch einmal kontrollieren, ob ich ein wenig abgenommen habe!« Und er trat auf den gummibelegten Tritt.

Nachdem er seinen Groschen eingeworfen hatte, surrte es im Innern des Automaten, und dann flog eine kleine Karte heraus. Herr Huber las: »Sie wiegen 82 Kilo, und Ihr Name ist Huber.«

Herr Huber staunte, aber dann sagte er sich. »Huber heißen viele! Das war bestimmt ein reiner Zufall!« Und er opferte nochmals einen Groschen. Wieder bekam er eine kleine Karte. Diesmal stand darauf: »Sie wiegen 82 Kilo und wollen verreisen!«

»Stimmt zwar«, sagte Herr Huber halblaut, »aber das zu sagen, ist keine Kunst! Wenn sich einer hier am Bahnhof wiegt, ist schließlich doch anzunehmen, daß er verreisen will! Von wegen ›Automat, der einem das Schicksal sagt‹! Alles nur Bluff!«

Aber dann probierte es Herr Huber doch noch ein drittes Mal. Damit er ganz beruhigt sein konnte! Er nahm die kleine Karte in Empfang – und diesmal las er: »Sie wiegen 82 Kilo und sind ein Trottel, denn inzwischen haben Sie Ihren Zug versäumt!«

Auf dem Berghof

Da brüllte die Hupe

Als der Mann den einsamen Bauernhof betrat, blieb alles still. Nicht einmal ein Hund schlug an. Es schien, als wäre das ganze Anwesen ausgestorben. Sogar die Hühner waren auf der Flucht vor der heißen Mittagssonne in den Schatten des Grasgartens hinter der Scheune geflohen.

Der Mann hatte die Zeit gut ausgewählt. Eine Weile blieb er noch im Hof stehen, dann trat er auf die Haustür zu. Wie ein Wanderbursche, der um ein Glas Milch und ein Stück Brot bittet, klopfte er mehrmals gegen das Holz. In Wirklichkeit aber hatte er etwas ganz anderes vor.

»Alles still«, flüsterte er, »gut!« Und mit geübten Händen schob er die schwere Tür auf, ohne daß sie in ihren Angeln geknarrt hätte.

Er hatte einen guten Blick dafür, wie die einzelnen Räume verteilt sein mußten. Und er schien auch zu wissen, daß man das Geld in Bauernhäusern oft in der Küche aufbewahrt. Die Küche war groß und hell; die Bauersleute, die hier wirtschafteten, schienen den Hof gut in Schuß zu halten. Offenbar waren sie auch all den modernen Errungenschaften gegenüber aufgeschlossen, die die Arbeit des Bauern ein wenig erleichterten. Die Küchenmaschinen auf der Anrichte gaben Zeugnis davon.

An der Fensterseite stand der schwere eichene Tisch. In. der Schublade steckte der Schlüssel – und meistens lag in so einer Küchenschublade Bargeld, viel Bargeld vielleicht.

Der Einbrecher näherte sich auf leisen Sohlen. Aber er war noch nicht bis in die Mitte des Raumes gekommen, da fing plötzlich eine Hupe zu brüllen an. Irgendwo im Raum – man konnte die Richtung nicht gleich erkennen, so sehr füllte der Schall die ganze Küche.

Der Mann schreckte zusammen. Aber da war auch die Hupe schon wieder still.

Sollte dieser Bauer gar eine Alarmeinrichtung eingebaut haben? Aber dann mußte sich der Einbruch erst recht rentieren! Und mit schnellen, entschlossenen Schritten ging der Mann weiter auf den Küchentisch zu. Aber er hatte die Hand noch nicht am Schlüssel des Schubfachs, da brüllte die Hupe von neuem. Lauter klang sie als zuvor, und sie hatte diesmal auch einen längeren Atem. Sie schien gar nicht mehr aufhören zu wollen.

Den Einbrecher faßte ein Grauen. Als säße ihm ein Gespenst im Nacken, floh er zitternd und mit röchelndem Atem hinaus und über den Hof ins freie Feld. Der Schweiß stand ihm auf der Stirn, aber er wagte sich erst wieder umzusehen und sich dann erschöpft ins Gras zu werfen, als er bereits am Waldrand angekommen war.

Fast um die gleiche Zeit aber erklärte der Bauer einem Besucher aus der Stadt, der seine Sommerferien bei ihm verbrachte und mit aufs Feld gefahren war, die Vorteile des elektrischen Weidezaunes.

»Wenn nun aber einmal der Draht herunterfällt oder ein Isolator schadhaft wird oder wenn Unkraut für eine Ableitung der elektrischen Spannung in die Erde sorgt, so nützt Ihnen der ganze Zaun nichts mehr«, meinte der Städter.

»Da haben Sie recht«, gab der Bauer zur Antwort. »Aber das war nur früher einmal, daß man den Schaden erst merkte, wenn die Tiere ausgebrochen waren! Wenn dergleichen heute passiert, wird bei uns im Haus, in der Küche, eine Alarmhupe in Tätigkeit gesetzt. Daran merken wir, daß der elektrische Zaun schadhaft geworden ist – na, und die Stelle, wo der Strom in die Erde abgeleitet wird, finden wir dann schon schnell.«

Mitten in der Nacht

... wurde der Bauer wach. Er meinte, draußen ein Geräusch gehört zu haben. Sollte ein Hühnerdieb im Hof sein? Der Bauer stand auf und trat ans offene Fenster. »Wer ist draußen?« fragte er aufs Geratewohl.

Es dauerte ein paar Sekunden, dann meldete sich zögernd eine tiefe Stimme: »Ach, bloß wir Hühner!«

Hier Wach- und Schließdienst

Alarm für Goethestraße drei

Herr Kläsig machte seinen Rundgang. Er wohnte im sogenannten »besseren
Viertel« der Stadt und war auch dort zum Wachdienst eingeteilt. Es gab
hier keine großen Geschäfte – die waren der Obhut seiner Kollegen in der
Innenstadt anvertraut. Herr Kläsig betreute die vornehmen Villen reicher
Leute. Was in den Kaufhäusern für Werte steckten, konnte jeder sich ausrechnen. Was aber in manchem Tresor einer Villa, in so mancher Schmuck-
vitrine eines hochnoblen Einfamilienhauses steckte, wußte man nicht. Nur
in der Zeitung war alle paar Wochen von Einbrüchen zu lesen und von der
beachtlichen Beute der Diebe.

Soweit Herr Kläsig, der immerhin schon seit fünf Jahren im »besseren
Viertel« Wachmann war, sich erinnern konnte, war in seinem Bezirk nur
ein einziges Mal etwas weggekommen. Nichts Wertvolles gerade, nur ein
eisernes Gartentor. Und auch das hatte man am nächsten Tag am nahen
Bahndamm wieder gefunden. Ein paar Studenten hatten einen Streich ausgeheckt, sonst nichts!

Dennoch nahm es Herr Kläsig mit seinem Wachdienst sehr genau. Er
machte zwar immer zur gleichen Zeit seine Runde – Ordnung muß
sein! –, aber er wechselte, um es den Spitzbuben nicht zu leicht zu machen,
peinlich ab. Einmal begann er mit Schiller, das anderemal mit Goethe, das
drittemal mit Mozart. Im besseren Viertel waren die Straßen nämlich nach
Dichtern und Musikern benannt. Und weil Herr Kläsig in jeder Nacht vier
Rundgänge zu machen hatte, kam es bei aller Systematik doch zu einer gewissen Abwechslung.

Heute begann er den ersten Rundgang eine Stunde vor Mitternacht in der
Mozartstraße. Die Nacht war unfreundlich, feucht und kalt. Ein leichter
Nebel lag über den Dächern, und selbst hier im Villenviertel schmeckte die
Luft wie abgestanden.

Herr Kläsig hielt den Kopf unwillkürlich zwischen die Schultern eingezogen – freilich nur so weit, daß er noch freie Sicht nach beiden Seiten hatte. Oh, er wußte, was man von einem Wachmann erwarten durfte!

Herr Kläsig bog in die Sackgasse ein, wo inmitten eines ansehnlichen Gartens die Villa eines Professors stand. Im Parterre brannte noch Licht; das war nicht außergewöhnlich. Der Professor arbeitete fast täglich bis Mitternacht, und manche Nacht erlosch das Licht in seinem Arbeitszimmer überhaupt nicht.

Als hätte diese leise Feststellung des Nachtwächters den Professor einmal zum Gegenteil bestimmen können, erlosch plötzlich das Licht. Herr Kläsig zuckte richtig zusammen, so überrascht war er. Der Professor schien ganz gegen seine Gewohnheit heute einmal vor zwölf Uhr ins Bett zu gehen. Auch gut! Herr Kläsig würde seinen Rundgang durch den Garten und rings um das Haus machen wie immer.

Als der Wachmann gerade wieder durch die Eisentür auf die Straße hinaustreten wollte, leuchtete hinter ihm das Licht wieder auf. Herr Kläsig merkte es an dem Widerschein, der braun und samtig auf dem Sandweg lag. Nun, auch das war noch nichts Besonderes! Warum sollte der Professor nicht nochmals Licht machen? Vielleicht war ihm eingefallen, daß er seine Uhr nicht aufgezogen hatte? Oder am Waschbecken tropfte der Hahn?

Herr Kläsig trat auf die Straße hinaus. Draußen aber blieb er im Schatten eines Alleebaumes stehen. Es hatte ihn plötzlich das Gefühl gepackt, daß hier etwas nicht in Ordnung sein könnte.

Und siehe da, nach wenigen Minuten flammte es wieder auf.

Und erlosch. Und flammte auf.

Dunkel. Licht. Alle paar Minuten dieser beunruhigende Wechsel!

Das Licht erlosch. Er blieb noch immer stehen.

Herrn Kläsig fielen die seltsamsten Geschichten von Notsignalen ein. Irgendwann hatte er einmal von einem Mann gelesen, der sich in den Bergen ein Bein gebrochen hatte, noch bis zur nächste Hütte gekrochen war und von dort mit Rauchsignalen aus dem Hüttenkamin Retter herbeirief. Vielleicht brauchte der Professor auch Hilfe und konnte sich nicht mehr anders als durch das Aus- und Einschalten der Zimmerbeleuchtung bemerkbar machen?

Der Wachmann begann zu schwitzen. An den Fingern zählte er den Wechsel zwischen Dunkelheit und Licht. Als er so bis zehn gekommen war, stand für ihn fest: Hier stimmte etwas nicht! Hier mußte er, Herr Kläsig, eingreifen! Alles hing jetzt von seiner Beherztheit ab – vielleicht sogar ein Menschenleben? Er betrat erneut den Garten. Diesmal schlich er im Schutz

der Büsche zum Haus hin. Alle Fenster waren und blieben dunkel, nur das Licht im Arbeitszimmer brannte, erlosch, brannte . . .

Herr Kläsig lauschte. Es war nichts zu hören, rein gar nichts, und das machte die Situation nur noch gespenstischer. Wenn hier Diebe und Mörder am Werk waren, hatten sie den Wachmann vielleicht auch schon erspäht! Und lauerten ihm auf!

Wer sollte dann den guten Professor retten? Herr Kläsig machte kehrt und fing an zu laufen. Nicht einmal die Gartentüre schloß er wieder hinter sich zu. Er rannte und rannte und purzelte schließlich schwitzend und stöhnend in die Wachstube des nahen Polizeireviers.

Der Garten und das Haus waren schnell umstellt. Aber die Haustüre blieb versperrt. Weder auf Glockenzeichen noch auf Rufen hin wurde sie geöffnet. Erst die ebenfalls alarmierte Feuerwehr verhalf ein paar beherzten Beamten zu einem mutigen Einstieg im ersten Stock. Herr Kläsig war nicht dabei, aber er fühlte vom Garten aus jede Phase dieser Schlacht gegen die verbrecherische Unterwelt mit.

Nach zehn Minuten kamen die Polizisten wieder. Ohne Verbrecher. Aber das Licht trieb noch immer sein Wechselspiel. Herr Kläsig vermochte es gar nicht zu fassen.

Die Beamten konnten ihr Lachen nur schlecht verbergen, als sie dem Nachtwächter die Aufklärung gaben: Der findige Professor, der – wie eine telefonische Rückfrage bei Verwandten ergab – in Urlaub gefahren war, hatte nach außen hin den Eindruck erwecken wollen, als sei seine Villa auch weiterhin bewohnt. So hatte er die Zimmerbeleuchtung eingeschaltet und hinter den Schalter eine elektrische Uhr angeschlossen. Alle paar Minuten schaltete diese das Licht ein und dann wieder aus. Wieder ein. Und wieder aus.

Herr Kläsig schüttelte fassungslos den Kopf. »Warum denn so viel Technik«, stöhnte er schließlich, »wo doch ich da bin!«

»Mein Freund ...

... hat ein unheimliches Gedächtnis!« kündigt Mäxchen prahlerisch den Besuch von Frechdachs an. »Der kann euch die Namen von drei Seiten aus dem Telefonbuch auswendig aufsagen. Und genau der Reihe nach!«

Alles staunt, und als Frechdachs am Nachmittag zum Kaffee erscheint, soll er natürlich gleich dieses einzigartige Gedächtnis unter Beweis stellen. »Gut«, willigt er ein und zwinkert Mäxchen zu. »Ich beginne auf Seite 79: Maier, Maier, Maier ... und immerzu Maier bis auf Seite 81 unten. So viele Maier stehen nämlich im Telefonbuch unserer Stadt!«

Gespenster aus Wellen und Draht

Los Angeles:

Hier raste ein Wagen durch die Stadt, der sich um keine einzige Kreuzung zu kümmern schien – und dennoch passierte kein Unglück. Es war geradezu gespensterhaft, wie diesem Wagen, von welcher Seite er immer in die verschiedenen Kreuzungen hineinfuhr und wie sehr er auch seine Geschwindigkeit veränderte, das grüne Licht für freie Fahrt zufiel.

Das war jedoch keineswegs Zufall! Es handelte sich vielmehr um einen Versuchswagen der Polizei, der mit einem Funkschaltgerät ausgerüstet ist, das alle Verkehrsampeln selbsttätig schon in einer Entfernung von einem halben Kilometer auf »Durchfahrt« schaltet. Sobald der Wagen die Kreuzung passiert hat, arbeitet die Signalanlage wieder normal weiter.

Boston:

Die drei maskierten Bankräuber trauten ihren Ohren nicht! Nun hatten sie alles so fein eingefädelt! Sie hatten für ihren Raubüberfall eine Stunde gewählt, in der sich nur wenige Angestellte und noch weniger Kunden in der Schalterhalle befanden. Und diese hatten sie mit ihren Pistolen mühelos in Schach gehalten. Keiner von den Anwesenden hatte sich auch nur bewegt, geschweige denn um Hilfe gerufen. Übrigens war die Telefonleitung durchgeschnitten und die einzige Tür zu den übrigen Räumen der Bank geschlossen und versperrt. Es konnte also niemand die Polizei alarmiert haben – und doch heulte draußen ihre Sirene auf. Und jetzt – tatsächlich, da sprangen schon die ersten uniformierten Beamten in die Halle: »Hände hoch!«

Die Bankräuber ließen sich, ohne Widerstand zu leisten, abführen. Nur einer fragte erschüttert: »Wie war das nur möglich!«

»Ganz einfach, mein Herr«, erwiderte ihm der Direktor der Bank, den selbst in diesem Augenblick nicht die Höflichkeit verließ. »Ganz einfach! Wir haben schon vor einigen Monaten ein drehbares Fernsehauge im Schalterraum eingebaut, das alle Vorgänge auf Fernsehapparate überträgt, die in anderen Räumen unseres Betriebes stehen. Auf diese Weise können wir den Alarm auslösen, ohne durch Waffen daran gehindert zu werden.«

Beruf: Erfinder

Der Autoknacker

Er hatte noch den grauweiß gestreiften Gefängnisanzug an und suchte nun ein Auto, das ihn möglichst weit aus dem Bereich der Suchtrupps bringen sollte. »Ah«, sagte er, als er um eine neue Ecke bog und hundert Schritt weiter vorne in der Abenddämmerung die dunkle Silhouette eines Wagens erblickte.

»Oh«, seufzte er, nachdem er mit geübten Griffen die verschlossene Tür erbrochen hatte. Er merkte gleich, daß er an einen Wagen geraten war, dessen Zündschloß eine besondere Sicherheitsvorrichtung besaß. Aber schließlich hatte er sich nicht umsonst seine alte »Autoschlüsselsammlung« ins Gefängnis schmuggeln lassen. Mit einem geeigneten anderen Schlüssel würde er schon – patsch, die Sicherung war draußen! Sämtliche Sicherungen schienen gleichzeitig durchgebrannt zu sein. »Sicher der Wagen von einem Verrückten!« knirschte der entsprungene Häftling böse und stieg aus. Er würde den Motor auch so starten.

Der Mann, der an einem unbeleuchteten Fenster des gegenüberliegenden Hauses stand, nickte beifällig. Dann schritt er gemächlich zum Telefon. Wenig später hatte der Ausbrecher tatsächlich den Motor in Gang gebracht. Er warf die Motorhaube zu und schwang sich wieder hinter das Steuerrad, schob ungeduldig den ersten Gang ein, löste die Bremse. Aber in dem gleichen Augenblick, da sich der Wagen in Bewegung setzte, fing eine Hupe zu dröhnen an – das Überfallkommando mochte keinen größeren Lärm machen.

»Egal!« knirschte der Ausbrecher. »Nur weg von hier! Nur rasch weg!« Trotz kreischender Hupe wäre die Flucht wohl auch – wenigstens zunächst – geglückt, wenn der Wagen nicht nach zehn, zwanzig Metern wie von Geisterhänden abgestoppt worden wäre. Der Motor, der eben noch so voll gelaufen war, setzte aus. Der Wagen rollte noch langsam bis zur nächsten Straßenlaterne und blieb dann mitten in ihrem Lichtkegel endgültig stehen. Als der Ausbrecher den Wagen verließ, bogen von vorn und von hinten bereits zwei Polizeiwagen in die einsame Straße ein. An Flucht war nicht mehr zu denken.

Der Besitzer des Wagens aber, der den Vorfall vom Fenster aus gesehen und der Polizei gemeldet hatte, steckte seinen »Selbstwählschlüssel«, der sechsunddreißig Kombinationen zuließ, in das Zündschloß – und schon öffnete sich das magnetisch gesteuerte Kraftstoffventil, das an einer unzugänglichen Stelle im Motor die Benzinzufuhr abgedrosselt hatte, und der Wagen fuhr im Rückwärtsgang die wenigen Meter zu dem alten Abstellplatz zurück. »Mein Auto stiehlt mir so leicht niemand«, meinte der Besitzer noch zu dem Polizeiwachtmeister, der ihn als Zeugen um die Personalien bat, und er gab ihm seine Visitenkarte. Als Beruf war dort »Erfinder« angegeben.

Gespräch um Mitternacht

Ort: Unter der Laterne in der Nähe einer Wirtschaft
Zeit: Eine gute Weile nach der Polizeistunde.
Personen: Stammgast A und Stammgast B.
A: »Und was ich schon immer sagen wollte – ich möchte einmal wissen, wovon die Post eigentlich lebt.«
B: »Nanu, das ist doch einfach zu beantworten – vom Verkauf ihrer Briefmarken natürlich!«
A: »Siehste, das hab' ich auch zunächst gedacht. Aber dann habe ich mir folgendes überlegt: Die Post verkauft doch ihre Marken ohne Aufschlag, also die Zehn-Pfennig-Marke für zehn Pfennige und die Zwanziger-Marke tatsächlich nur für zwanzig Pfennig! Sie hat also gar keine Handelsspanne dabei! Und darum sage ich: Es ist mir rätselhaft, wovon die Post eigentlich lebt.«
B: »Und doch lebt sie von ihren Briefmarken! Das ist so (ich habe mir nämlich auch schon oft darüber Gedanken gemacht): Ein Brief darf meinetwegen zwanzig Gramm wiegen oder fünfzig oder was weiß ich. Und es muß immer die jeweils vorgeschriebene Marke drauf! Aber nun frage ich dich: Wieviele Briefe wiegen denn tatsächlich genau zwanzig oder fünfzig oder ich weiß nicht wieviel Gramm? Doch unter hundert höchstens einer! Die anderen wiegen vielleicht achtzehn Gramm oder gar nur vierzehn statt zwanzig! Oder achtundvierzig oder gar nur dreißig statt fünfzig! Siehst du, von dieser Differenz, davon lebt – hick – die Post!«

Sie saßen beisammen . . .

. . . und erzählten sich Gruselgeschichten

Otto, der Student, begann: »Ich habe einige Semester bei Professor – nun, den Namen merkt ihr euch doch nicht, obwohl es sich um einen bekannten Chirurgen handelt! – bei diesem Professor habe ich also studiert. Eines Morgens kam er – schwungvoll wie immer, aber auch zerstreut wie so oft – zu uns in den Anatomiesaal herein und rief: ›So, heute wollen wir einmal einen Frosch zerlegen; ich habe gleich einen mitgebracht!‹ Bei diesen Worten zog er ein Paket aus seiner Jackentasche und wickelte das Papier bedächtig auf. Zum Vorschein kam aber keineswegs ein Frosch, sondern ein belegtes Brötchen. Unser Professor starrte es eine Weile fassungslos an, dann schlug er sich mit der flachen Hand vor die Stirn und rief: ›Ach, du lieber Schreck! Und ich entsinne mich doch ganz deutlich, daß ich heute morgen gefrühstückt habe!‹«

Richard, auch Student, schüttelte lächelnd den Kopf. »Deine Geschichte war mehr lustig als gruselig«, meinte er, »aber ich habe da etwas erlebt . . .« Und dann begann er: »Meine Eltern sind nicht reich, und so versuchte ich, während der Hochschulferien mir selber ein bißchen Geld zu verdienen. Es wurden gerade Arbeiter für die Müllabfuhr in unserer Stadt gesucht. Kurzentschlossen meldete ich mich.
Nun, es gibt sicher angenehmere Arbeiten, aber die Bezahlung war nicht schlecht. Und die Fahrt zur Müllverbrennungsanlage am Ende einer Runde glich beinahe einer Stadtrundfahrt; denn der Fahrer wählte mir zuliebe die verschiedensten Umwege, damit ich seine Heimatstadt ein bißchen besser kennenlernen sollte.
Einmal, gegen Mittag, geschah es dann. Wir waren eben an die Abladestelle gefahren, da rutschte ich beim Entleeren unseres Müllwagens aus und in die Grube hinein. Fünf Tonnen Abfall rutschten nach und bedeckten mich vollständig. Und dann begann auch schon der elektrische Greifer den Müll aus der Grube in den Verbrennungsofen zu transportieren.

Der Abfall war von der Art, daß ich trotz der Verschüttung noch genügend Luft bekam. Schachteln und allerlei sperriges Gut wirkten wie Luftzellen in der grauen, staubigen Masse. Ich konnte auch ganz klar denken. Ich sah, wenn auch mit geschlossenen Augen, wie unser Auto nun gleich wieder wegfahren würde. Mein freundlicher Fahrer würde meinen, daß ich wie immer auf dem Rücksitz Platz genommen hätte. Und der Greifer würde Schicht für Schicht über mir abtragen, bis er mich selber packte. Aus eigener Kraft aus diesem Meer von Unrat herauszukommen, war leider unmöglich. Ich hätte ein Riese sein müssen!

Immer deutlicher spürte ich, wie der Druck auf meinem Körper und besonders auf meinem Kopf nachließ. Schließlich wagte ich die Augen vorsichtig zu öffnen und sah, daß es heller um mich geworden war. Und jetzt – jetzt umflutete mich volles Tageslicht! Der Greifer hatte die letzte Schicht über mir abgetragen. Wenn ich jetzt nicht freikam, würde man nie wieder von mir etwas sehen!

Die Todesangst gab mir ungeahnte Kräfte. Wie ich es eigentlich geschafft habe, weiß ich nicht. Plötzlich taumelte ich jedenfalls aus der Grube heraus – gerade noch rechtzeitig, ehe der Bagger erneut zugriff.

Zehn Minuten später kam mein Wagen zurück. Ich schämte mich nicht, es einzugestehen: Ich war nicht fähig, meinem Freund auf seine Fragen zu antworten. Ich fingerte nur verstohlen nach meinem Taschentuch, um mir den Schweiß von der Stirne zu wischen.

Vergessen werde ich diese schrecklichen Minuten unter der Mülldecke nie. Ich kann mir nichts Schauerlicheres vorstellen als diesen Bagger, der da unerbittlich Schicht um Schicht abträgt, um schließlich nach einem selber zu greifen . . .«

»Nun, ich weiß nicht«, mischte sich jetzt Peter ins Gespräch. »Während meiner Militärzeit habe ich da etwas erlebt, das nicht weniger schauerlich war. Es ist mir nicht selber passiert, Gott sei Dank! Ich glaube, ich hätte heute sonst weißes Haar! Aber ich war dabei und habe gezogen . . . Aber ihr sollt die Geschichte von Anfang an hören.

Ich weiß nicht, ob ihr den Flugzeugtyp ›Sabre‹ kennt. Auf unserem Flugplatz seinerzeit lag ein ganzes Geschwader dieser Düsenjäger. Wenn sie zum Verbandsflug starteten, dröhnten einem die Ohren noch, während sie schon außer Sichtweite waren.

Eines Morgens – wir Mechaniker waren noch todmüde von der nächtlichen Arbeit in der Werft – wurde überraschend ein Übungseinsatz befohlen.

Wie gesagt, wir Mechaniker hätten lieber einen freien Vormittag gehabt und bis zum Mittagessen geschlafen! So aber rannten wir zwischen den Maschinen herum, um die letzten Kontrollen zu leisten. Tom, der die Nachbarmaschine wartete, sah ich mehrmals herzhaft gähnen. Er riß dabei den Mund so weit auf, daß ich laut lachen mußte. Aber das hörte man nicht. Denn eine um die andere Düse heulte nun auf.

Tom machte sich nochmals am Fahrwerk der Maschine zu schaffen, und nur durch Zufall sah ich gerade in dem Augenblick zu ihm hinüber, als der Pilot seiner Maschine die Düsen plötzlich stärker aufheulen ließ, und sah – sah – sah, wie Tom plötzlich die Arme um sich warf und hochgehoben und in die Turbine hineingerissen wurde. Der gewaltige Sog hatte ihn erfaßt ... So schnell wie damals bin ich noch nie in meinem Leben gerannt! Ich sprang an die Tragfläche und wippte, daß der Pilot aufmerksam wurde. Meine erregten Zeichen ›Düse abstellen‹ kamen unwillkürlich so zwingend, daß er sofort reagierte. Und dann sprang ich an die Turbine. Ach, ich mußte ein gutes Stück hineingreifen, um Tom an den Beinen zu erwischen. Vorsichtig wie einen Sterbenden haben wir ihn herausgezogen und ihn auf die kühle Erde gelegt. Während der Krankenwagen heulend heranfuhr, stand Tom jedoch schon wieder auf. Aus eigener Kraft! Im Lazarett stellte man später lediglich einen Armbruch und einige ungefährliche Schürfungen fest. Tom aber, der unverwüstliche Spaßmacher, lachte, als man ihn auf die Tragbahre hob. ›Nun kann ich wenigstens einmal richtig ausschlafen!‹ rief er zu mir herüber.

Ich wollte nicht boshaft sein, sonst hätte ich ihn gefragt, wie es denn in so einer Turbine aussieht, wenn sie in Betrieb ist.«

»Weil gerade von Flugzeugen die Rede ist«, ließ sich an dieser Stelle Werner vernehmen, »bin wahrscheinlich ich an der Reihe. Denn meine Gruselgeschichte spielt tatsächlich in einem Flugzeug. Wir befanden uns seinerzeit auf einem Ohnehaltflug von Paris nach Rom. Der Start in Villacoublais war glatt verlaufen, und wir flogen mit automatischer Kurssteuerung ziemlich geruhsam dahin.

Als wir über die Alpen kamen, änderte sich jedoch die Wetterlage. Wir mußten auf größere Höhe gehen, um nicht in den Wolken fliegen zu müssen. Aber selbst in viereinhalbtausend Metern machte sich der Sturm noch bemerkbar.

Dennoch verlief unser Flug auch jetzt noch durchaus normal, und die paar Passagiere, die wir an Bord hatten, versuchten, ein wenig zu schlummern.

Dann aber wurde durch Funk eine Unwettermeldung durchgegeben, und wir mußten sie bitten, sich wieder fest anzuschnallen. Ich selber ging nach hinten in den Laderaum, um zu sehen, ob sich keine der vielen Kisten, die wir transportierten, losgerissen habe. Wenn sich nämlich die Ladung verschiebt, kann das für ein Flugzeug recht gefährlich werden.

Ich öffnete die Tür zum Laderaum und blieb erstarrt stehen. Da war doch eben gesprochen worden? Ich hatte meine Kopfhaube in der Pilotenkanzel gelassen und lauschte nun – die Hände hinter den Ohren – in den Laderaum hinein, den eine blaue Lampe nur schwach erhellte. Den Motorenlärm vernahm man hier ziemlich gedämpft.

Ich stand also da und lauschte – und plötzlich hörte ich wieder die Stimme, nein, jetzt schon eine zweite, eine dritte! Schrien da nicht Kinder nach ihrer Mutter?

Breitspurig stampfte ich weiter in den Raum hinein. Ich mußte mich mit den Händen festhalten, denn die Sturmböen nahmen immer mehr zu. Und nun hörte ich es ganz deutlich vor mir: ›Mama!‹ – ›Maamaaa!‹ Der Ruf war aus der Kiste unmittelbar vor mir gekommen.

Furchtbare Gedanken jagten durch mein Gehirn! Hier mußte etwas Ungeheuerliches geschehen sein! Ich rannte nach dem Beil, das an der Innenseite der Bordtüre für Notfälle bereithängt, und brach mit zitternden Händen die Kiste vorsichtig auf.

Und da fand ich sie, sorgsam in weiche Tücher verpackt, vor: Puppen, große Kinderpuppen, die ›Mama‹ rufen konnten!

Ein Affe und ein Papagei . . .

. . . saßen beisammen und zankten sich, wer von ihnen tüchtiger sei. »Ich kann auf die höchsten Bäume klettern«, sagte der Affe. »Ich kann mich mit meinem Schwanz an den Ästen festhalten! Ich kann Flöhe fangen und mit kleinen bunten Bällen spielen! Und ich kann . . .«

»Ach was«, unterbrach ihn der Papagei, »ich kann sprechen!«

»Na und?« erwiderte der Affe erbost. »Was tu ich denn schon seit einer Viertelstunde?«

Das Experiment

Bruno standen die Haare zu Berge

Nach dem Geburtstagskaffee hielten es die Jungen nicht mehr an der Festtafel aus. Die Kaffeekannen waren leer, die Kuchenberge abgetragen – was sollte man also noch sitzen bleiben?

Otto, der Vetter, hatte einen Einfall. »Habt ihr einen Spazierstock im Haus?« fragte er. Die Zwillinge rannten und schleppten den Spazierstock des Großvaters herbei.

Währenddessen hatte sich Otto von Tante Helga eine Postkarte geben lassen. Den Spazierstock legte er nun über eine Stuhllehne und balancierte ihn sorgsam aus, so daß er im Gleichgewicht lag. Schließlich reichte Otto die Postkarte herum; es war ein Urlaubsgruß von irgendeiner Tante, und es war keine Besonderheit an der Karte festzustellen.

Otto rieb die Karte mehrmals über den Ärmel seines Pullovers, während er geisterhafte Sprüche murmelte. Dann hielt er die Karte in einem Abstand von etwa fünf Zentimetern an den Griff des Spazierstocks.

Der Stock bewegte sich, schwankte, fiel polternd auf den Boden herunter. Dabei hatte Otto den Stock ganz bestimmt nicht berührt! Alle hatten ihn genau beobachtet.

»Noch einmal!« baten die Zwillinge.

Otto nickte gönnerhaft. Und diesmal sahen auch Onkel und Tante kritisch zu. Aber es war wie beim erstenmal: Kaum hatte Otto die Spukkarte in die Nähe des Stockes gebracht, als dieser auch schon aus dem Gleichgewicht rutschte. Die Zwillinge machten große Augen.

»Damit ihr euch aber nun nicht fürchtet«, erklärte Otto, nachdem er sich lange genug hatte anstaunen lassen, »will ich euch verraten, daß meine Spukkarte kein bißchen verhext ist. Durch das Reiben mit Wolle ist sie lediglich elektrisch aufgeladen worden und bringt – ähnlich wie ein Magnet – den Stock aus seiner ausbalancierten Lage.«

Otto rieb die Karte noch einmal tüchtig an seinem wollenen Pullover. Dann hielt er sie dicht über das Haar von Bruno, dem einen der Zwillinge. Und diesem standen daraufhin buchstäblich die Haare zu Berge.

... und noch ein anderer Versuch:

Der Zweig drehte sich wirklich

Sie saßen um den runden Tisch herum. Die Vorhänge hatten sie zugezogen, so daß im Zimmer jenes Dämmer-Dunkel herrschte, das sie als Voraussetzung für ihre Geistersitzung betrachteten.

Robert, der »Hexenmeister«, nahm aus einer Schachtel einen kleinen Holunderzweig. Acht bis zehn Zentimeter lang und ein bis zwei Millimeter stark mochte er sein. Er war dürr, und Werner, der ihn anfassen durfte, wunderte sich, wie leicht er war.

Robert griff nochmals in die Schachtel, aber man sah nicht, was er herauszog. Erst als er damit zu hantieren begann, begriffen es die anderen: Es war ein Haar, ein langes, dünnes Haar. Robert hatte es sich von Marianne, seiner Schwester, geben lassen.

Das eine Ende des Haares knotete er nun an der Hängelampe fest, am anderen brachte er den Holunderzweig an, und zwar so, daß dieser am Schluß genau waagrecht hing.

»Damit sind meine Vorbereitungen abgeschlossen«, erklärte Robert endlich mit tiefer Stimme. »Nun aber werden Sie Zeugen eines aufregenden Schauspiels sein. Ohne den Zweig zu berühren, nur mit meinem bloßen Willen also, werde ich ihn bewegen! Ich werde so lange so fest an ihn denken und selbstverständlich daran, daß er sich bewegen soll, bis er es wirklich tut. Das kann zehn Minuten dauern oder auch länger. Es hängt davon ab, ob ich mich richtig konzentrieren kann. Ich muß Sie deshalb um äußerste Ruhe bitten!«

Die Freunde hielten Ruhe. Ihrer Meinung nach war das, was Robert angekündigt hatte, völlig unmöglich! Man konnte doch nicht mit bloßem Willen etwas rein Stoffliches beeinflussen! Das grenzte ja tatsächlich an Zauberei! Sie warteten also gespannt, was sich ereignen würde.

Einer saß allerdings in der Runde, der leise vor sich hinlächelte. Es war Roberts Bruder, vier Jahre älter als die übrigen und sozusagen nur als Besuch geduldet. Er wußte, daß in früheren Jahren ein französischer Spiritist schon einmal den gleichen Versuch angestellt hatte – aber davon wollte er den anderen erst nach dem Experiment erzählen.

Robert hielt noch immer in einem Abstand von etwa zwanzig Zentimetern die Hände dem Zweig entgegen, und zwar so, daß die Handflächen zum Zweig hin gerichtet waren.

Es geschah nichts. Sehr lange.

Die Freunde wollten schon ungeduldig werden, da – der kleine Holunderzweig machte deutlich eine Vierteldrehung! Dann hing er wieder unbeweglich da.

Der Beifall war groß, wenn es den meisten in der Runde auch ein wenig unheimlich geworden war. Schließlich räusperte sich Roberts älterer Bruder und sagte: »Nun bekommt mal bitte keine Gänsehaut! Die Sache ist nämlich sehr einfach zu erklären!« Und er wies darauf hin, daß das Zimmer, in dem sie saßen, ziemlich kühl sei, daß aber Roberts ausgestreckte Hände Wärme ausgestrahlt hätten. Nichts anderes als diese Wärme sei an der Drehung des Holunderzweiges schuld gewesen. Das Experiment wäre also auch dann gelungen, wenn Robert an etwas ganz anderes gedacht hätte.

»Übrigens«, schloß Roberts Bruder, »dieses Erperiment war schon einmal Leuten zum Verhängnis geworden. Ein französischer Spiritist wollte damit beweisen, der menschliche Wille könne auf die Materie einwirken. Er fand auch zahlreiche Anhänger seiner Ansicht, bis eines Tages ein Physiker den wahren Zusammenhang aufdeckte und die Spiritisten sich kleinlaut geschlagen geben mußten.«

Kleine Kniffe

Mit einer Gitarre kann man den Stundenschlag einer Uhr nachahmen, und wer geschickt ist, kommt sogar mit zwei verschieden großen Kochtopfdeckeln oder Gläsern zurecht.

Geige, Flöte oder Mundharmonika, ja selbst der Taschenkamm, über den man ein Seidenpapier gelegt hat, machen das Winseln des Schloßgespenstes »zum Fürchten echt«.

Und mit einer Zither kannst du die andern zittern machen! Du mußt das Instrument heimlich in Reichweite verstecken und dann unvermutet – mitten in der Gespenstererzählung von Lotte – über die Saiten streichen. Da kannst du erleben, wie sogar die tapfere Lotte auffährt!

Spezialität »Gespensterbekämpfung«

Wer es nur von außen sah, hätte in dem großen grauen Gebäude niemals so helle und freundliche Zimmer vermutet. Der Direktor des Unternehmens hatte diesbezügliche Ausrufe der Überraschung schon so oft gehört, daß er auch heute, wo ihn ein alter Schulfreund besuchte, das Lob nur mit einem Lächeln quittierte und die wohlberechnete Bemerkung hinzufügte, da müsse man erst einmal die Abteilung »Gespensterbekämpfung« besichtigen – da würde man staunen!

Natürlich brannte jetzt der Besucher darauf, diese Spezialität der großen Versicherungsgesellschaft kennenzulernen. Es handelte sich ja um eine

durchaus ernstzunehmende Firma, bei der man neben den üblichen Ab-
schlüssen auch recht sonderbare tätigen konnte. Vielleicht hatte erst an diesem Vormittag wieder jemand seinen Balkon gegen Rostfraß oder seinen
Hund gegen die Räude versichert.

Wenn man die Abteilung »Gespensterbekämpfung« betrat und in den Rega-
len vielleicht verrostete Ketten und blutbefleckte Dolche erwartet hatte, sah
man sich getäuscht. Dort standen nämlich die modernsten Apparate, und
der stets liebenswürdige Leiter der Abteilung stellte sie dem Besucher gerne
im einzelnen vor . . .

Eine Hafenzeichnung erzählt vom

Gespenst aus Übersee

Kürzlich wurde unsere Abteilung »Gespensterbekämpfung« alarmiert, im Hafen würde es spuken. Zwischen zwei Transatlantikfrachtern habe man ein unförmiges Wesen erblickt, das Hörner auf dem Kopf trage und fürchterlich schnaube. Sicher handle es sich hier um einen Spukgeist, der von Übersee eingeschleppt worden sei.

Nun ist das gesamte Hafengebiet bei unserer Gesellschaft versichert, und wir hatten schon öfter erfahren, wie leicht Gespensterangst zu einem Unfall führen kann. Wir rasten also auf dem Schnellboot der Wasserpolizei zu den genannten Frachtern.

Erst sahen wir gar nichts, so sehr wir auch die Augen anstrengten. Schiffe und Wasser, von einem Ungeheuer keine Spur!

Wir wollten schon abdrehen, und einer der Beamten brummte etwas von »Fehlalarm« und »Dummerjungenstreich«, da erblickte einer von uns – wir fuhren eben parallel zur Breitseite des einen Schiffes – tatsächlich ein gutes Stück weiter vorne zwei Hörner im Wasser. Allerdings schien der sonderbare Spuk schon ziemlich müde zu sein, denn er machte weder große Wellen, noch hörte man ihn wie einen Drachen schnauben.

Wir drosselten den Motor und näherten uns mit halber Fahrt – und dann erkannten wir die Spukgestalt deutlich: Es war eine Kuh!

Jawohl, nichts anderes als eine Kuh!

Nun ist es ja auch kein alltägliches Ereignis, wenn eine Kuh im Hafen zwischen Ozeanriesen herumschwimmt. Überdies schien dem Tier das Bad gar nicht gut zu bekommen, denn es machte nur noch ganz lahme Bewegungen, und wir hatten alle Mühe, es über Wasser zu halten und in behutsamem Schlepp an Land zu bringen.

Später stellte sich heraus, daß es sich um eine Kuh handelte, die auf dem

Weg zum nahen Schlachthaus vom Wagen gesprungen und in ihrer Angst zum Hafen gestürmt war.

Aber wer sollte schon auf solche Zusammenhänge kommen! Viel lieber schrien die Leute gleich: »Ein Gespenst, ein Gespenst! Ein Spuk, frisch aus Übersee importiert!«

Auch ziemlich gespenstisch:

»Hallo! Ist dort unser Installationsgeschäft? Ja? Ach, kommen Sie doch schleunigst zurück! Ja, Haus Nummer 24! Wie, was los ist? Mensch, kommen Sie schon! Sie müssen die Leitungen verkehrt verbunden haben! Jedenfalls steht die ganze Badewanne unter Strom, und aus dem Kronleuchter schießt der reinste Wasserfall herunter!«

Aus dem Archiv des »Gespenstermuseums«:

»Gartengeräte«

Im Polizeirevier läutete das Telefon. Mit aufgeregter Stimme gab ein Mann an, eben vor seiner Gartenlaube überfallen worden zu sein. Es müsse ein Gespenst gewesen sein, denn er habe nicht einmal einen Schatten gesehen. Der Beamte notierte Straße und Nummer. »Einsame Gegend dort«, murmelte er vor sich hin, »aber ein Gespenst?« Nun, er gab den Alarm unverzüglich weiter.

Die Funkstreife aus der Stadt war in wenigen Minuten zur Stelle. Und auch die Untersuchungen am Tatort nahmen nicht viel Zeit in Anspruch. Bereits zwanzig Minuten nach dem ersten Anruf konnten die Männer des Streifenwagens dem alarmierten Polizeirevier melden: »Alarm abgeblasen. Fall ist aufgeklärt. Der Mann ist nur auf einen eisernen Rechen getreten, den er selber vor der Laube auf den Boden gelegt hat. Beule am Kopf ist allerdings recht beachtlich. Ende.«

»Wilde Tiere«

Die Leute vom Bergdorf rannten von den Äckern und Wiesen zusammen. So etwas war in ihrer Gegend noch nie passiert! Auf den Feldern hinter dem Birkenwäldchen war ein Elefant gesehen worden! Ein Elefant, wahrscheinlich dem Zirkus entsprungen, der zur Zeit in der nahen Stadt seine Zelte aufgeschlagen hatte. Ein Elefant, der vielleicht in wenigen Stunden die ganze Ernte zertrampelte! Der – man hatte doch schon über solche Einzelgänger gelesen – auch den Menschen gefährlich werden konnte!

Bis Rettung aus der Stadt kam, war es vielleicht schon zu spät. Also rückte man mit eigenen Waffen aus ...

Bis sich freilich ein Haufen tapferer Jäger zusammengefunden hatte, verging einige Zeit, und als man endlich das Birkenwäldchen erreichte, stand schon der Abendstern hell und glitzernd über dem Berg. Doch das Tageslicht war immer noch stark genug, um den Elefanten deutlich zu erkennen; er stand weiter oben in einem Getreidefeld: grau und wuchtig und in bedrohlicher Unruhe.

Die Männer schlichen sich vorsichtig näher. Der Mühlenbauer trug als einziger eine richtige Waffe bei sich, aber dieses Gewehr gab – wenn es auch noch aus dem letzten Jahrhundert stammte – allen Mut. Oh, der Mühlenbauer war schon ein wirklicher Held! Jetzt bedeutete er den Genossen zurückzubleiben und schritt, das Gewehr anschlagbereit vor sich hertragend, langsam näher an das riesengroße Tier heran. Zweihundert Schritte mochte er noch entfernt sein, da blieb er stehen, hob das Gewehr, zielte, zielte lange, setzte einmal ab, zielte nochmals und – schoß! Pulverdampf hüllte ihn sekundenlang ein.

Noch standen die anderen still und starr, fluchtbereit, wenn der graue Koloß auf sie zustürzen sollte. Aber er kam nicht. Er war überhaupt nicht mehr zu sehen! Ja wirklich, er war spurlos verschwunden!

»Aber das geht doch nicht mit rechten Dingen zu«, wiederholte der Bürgermeister ein ums andere Mal. »So rasch kann der Elefant doch nicht davongelaufen sein, daß wir ihn nicht gesehen hätten! Und wenn er zu Boden gestürzt wäre, müßte man ihn doch auch noch ausfindig machen! Das Getreide steht doch kaum einen Meter hoch!«

Inzwischen kam auch der Mühlenbauer in kopfloser Flucht zurück. »Das – das muß ein Spuk gewesen sein!« keuchte er. »Ich erkannte ihn ganz deutlich über Kimme und Korn – und jetzt – jetzt ist nichts mehr von ihm zu sehen! Ich bin bestimmt nicht ängstlich, aber mit rechten Dingen geht es hier nicht mehr zu.«

»Ein Spuk!«

»Ein Gespensterelefant!«

»Ein Geisterelefant!« So flüsterten die Männer, und ohne daß jemand das Kommando dazu gegeben hätte, machten sie kehrt und schritten ziemlich rasch dem Dorf zu, nicht ohne sich immer wieder umzublicken.

An diesem Abend verrammelte man die Hoftore, als seien plündernde Landsknechte gemeldet, und in den Stuben saß man noch lange beisammen, weil an Schlaf nicht zu denken war. Immer wieder wurde das Problem besprochen: Konnte der Elefant so rasch geflohen sein, daß niemand seine Flucht bemerkte? Oder war er in eine Mulde gestürzt, von der niemand etwas wußte? Oder – oder war es heute hinter dem Birkenwäldchen doch nicht mit rechten Dingen zugegangen?

Der nächste Morgen brachte auf alle Fragen Antwort. Der Bürgermeister hatte notgedrungen in die Stadt telefoniert und kleinlaut von der geisterhaften Elefantenjagd berichtet. Eine Stunde später fuhr schon ein Lastwagen des Zirkus ins Dorf herein. Drei Angestellte des Unternehmens ließen sich zum Birkenwäldchen führen, und dann schritten sie vorsichtig, um möglichst wenig Getreide niederzutreten, ins Feld hinein. Ziemlich in der Mitte sah man sie sich wiederholt bücken.

Nach einer Weile stapften sie wieder heraus und trugen eine riesige Plastikhaut mit. Und obwohl diese an einer Stelle ziemlich zerfetzt war, konnte man doch noch den zerschossenen Fesselballon in seiner ursprünglichen Elefantenform erkennen und auch die weiße Aufschrift: »Besucht den Zirkus! Morgen letzter Spieltag!«

»Mordwerkzeuge«

Herr Müller rieb sich die Augen. Dann schloß er sie für eine Sekunde und starrte schließlich erneut durch die offene Balkontür hinaus. Kein Zweifel, da draußen stand jemand. Jetzt bewegte er sich. Vorsichtig wie ein Einbrecher. Oder wie ein Mörder?

Herr Müller erinnerte sich an Zeitungsberichte von Fassadenkletterern und Raubmördern, denen ein Menschenleben keine zwanzig Mark wert war. Und er hatte in dieser Nacht doch einen ganz schönen Haufen Geld im Zimmer! Die ganze Reisekasse seines Vereins, der morgen früh auf große Tour ging! Irgendwie mußte das bis in die Unterwelt der Stadt gedrungen sein – und nun stand der erste Raubmörder schon auf dem Balkon!

Bestimmt hatte die Hauswirtin wieder vergessen, die Gartentür abzuschließen!

Aber so mir nichts, dir nichts ließ sich ein Herr Xaver Müller nicht einige hundert Mark wegnehmen! Er würde das anvertraute Geld verteidigen. Bis zum letzten Blutstropfen! Schließlich besaß er als Bankbote nicht nur einen Waffenschein, sondern auch eine Pistole!

Herr Müller tastete nach der Schublade seines Nachttischchens. Es vergingen Minuten, bis er sie ganz leise aufgezogen und die Waffe herausgenommen hatte. Währenddessen ließ er den Blick nicht von dem Raubmörder auf dem Balkon. Der wagte sich offenbar noch nicht ins Zimmer herein. Ein paarmal schien es, als komme er näher, aber ebensooft wich er wieder in seine Ausgangsstellung zurück.

»So kann das nicht weitergehen!« schimpfte Herr Müller innerlich. »Ich kann doch nicht die ganze Nacht hier warten, ob der Kerl endlich ins Zimmer kommt! Am Schluß schlafe ich auch noch ein, und der Kerl murkst mich ab oder geht mit der dicken Brieftasche auf Nimmerwiedersehen davon! Und morgen früh – ach, nicht auszudenken, wenn die anderen Vereinsmitglieder das Schreckliche erfahren!«

Nach weiteren zehn Minuten nervenaufreibenden Wartens beschloß Herr Xaver Müller, die Initiative zu ergreifen. Die Pistole in seiner Hand gab ihm Mut dazu.

»Hände hoch!« schrie Herr Müller und sprang mit einem Satz aus dem Bett. Aber der Einbrecher auf dem Balkon zuckte nur ein wenig. Die Hände behielt er unten.

In diesem Augenblick schoß Herr Müller. Der Schuß durchfuhr die Nachtstille wie ein harter Peitschenknall.

Aber – wie gespenstisch! – der Einbrecher wankte nicht.

Als die Hauswirtin schlaftrunken mit einem Kerzenlicht kam und verstört fragte, was denn eigentlich los sei, hatte Herr Müller den Einbrecher bereits entlarvt. Und ziemlich verschämt berichtete er der alten Dame, daß er auf seine eigene Jacke geschossen habe, die die Wirtin nach der Reinigung zum Auslüften über einen Bügel und an den Rahmen der Balkontür gehängt hatte.

Das Gute an der Geschichte war nur, daß Herr Müller nicht gerade ein Schützenkönig war. Die Kugel mußte irgendwo im Garten niedergegangen sein; jedenfalls fand Herr Müller kein Loch in seiner Jacke, soviel er auch suchte.

»Musikinstrumente«

Frau Meyer traf Frau Schmitt im Stiegenhaus. »Denken Sie nur«, begann sie, »mein Untermieter – ich will ja nichts gesagt haben, aber mit dem ist etwas nicht in Ordnung!«

»Was sie nicht sagen, Frau Meyer! Mir ist er auch gleich ein bißchen verdächtig vorgekommen – aber wie haben Sie's denn herausgebracht?«

Frau Meyer ließ sich kaum Zeit zu atmen und erzählte der Nachbarin mit großem Stimmaufwand die unheimliche Begebenheit, wie sie gestern einmal durchs Schlüsselloch geschaut habe – in Sorge um ihren Untermieter, versteht sich! Weil sie den ganzen Nachmittag nichts von ihm gehört hatte! »Und was meinen Sie, Frau Schmitt – da steht der junge Mann mitten im Zimmer, hat eine Geige unters Kinn geklemmt und fuchtelt mit dem Geigenbogen auf den Saiten herum, daß es ein Vergnügen ist, ihm zuzusehen, aber – man hört keinen Ton! Keinen einzigen Ton!

Ich schaue ihm eine Weile zu, da läutet's. Es ist die Müllersche, die sich ein bißchen Bohnerwachs ausleihen will. Und dann stehen wir beide abwechselnd vor dem Schlüsselloch und starren ins Zimmer hinein. Wir träumen nicht, denn jede sieht es ja mit eigenen Augen, wie der Mensch Geige spielt, ohne daß ein Ton zu hören ist!

Ich kann Ihnen sagen, Frau Schmitt, mir ist das in den Magen gefahren; ich habe mir heute nacht kalte Umschläge machen müssen, so hat mich das aufgeregt. Als Untermieter einen zu haben, der so etwas Gespenstisches fertigbringt! Also ich sage Ihnen: Ich weiß nicht, wie lange ich das aushalte . . .«

Nun, der Fall sprach sich im Stadtviertel herum. Nur der junge Mann, der bei Frau Meyer in Untermiete wohnte, ahnte nicht, wieso er dermaßen schnell überall bekannt geworden war. Wo er auch ging, schielten die Leute zu ihm her, und ihre Blicke fühlte er noch lange im Nacken.

Schließlich rief jemand die Abteilung »Gespensterbekämpfung« an. Und dann genügte ein einziges Telefongespräch, den geheimnisvollen Fall aufzuklären. Der junge Mann, der neben seinem Hochschulstudium das Geigenspiel erlernen wollte, hatte seinen Bogen mit einer Flüssigkeit eingestrichen, die der berühmte Geiger Joseph Carcione erfunden hatte. Sie macht auch die gräßlichsten Töne, die der Anfänger hervorzaubert, unhörbar. Der junge Mann wollte seiner Wirtin mit seinem Spiel nicht zu sehr auf die Nerven fallen – und ahnte dabei nicht, wie gerade seine Rücksichtnahme die Frau von einer Aufregung in die andere stürzte.

»Verkehrsmittel«

Für einen Teil der Bewohner der beiden holländischen Grenzdörfer stand es fest, daß am Bahndamm ein Spuk sein Unwesen trieb. Wie hätte es auch anders sein können, daß die Ampeln am Übergang ganz unregelmäßig aufleuchteten und erloschen. Sie trieben ihr Possenspiel ganz unabhängig davon, ob ein Zug kam oder nicht.

Erst hatte man an einen Dummejungenstreich geglaubt, aber nachdem sich drei Gemeinderäte höchstpersönlich eine halbe Nacht auf die Lauer gelegt hatten und niemand und nichts erspähten, was mit gutem Grund verdächtigt werden konnte, blieb für viele nur noch die Möglichkeit, an Gespenster zu glauben.

Die Bahnbehörden waren freilich nicht so leichtgläubig. Sie wollten der Sache nachgehen. Und ihre Fahndung brachte nach einiger Zeit auch ein Ergebnis. Als man nämlich den Schaltkasten an den Schienen öffnete, entdeckte man darin ein Mäusepärchen. Die Tiere schienen gute Nerven zu haben, denn sie hielten in ihrem Nest aus, obwohl täglich einige Dutzend Züge über sie hinwegratterten. Und sie hielten nicht nur aus, sondern hatten obendrein die Verwegenheit besessen, die Isolierung der Verbindungsdrähte durchzunagen.

»Friedhofsgespenster«

Seit undenklicher Zeit spukte es auf dem Pennycross-Friedhof in einer kleinen englischen Stadt. Aber der Geisterglaube der Leute war hier nicht nur auf die Erzählungen zurückzuführen, die sich von Generation zu Generation weitervererbten; hier konnte man das Gespenst mit eigenen Augen sehen! Nicht in jeder Nacht, aber häufig genug. So häufig, daß es die Leute, deren Häuser an den Friedhof grenzten, eines Tages nicht mehr aushielten. Sie richteten an ihre Stadtväter eine Bittschrift, es solle »wegen des Gespenstes und der damit verbundenen allgemeinen Unsicherheit« eine Mauer um den Friedhof gezogen werden. Schon den Kindern wäre man das schuldig.

Die Stadtväter überschlugen im Kopf die Summe, die eine so lange Steinmauer kosten würde, und sandten dann erst einmal ein paar beherzte Beamte auf den Friedhof. Die sollten zunächst erkunden, ob wirklich ein Gespenst vorhanden war. Wenn sich das herausstellen sollte, dann – na, vielleicht war dann immer noch mit dem Spukgeist zu reden, ob er nicht umziehen wollte. Etwa in einen Friedhof, der schon eine Mauer besaß.

Die Beamten mußten eine Nacht umsonst wachen, aber in der zweiten wurden ihr Mut und ihre Ausdauer belohnt: Der Geist erschien. Sogar noch vor der Mitternachtsstunde! Ja, und dann stellte sich heraus, daß es lediglich der Totengräber war, den die Nachbarn beobachtet hatten, sooft er mit seiner Laterne nachts zwischen den Gräbern herumlief.

In England arbeiten nämlich viele Totengräber nach einer alten Überlieferung nur nachts und bei Laternenlicht.

»Poltergeister«

»Also, nun sagt einmal, wer hat denn da die Kochplatte eingeschaltet, ohne einen Topf Wasser draufzustellen?« schimpfte die Bäuerin. Aber niemand wußte etwas davon.

»Aber sie ist ja gar nicht eingeschaltet!« entdeckte der Sohn plötzlich und deutete auf den kleinen Hebel, der auf Null zeigte.

»Aber sie glüht doch beinahe!« schimpfte die Bäuerin weiter und hielt ihrem Sohn den fast verkohlten Topflappen unter die Nase.

»Dazu hat sich auch die Wasserpumpe von allein in Betrieb gesetzt«, stieß der Bauer hervor, der gerade unter die Tür trat. »Ich habe genau nachgeschaut – sie ist nicht eingeschaltet und läuft dennoch!«

Die Bäuerin ließ den Topf, den sie gerade auf die Herdplatte stellen wollte, herunterfallen.

»Alle guten Geister!« jammerte sie. »Ist unser Haus plötzlich verhext? Sind die Poltergeister eingezogen? Mann, was fangen wir nun an?«

»Immer mit der Ruhe«, sagte der Sohn und rannte ans Telefon, das schon die ganze Zeit Sturm läutete. Aber da meldete sich kein Mensch!

Doch Poltergeister?

Aber nein! Als man mit den Nachbarn zusammen dem Spuk auf den Grund ging, stellte man fest, daß die Dreschmaschine einen Kurzschluß verursacht und das Haus unter Strom gesetzt hatte. Sobald der Schaden behoben war, waren auch die »Poltergeister« wieder verbannt.

»Gespenstische Geräusche«

Der schwerhörige Allan verlor bald die Nerven. »Ich bin doch nicht verrückt!« sagte er zu sich selber. »Aber diese geheimnisvollen Stimmen bringen mich noch ins Irrenhaus!«

Immer wieder war es in den letzten Wochen vorgekommen, daß Allan abends plötzlich Stimmen hörte. In seinem Zimmer, wo ihm bestimmt niemand einen Schabernack spielen konnte, wurde er plötzlich von diesem Wortschwall überfallen, er wußte nicht wie.

Zweimal hatte er Bekannte zu sich eingeladen, aber die hörten nichts! Währenddessen verstand er ganz genau Worte wie »Roger and Out«. Die Freunde lächelten und meinten, er arbeite vielleicht zuviel. Aber Allan sagte nur leise, wie zu sich selbst: »Ich bin doch nicht verrückt!« Und blieb künftig mit seinem gespenstischen Geheimnis allein.

Aber dann lernte er eines Tages einen freundlichen Piloten des benachbarten Flughafens kennen, mit dem er über dies und das ins Gespräch kam. Schließlich erzählte er ihm auch von den geheimnisvollen Stimmen.

»Roger and Out?« wiederholte der Flugzeugführer nachdenklich, und dann ließ er sich, einer jähen Eingebung folgend, das Hörgerät Allans geben, legte es an sein eigenes Ohr und – in diesem Augenblick setzten gerade wieder die gespenstischen Stimmen ein, teils mit einem amerikanischen Akzent, andere in schnarrendem Schottisch. Und deutlich konnte man den Ausdruck »Roger and Out« vernehmen.

Der Pilot gab Allan lächelnd das Hörgerät zurück. »Keine Gespenster«, sagte er dabei. »Ihr Gerät fängt nur bisweilen die Anweisungen des Kontrollturms von unserem Flughafen ein!«

Zehn fremde Finger

Theo Rübe, Gründer und Vorsitzender der Wach- und Schließgesellschaft »Keinbruch« – auf diesen werbewirksamen Namen war er sehr stolz! – hatte Geburtstag. Den fünfzigsten. Er mußte die Feier jedoch auf den nächsten Tag verschieben, da er schon eine Woche lang für einen erkrankten Nachtwächter bis Mitternacht Dienst tat.

Als Theo Rübe in dieser Geburtstagsnacht gegen halb ein Uhr die Haustür aufschloß, hing sich das Gefühl, es stände ihm noch ein Abenteuer bevor, so schwer an ihn, daß er nur zögernd die Tür hinter sich zuzog.

Im Dunkeln, wie er es von seinen Wachgängen her gewohnt war, schlich er die Stiege zum dritten Stockwerk hinauf – aber plötzlich blieb er erschrocken stehen. Hinter den gerillten Scheiben der Wohnungstür im ersten Stock starrte ihn eine gespenstische Fratze an. Der Mund war weit aufgerissen, und die Augen sprühten Feuer.

Theo Rübe war kein Hasenfuß. Als sich seine erste Überraschung gelegt hatte, knurrte er sogar beifällig. »Nicht schlecht gemacht, alter Frechdachs!« sagte er halblaut, fuhr wie liebkosend über die gerillte Scheibe, die ihn von dem Kürbisgesicht trennte, und ging dann weiter die Stiege hinauf.

»Dieser Frechdachs!« murmelte er, als er schon ein paar Stufen weiter oben war, und er wiederholte es auf jedem Treppenabsatz.

Als er aber dann die eigene Wohnungstür aufschloß, spürte er wieder so ein ungutes Gefühl in der Magengegend. »Entweder habe ich mich heute nacht erkältet«, murmelte Theo Rübe, »oder es steht mir tatsächlich noch etwas Unangenehmes bevor.«

Sonst schaute sich Theo Rübe erst einmal in der ganzen Wohnung um, ehe er sich schlafen legte; diesmal war er jedoch zu müde. Wenn die Geburtstagsfeier auch erst am kommenden Abend stattfand, so hatte er doch eben auf dem Heimweg noch schnell ein paar Gläser geleert. Ein wenig zu schnell vielleicht, denn der Kopf wollte ihm vor Schläfrigkeit schier auf die Brust sinken, noch ehe die Krawatte abgebunden war.

Seinen Revolver griffbereit auf den Nachttisch zu legen, das versäumte Theo Rübe allerdings auch in diesem Zustand nicht.

Als er später aufwachte, wußte er nicht, wie lange er schon geschlafen hatte. Der Mond schien ins Zimmer; alles schien friedlich und ruhig. Aber warum war er dann überhaupt aufgewacht.

Theo Rübe sah mit dem »wachen Blick«, auf den er sich etwas einbildete, durchs Zimmer. Am unteren Bettrand blieb sein Blick hängen. Da – da – da war doch eine Hand?

Eine fremde Hand!

Und daneben noch eine?

Eine zweite fremde Hand!

Zehn Finger!

Da verbarg sich also einer!

Und der war gerade im Begriff, sich an seinem Bett in die Höhe zu ziehen. Um dann auf ihn zuzustürzen!

Aber soweit würde er, Theo Rübe, es nicht kommen lassen. Er hatte immerhin die Wach- und Schließgesellschaft »Keinbruch« gegründet! Und wofür besaß er eine Pistole!

Er tastete nach der Waffe, ohne sich sonst zu bewegen. »Einem gefährlichen Einbrecher muß man mit dem Überraschungsmoment kommen«, sagte er seinen Leuten immer vor. Also!

Theo Rübe zielte auf die fremden Finger, zielte gut und drückte ab.

An der Feier seines fünfzigsten Geburtstages hinkte Theo Rübe ein wenig. Er hatte sich nämlich in die eigenen Zehen geschossen.

Wenn ein Motor spukt . . .

Als in der Nacht ein Wind aufkam

Kurt hatte einen schrecklichen, gespenstischen Traum. Er hatte sich in der großen Montagehalle befunden, in der er tatsächlich seit einem Vierteljahr als Lehrling tätig war. Diesmal stand er aber mutterseelenallein, wie verloren zwischen den riesigen Stanz- und Formmaschinen.

Erst war es ringsum ganz still gewesen. Aber dann hatte plötzlich vor ihm ein rotes Licht zu leuchten begonnen. Maschine ist eingeschaltet, bedeutete das. Und da lief plötzlich auch rechts von ihm eine Maschine, wie von Geisterhänden in Gang gebracht. Und links und hinter und vor ihm! Alle Maschinen liefen auf einmal; es dröhnte, daß er sich die Ohren zuhielt. Aber das war noch nicht das Schreckliche gewesen. Das Schreckliche kam erst. Plötzlich langte nämlich die große Stanzmaschine nach ihm, und er fühlte instinktiv, daß der eiserne Koloß ihn in seinen gefräßigen Schlund reißen wollte. Der Junge schrie auf, wich zurück.

Aber da versuchte ihn eine andere Maschine zu ergreifen, und als er auch vor dieser durchging, faßte eine dritte, vierte, fünfte nach ihm. Links und hinter und vor ihm, überall lauerten ihm die Maschinen auf. Wie riesige Ungeheuer nahmen sie sich aus, und Kurt lief um sein Leben – aus einer Gefahr in die andere hinein. Er lief um sein Leben, aber immer im Kreise. Er fand keinen Ausgang mehr aus dieser verhexten Halle.

Plötzlich erloschen die Lampen. Nur die roten Augen an den Schaltbrettern der Maschinen leuchteten weiter, unruhig flackernd. Bis sie mich haben, dachte Kurt erschöpft, und das Herz krampfte sich ihm zusammen. Wohin hätte er in der Dunkelheit fliehen sollen? Vielleicht genau in die gierig ausgestreckten Arme der nächsten Maschine hinein? Die Aufregung wurde zu groß – und das war wohl der Grund gewesen, warum Kurt mitten in der Nacht erwachte.

War es wirklich der Grund? Kurt riß plötzlich die Augen auf, denn der

Motorenlärm von vorhin war ja geblieben! Kurt lauschte. Tatsächlich, da lief ein Motor: Ziemlich gleichmäßig, stellte er fest. Nein, jetzt setzte er aus – aber ein paar Augenblicke später hörte man ihn erneut.

Kurt richtete sich auf. Er ärgerte sich, daß er nicht sagen konnte, woher das Motorengeräusch überhaupt kam. Es füllte einfach das Zimmer aus, aber man konnte nicht sagen, daß es von der Straße her kam oder von irgendwo im Hause. Diese Unsicherheit trug nicht dazu bei, daß Kurt so schnell hätte wieder einschlafen können.

Schließlich stand er auf. Seine Augen hatten sich inzwischen so weit an die Dunkelheit gewöhnt, daß er sich im fremden Zimmer zurechtfinden konnte. Er schlief diese Nacht ja in der Wohnung seiner Großeltern, die er auf seiner Urlaubsfahrt aufgesucht hatte. Großmutter hatte eigens das Fremdenzimmer für ihn hergerichtet.

Kurt trat ans Fenster. Er wollte doch sehen, ob der Ruhestörer vielleicht auf der Straße stand. Aber die Straße war menschenleer. Als sich Kurt weit hinausbeugte, um die Lunge voll frische Nachtluft zu nehmen, stellte er nicht nur fest, daß ein steifer Wind aufgekommen war, sondern auch, daß das Geräusch plötzlich leiser klang. Das wurde anders, sobald er den Kopf wieder ins Zimmer zurücknahm.

Jetzt kam die Sache Kurt wirklich gespenstisch vor. Der Traum vorhin war ungefährlich gewesen; er war sicher nur von diesem Motorengeräusch verursacht worden. Aber jetzt mußte Kurt die Quelle dieses unerklärlichen Geräusches herausbekommen, koste es, was es wolle.

Er tastete sich zum Lichtschalter an der Tür. Ganz plötzlich, noch ehe er den Schalter erfaßt hatte, hörte das Geräusch auf. War es nicht, als würde irgendein unheimliches Wesen ihn beobachten, jede seiner Bewegungen beobachten, um ihn zu narren?

Endlich fühlte Kurt den Lichtschalter. Die hohe Deckenlampe gab genügend Helligkeit, um den Raum zu überblicken. Es schien alles in Ordnung zu sein. Nichts Außergewöhnliches war zu entdecken. In dem Augenblick jedoch, wo Kurt – vorsorglich – unter die Bettstatt sah, war das Geräusch wieder da. Genauso wie vorher, so laut und in der Gleichmäßigkeit, die ihn eben an den Lauf einer guten Maschine erinnerte.

Kurt ging quer durchs Zimmer und dann an den Wänden entlang. Und jetzt vermochte er doch eine Richtung zu bestimmen! Das Geräusch kam vom Kamin her, der viereckig neben der Tür ein wenig in den Raum hereingebaut war. Sollte hinter dem Kamin eine Höllenmaschine laufen? Oder befanden sich Einbrecher im Keller, auf dem Dach, und der Kamin wirkte wie ein Hörrohr und gab die Geräusche der Bohrmaschine so stark weiter, daß man meinte, die Kerle arbeiteten schon hier im Raum?

Kurt überlegte, ob es nicht an der Zeit wäre, die Großeltern zu wecken. Aber gerade noch rechtzeitig fiel ihm ein, daß Großvater Nachtdienst hatte. Großvater wußte ja noch gar nicht, daß sein Enkel auf Besuch gekommen war; Kurt hatte ihn bei seiner Ankunft am Abend nicht mehr angetroffen. Und Großmutter wecken? Sie würde sich nur unnötig beunruhigen, denn schließlich war es Männersache, mit Einbrechern fertig zu werden.

Als Kurt in seinen Überlegungen so weit gekommen war, fiel sein Blick zufällig auf die Blechkapsel, die ziemlich weit oben im Kamin die Öffnung ausfüllte, die eigentlich für ein Ofenrohr gedacht war. Kurt starrte die Blechkapsel an. Zitterte sie nicht ständig? Kurt zog einen Stuhl heran, stieg darauf und legte die Hand ganz leicht auf die Kapsel. Sie zitterte wirklich! Aber der Ton war plötzlich ein anderer, weil die Schwingungen durch die Hand abgebremst waren. Und als Kurt jetzt die Kapsel ganz fest andrückte, hörte das Geräusch vollständig auf. Da hatte er also des Rätsels Lösung! Die Kapsel saß nicht ganz fest in der runden Öffnung des Kamins. Und im Wind, der in der Nacht aufgekommen war und sich im Kamin fing, bebte das Blech der Abdeckung und schlug rasch und gleichmäßig gegen seinen metallenen Rahmen.

Er suchte im Zimmer herum, aber schließlich fand er doch nur den Rohrstock im Blumenfenster, der lang genug war, daß man dem Kaminspuk damit abhelfen konnte. Kurt stellte zwei Stühle übereinander und klemmte den Stock zwischen Lehne und Kapsel. Damit schien der Spuk endgültig abgestellt.

Aber nein, endgültig war das nicht! Denn gerade in diesem Augenblick kam der Großvater von der Nachtschicht heim. Von der Straße aus hatte er das Licht im Fremdenzimmer gesehen und wollte, als er seine Frau schlafend fand, besorgt nachschauen, was dort vorging. Vom Besuch seines Enkels wußte er ja noch nichts.

Er öffnete die Tür mit einem plötzlichen Ruck, um den Einbrecher, falls einer hier war, zu überrumpeln. Dabei stieß er hart an den einen Stuhl, und die ganze mühsam aufgebaute Pyramide stürzte krachend und polternd zusammen. Kurt, der gerade wieder am Einschlafen war, fuhr in die Höhe, und mit einem Aufschrei kam die Großmutter herbeigestürzt. Der Großvater aber mußte sich erst einmal auf einen Stuhl setzen, als er die Lage überschaut hatte. Er hielt sich den Bauch vor Lachen.

Bobby aus Bradford

Das Hundegespenst

Bobby war der Hund eines Bauern aus Bradford. Zu seinen Vorfahren gehörten Bulldogge, Terrier und Pudel. Er schien von allen die großen Absonderlichkeiten geerbt zu haben – aber gerade das machte ihn einmalig, machte ihn – wie sein Herr ernsthaft versicherte – schön!

Dennoch würde außer den Nachbarn niemand etwas von Bobby wissen, wenn er nicht eines Tages hinterm Haus in einen schlecht abgedeckten Schacht gestürzt wäre. Man hörte das Wimmern des schwerverletzten Tieres die halbe Nacht hindurch, es war schier nicht mehr zum Aushalten! Schließlich ließ ein Mann vom Tierschutzverein, den man um Rat angegangen hatte, vergiftetes Fleisch in den Schacht hinunter, damit das Tier nicht noch länger leiden müsse. Wenige Minuten später hörte das Wimmern auf, und die Bauersleute schritten mit hängenden Köpfen ins Haus zurück. Die Kinder heulten, sooft an den folgenden Tagen die Rede auf Bobby kam, aber langsam ebbte auch ihr Schmerz ab, und nach einer Woche konnten sie schon lachenden Gesichts von Bobbys früheren Streichen erzählen.

Doch dann kam jene gespenstische Nacht.

Der Bauer war später als sonst von einer Gemeinderatssitzung nach Hause gekommen. Vom Kirchturm herunter hatte es längst Mitternacht geschlagen, und in der Straße, in der sein Hof lag, brannte kein einziges Licht mehr.

Als der Bauer das Hoftor hinter sich geschlossen hatte und auf die Haustür zuging, hörte er ein leises Wimmern. Er blieb stehen und lauschte. Narrte ihn die Erinnerung? Das Wimmern kam von der Gartenseite her, dort, wo der Schacht war, in den Bobby zwei Wochen zuvor gefallen war. Bobby war tot, und der Bauer hatte eigenhändig starke Bretter über den Schacht gelegt, damit nicht noch einmal ein Unglück passierte. Ein anderes Tier konnte folglich nicht in den Schacht gefallen sein. Woher kam also das Wimmern? Der Mann ging ein paar Schritte auf den alten Schacht zu. »Verrückt!« murmelte er. Er hätte wetten mögen, daß das, was er da hörte, die Stimme seines toten Hundes war. Aber es gab doch keine Gespenster! Und Hundegespenster schon gar nicht!

Als der Bauer endlich unmittelbar vor dem Schacht stand, schien das Wimmern aus der Tiefe plötzlich stärker zu werden. Da hielt es der Mann nicht mehr aus, rannte ins Haus und weckte den Knecht. Der lachte erst – bis er selbst vor dem Schacht stand. »Das ist der Bobby!« erklärte er dann. »Kein Zweifel!«

»Aber Bobby ist doch tot! Seit zwei Wochen schon!«

»Dann spukt es hier eben!« Der Knecht schüttelte sich, aber sicherlich nur, weil er ohne Jacke dastand und die Nacht recht kühl war.

Die Bäuerin kam und wenig später auch die Magd, und schließlich wurden sogar die Kinder wach, und alle umstanden den schrecklichen Schacht und hörten das unheimliche Wimmern.

»Bobby!« rief plötzlich der Junge laut in die Tiefe – und für ein paar Sekunden hörte das Wimmern auf. Dann setzte es um so dringlicher wieder ein.

Im ersten Morgengrauen stieg ein Feuerwehrmann in den Schacht hinunter, er brachte – ja er brachte Bobby herauf, der vor Freude bellend und heulend die Bauersleute umsprang, als hätte er nie schwerverletzt dort unten im Schacht gelegen.

Die Kinder wurden nicht müde, ihn zu streicheln. Die Erwachsenen aber standen dabei und schüttelten die Köpfe: Wie war so etwas möglich!

Der Tierarzt, der zufällig am Hof vorbeikam, ließ sich die Geschichte ausführlich erzählen. Dann meinte er: »Ich kann es mir nur so erklären, daß der Hund schon bei dem ersten kleinen Bissen von dem vergifteten Fleisch in einen Dämmerzustand fiel, in dem er sich nicht mehr regte. Dadurch konnte sein gebrochenes Bein fast so gut heilen, als sei es in Gips gelegen.«

Begegnung mit dem schwarzen Mann

»Wenn man noch so jung und unerfahren durchs Leben zieht wie ich«, begann Thomas Brend, »dann erlebt man nicht wenige Überraschungen. Eine davon war meine erste Begegnung mit dem ›Schwarzen Mann‹, dem ›black boy‹, wie er von den Kolonisten in Westaustralien genannt wird.

Ich ritt – es ist jetzt erst ein paar Monate her – auf einsamem Pfad zu einer Farm, deren genaue Lage ich nur von der handgezeichneten Karte eines Schulfreundes her kannte. Meinen Berechnungen nach konnte ich nur noch ein paar Meilen entfernt sein, und das war gut so, denn die Dämmerung fiel rasch über die weite Ebene herein.

Plötzlich stutzte ich und hielt im jähen Erschrecken mein Pferd an. Dort vorne duckte sich doch der struppige Kopf eines Eingeborenen gegen den Boden? Und rechts daneben noch einer! Und links gleichfalls!

Sieben, zählte ich insgesamt, und sie schienen nichts Gutes im Schilde zu führen, denn sonst hätten sie sich nicht geduckt und mich aus ihren Verstecken heraus erwartet.

Mein Pferd, das nach Rast und Futter verlangte, mochte über den unerwarteten Aufenthalt nicht sonderlich erbaut sein; jedenfalls wagte es, sobald ich den Griff der Zügel und Schenkel wieder etwas locker ließ, einen Schritt nach vorn und wieder einen, und als es merkte daß ich keinen Einspruch erhob, fiel es erneut in seinen gemächlichen Trab.

Ewig kannst du hier ja nicht stehen bleiben, sagte ich mir und war eigentlich froh, daß mir mein treuer vierbeiniger Kamerad die Entscheidung auf seine Weise abgenommen hatte.

Schritt für Schritt kamen wir dem Eingeborenen, der etwa in der Mitte lag, näher. Daß wir ihn aber immer noch nicht erreichten, berührte mich seltsam. Und jetzt – ich schlug mir mit der flachen Hand vor die Stirn – jetzt endlich zündete bei mir der Gedanke an den ›black boy‹, an den ›Schwarzen Mann‹, von dem mir mein australischer Onkel oftmals erzählt hatte. Der und nicht etwa ein wilder Eingeborener hatte mich erschreckt!

›Black boy‹ ist nämlich ein Baum, und zwar ein Grasbaum, wie es ihn nur im fünften Erdteil gibt. Es handelt sich dabei um eine sehr eigentümliche Pflanze. Sie besitzt einen etwa drei Meter hohen, starken Stamm, der sich in wenige sehr dicke Äste gabelt, die mit einem riesenhaften ›Grasbüschel‹ besetzt sind, während irgendwelche Zweige vollständig fehlen. Diese in den dämmerdunklen Himmel gehobenen Grasbüschel haben schon tausendmal einsame Kolonisten und Jäger erschreckt, denn sie sehen wahrlich aus wie die wilden, struwweligen Schöpfe der Eingeborenen!«

»Um solche Abenteuer könnte man Sie geradezu beneiden«, meinte der Junge vom Wirt, der die ganze Zeit hinter dem Stuhl des Gastes gestanden hatte.

»Ach, weißt du«, sagte da der Weltenbummler, »auf meiner Reise durch den australischen Kontinent habe ich mich mehr als einmal – nach der Wiese hinter unserem Elternhaus gesehnt! Wenn die an einem sonnigen Septembermorgen abgemäht worden war, dann zog am Nachmittag und die Tage danach ein so köstlicher Duft durch das ganze Haus, wie er ähnlich stark nur noch einmal in den Tagen vor Weihnachten, wenn gebacken wurde, die Nase kitzelte. Und oftmals habe ich mir von jeder Grassorte, die ich fand, einen Halm hereingeholt und sie dann alle zwischen Zeitungspapier in meinem Schulatlas säuberlich gepreßt ...

Ja, ja, ob Wiese hinterm Haus oder Grasbäume in Australien – Abenteuer kann man überall erleben! Man muß nur die offenen Augen und das junge Herz dazu behalten!«

Fauler Zauber!

Kuniberts Ring

Zum Schluß der Gruppenstunde erzählte Alfons eine Spukgeschichte. Er war gerade an die Stelle gekommen, wo der Geist den Ring des Grafen Kunibert an einen Faden knüpft und diesen anbrennt. Fällt der Ring, ist das Schicksal des Grafen, der im Burgverlies schmachtet, besiegelt.

Während Alfons dies mit verhaltener Stimme erzählte, zog er aus seiner Tasche einen Ring, der bereits an einen Faden gebunden war, nahm das eine Fadenende zwischen die gespreizten Finger, ließ den Ring ausbaumeln und hielt den Faden nun über die brennende Kerze. Mit bläulichem Schein fraß sich die Flamme den Faden entlang – der Ring aber blieb schweben. Die Gruppe saß und starrte auf den Faden, der verbrannt war und dennoch den Ring trug – genau wie in der Geistergeschichte. Steckte ihr Gruppenhäuptling mit dem Spukgeist unter einer Decke?

Alfons lachte, als er die vielen verdutzten Gesichter sah, und als seine Geschichte zu Ende war, erklärte er den Freunden den kleinen Trick. »Man muß den Faden nur einen Tag lang in Salzwasser legen«, sagte er, »dann trocknet man ihn an der Luft – mehr braucht es nicht. Wenn man den Faden nun anbrennt, hängen die Salzkristalle noch so fest aneinander, daß sie den Ring tragen.

Spannend wird es, wenn man zwei Fäden hat, einen präparierten und einen gewöhnlichen. Den gewöhnlichen hält man zwischen zwei Fingern verborgen, während man das Experiment mit dem Ring durchführt. Man nimmt schließlich den Ring ab und zerreibt den verbrannten Faden zwischen den Handflächen; die Asche bläst man weg. Gleichzeitig schiebt man den neuen Faden in die Handfläche und zeigt ihn vor.

Will jemand das Experiment nachmachen, so fällt, weil der zweite Faden ja nicht in der Salzlösung lag, der Ring zu Boden. Kuniberts Schicksal im Burgverlies wäre dann endgültig besiegelt!«

Die Zweige warfen wirre Schatten

Zu acht saßen sie im Gruppenzimmer auf dem Boden. Wie die Cowboys am Lagerfeuer. Nur daß das Lagerfeuer lediglich aus dem Schein einer Taschenlampe bestand, die zuunterst in einer großen Bodenvase stand. Die dürren Zweige, die die Jungen hineingesteckt hatten, warfen wirre Schatten gegen die Decke. Es sah gespenstisch aus.

Die Stunde galt wie schon so viele in letzter Zeit der Vorbereitung des nächsten Zeltlagers. Diesmal sprachen sie über die Gestaltung der Abende.

Wenn das Wetter gut war, wollte ja keiner schon mit den Hühnern schlafen gehen.

Es bestanden vielerlei Möglichkeiten, diesen langen Abenden ein Gesicht zu
geben, angefangen von einem Pirschgang zur Waldwiese, wo sie noch vom
letzten Jahr her den Wildwechsel wußten, bis zu einer Sternstunde, denn
ein paar Sterne sollten schon alle mit Namen kennen. An einigen Abenden
allerdings wollten sie auch Gespenstergeschichten erzählen ...

Wenn Alfons eine Gespenstergeschichte erzählt

... dann tut er nur so, als würde er sich erst wieder auf die Zusammenhänge besinnen müssen. In Wirklichkeit hat er nämlich immer eine kleine, verwegene Überraschung vorbereitet. Als er zum Beispiel von der steinalten, buckeligen Frau erzählte, die auf sein Klopfen hin die Kerze vom Tisch nahm und zur Tür schlurfte, zauberte er aus irgendeiner Tasche eine Streichholzschachtel und ein Kerzenstümpchen – und schon spielte er die alte Frau ...

Oder als es um den abgeschnittenen Schinken ging, ließ Alfons plötzlich aus seinem linken Rockärmel ein Messer gleiten, das er nun furchterregend wie der Held seiner Erzählung in der Hand hielt. Es war übrigens kein richtiges Messer; Alfons sagte uns hinterher, im Eifer des Gefechtes könnte damit leicht einmal etwas passieren. Er hatte vielmehr ein helles Papier mehrmals zusammengefaltet, so daß es wie die Klinge eines Messers aussah. Dies Papier steckte er oben in die Öffnung seines ledernen Kammetuis, das im Dämmerlicht wie ein Messergriff wirkte.
Als Alfons einmal das Stilleben einer nächtlichen Gespensterversammlung auf dem Schulspeicher schilderte, sprang plötzlich eine Maus zwischen seinen Schuhen hervor und wirbelte verängstigt im Kreise herum. Der kleine Benno stand, noch ehe er zu schreien begonnen hatte, schon auf seinem Stuhl, und auch wir anderen waren nicht schlecht erschrocken. Dabei war es doch nur eine Spielzeugmaus gewesen, die sich Alfons von seinem kleinen Bruder ausgeliehen hatte!

Und wie war das doch neulich mit der Geschichte von der Schloßbesichtigung gewesen? Ach ja, darin kam ein Kastellan mit einem großen Schlüsselbund vor – und noch während er diesen würdigen Alten vorstellte, trug auch Alfons bereits einen Schlüsselbund in der Hand. Später, als die Be-

sucher den Blutfleck in der Bibliothek besichtigten, deutete Alfons mit ein-
dringlicher Gebärde mitten zwischen unsere Füße auf den Boden. Und da
war doch – da war doch tatsächlich ein dunkler Fleck zu erkennen, den
wir zuvor noch nie gesehen hatten. Oskar, der die Angelegenheit hinterher
untersuchte, zog ein farbiges, selbstklebendes und durchsichtiges Papier vom
Holzboden ab – nichts anderes war der täuschend nachgeahmte Blutfleck
gewesen!

Noch nie, soweit ich mich erinnern kann, hat Alfons in seinen Gruselgeschichten einen Wecker spielen lassen, ohne daß ein solches Instrument
hinter seinem Stuhl plötzlich zu rasseln begonnen hätte. Sogar die Glieder
einer verrosteten Kette, die das Gespenst seiner Erzählung verloren hatte,
legte er uns eines Tages auf den Tisch. Und einmal brachte er uns doch
wirklich die Originalaufnahme einer Gespensterdiskussion mit; er hatte
sie zusammen mit seinen beiden älteren Brüdern und unter großem Auf-
wand von verschiedenen Geräuschkulissen mit dem Tonbandgerät des
Vaters selber hergestellt. Es war die treffliche Einstimmung in die nächste
Geschichte . . .

»Wer hat meinen goldenen Ring?«

Der Hinterhuber Schorsch schaute gern und tief ins Glas; das war sein großer Fehler. Denn wenn er einmal im Wirtshaus hockte, dann verlor er jedes Gefühl für Zahlen. Es kam ihm nicht mehr darauf an, ob es zwei oder zwölf Maß Bier waren, und es kümmerte ihn auch wenig, ob es erst auf neun Uhr zuging oder schon zwölf geschlagen hatte. Er saß wie festgenagelt und trank.

Freilich, wenn er sich endlich auf den Heimweg machte, bohrte schon das Gewissen. »Schorsch«, sagte er dann zu sich selber, »jetzt hast du wieder dein ganzes Taschengeld dem dicken Wirt hingelegt! Und zwölf Uhr ist es auch schon vorbei. Na, das wird ja wieder ein schönes Donnerwetter daheim geben! Armer Schorsch!«

Er bekam richtig Mitleid mit sich selber, und wer die Hinterhuberin kannte, verstand recht gut, daß ihr Schorsch jetzt immer langsamer ging. Bestimmt würde die Kathel schon mit dem hochgehaltenen Besen hinter der Tür lauern! Der Schorsch nahm die rechte Hand auf den Rücken, als müsse er schon jetzt ihre Schläge abwehren.

Das Dumme an der heutigen Geschichte war, daß er diesmal seiner Frau nichts mitbringen konnte! Sonst war die Kathel – durch Zufall hatte er kürzlich diesen Ausweg gefunden – durch irgendein Mitbringsel gleich wieder zu versöhnen gewesen. – Und wenn es nur ein halbes Pfund Schinken war, das er ihr in der Wirtschaft hatte einpacken lassen! Und ausgerechnet heute, wo es besonders spät war, kam er mit leeren Händen! Die letzten Groschen hatte er zusammenraffen müssen, um seine Zeche bezahlen zu können, und für das Versöhnungs-Mitbringsel hatte es nicht mehr gereicht. Diesmal würde das Strafgericht also seinen Lauf nehmen. O jeh!

Immer langsamer schlich der Hinterhuber Schorsch über die menschenleere Straße. Er war der letzte Zecher gewesen, und er mußte quer durchs ganze

Dorf marschieren, denn die Wirtschaft lag an dem einen Ende und sein Hof an dem anderen.

Vom Kirchturm schlug zweimal die Viertelstundenglocke. Auch das noch! Halb eins schon! So spät war es noch nie gewesen! Und ausgerechnet heute . . .

Nein, es durfte einfach nicht wahr sein, daß er mit leeren Händen kam! Es schauderte ihn nur so, wenn er an den Empfang an der Haustüre dachte. Das war noch schlimmer, als würde er einem Gespenst begegnen!

Der Hinterhuber Schorsch langte noch einmal in alle Taschen, ob sich nicht doch etwas finden ließe, was er daheim als Mitbringsel hätte ausgeben können. Aber da kam nichts zum Vorschein – als ein zerknittertes Taschentuch und ein entzweigebrochener Bierfilz.

Dem Schorsch stand schon der Angstschweiß auf der Stirne. Wahrlich, wenn jetzt aus dem Friedhof, wo er eben vorbeitorkelte, ein Gespenst herausgeschwebt wäre – es hätte ihn schwerlich mehr erschrecken können als der Gedanke an die Kathel hinter der Haustür.

»In einer Viertelstunde ist auch das vorbei!« wollte sich der angstvolle Schorsch Mut machen; aber der Trost wirkte kaum für eine Viertelminute.

»Gibt es denn hier nirgendwo etwas, das ich meiner Frau mitbringen könnte?«

Der Hinterhuber Schorsch hatte die Frage halblaut vor sich hingemurmelt und blieb mitten auf der Straße stehen. Er sah sich um. Aber die Häuser lagen alle ohne Lichtschein da, und die Türen waren sicher ausnahmslos zugesperrt. Aber halt, dort drüben, auf der anderen Seite des Kirchplatzes, da stand ein Tor sperrangelweit offen! Es war das eiserne Tor zum Friedhof.

»Hineinschauen kann man ja schließlich einmal«, suchte der Schorsch sein Vorhaben vor sich selber zu entschuldigen und trat in den Friedhof.

Groß standen die Grabsteine gegen den mondhellen Himmel. Schwarz hoben sich die gußeisernen Kreuze ab. Aus einer Ecke schimmerte es fahlhell; hier hatte der Tüncher mit billiger Goldbronze die gußeisernen Strahlen angestrichen, die an den Kreuzen angebracht waren.

Der betrunkene Hinterhuber blieb erneut stehen. »Nichts da«, seufzte er und schüttelte gleichzeitig den Kopf. Da fiel sein Blick auf das Leichenhaus. Ob vielleicht dort . . . ? Schon lag seine Hand schwer auf der Klinke. Kreischend öffnete sich die ungeölte Tür.

Er brauchte erst eine Weile, bis er sich in dem engen Raum zurechtfand. »O ha«, sagte er dann auf einmal und nahm verlegen den Hut ab. Da stand ja gerade vor ihm ein Sarg! Und langsam dämmerte es dem Schorsch, daß hier ja der reiche Müller drinnen lag, der so schnell gestorben war und schon am Vormittag beerdigt werden sollte ...

Nein, weiterschreiben kann man diese Geschichte nicht; die muß man er-zählen! Wie der Hinterhuber nämlich am Ende dem toten Müller den gol-denen Ring vom Finger streift und mit dem Schmuck nachher die Kathel, die tatsächlich schon mit dem Besen gewartet hat, besänftigt ...
Aber dann kommt es: Weit vor dem Haus erst – und jetzt immer dichter an den Fensterläden – wimmert es, stöhnt es, grollt und dröhnt es, lauter und lauter: »Wer hat meinen goldenen Ring?« Schließlich geht die Tür auf; man sieht nichts, aber wieder fragt die gespenstische Stimme nach dem Ring, näher noch und noch leiser fragt die Stimme ...
Alle im Kreis rücken unbewußt zusammen und lauschen und lauschen ...
Und dann heißt es plötzlich nicht mehr: »Wer hat meinen goldenen Ring?«
– sondern: »Du hast ihn!« Und das flüstert der Erzähler nicht mehr, sondern schreit es!
Entsetzt fahren die Zuhörer von ihren Stühlen auf, und so hat es der Erzähler ja auch angekündigt: »Leut', ich weiß da eine Gespenster-geschichte ... Also, da würden selbst die Mutigsten von euch zusammen-schrecken! Ihr glaubt es nicht? Na, dann muß ich ja wohl damit be-ginnen ...«

Sechs Vorschläge aus der Praxis:

Wie man Gespenstergeschichten erzählt

Ein paar Regeln für Jugendführer – und natürlich auch für Führerinnen, denn Mädchen hören Gespenstergeschichten kaum weniger gern als Jungen.

1. Erzählte Gespenstergeschichten sind wirkungsvoller als vorgelesene – wenn man sie erzählen kann! Auch das will nämlich geübt sein. Und wenn es sein muß, erst einmal daheim im Kohlenkeller!

2. Öftere Wiederholung eines bestimmten Ausdruckes erhöht meistens die Spannung – vorausgesetzt, daß man dabei nicht übertreibt.
Da erzählt man zum Beispiel: Jetzt war die Alte noch vier Meter von mir weg; in der linken Hand hielt sie das Kerzchen, in der rechten Hand so ein langes Messer. Jetzt war sie noch drei Meter von mir weg. Und in der linken Hand hielt sie das Kerzchen und in der rechten so ein langes Messer. Jetzt – jetzt war sie nur noch einen Meter, nur noch einen Meter von mir weg; in der linken Ha – Hand das Kerzchen ...

3. Man muß beim Erzählen Sorge tragen, daß nicht nur den Ohren, sondern auch den Augen etwas Ungewöhnliches geboten wird; das kann ein Kerzenstumpen als einzige Beleuchtungsquelle sein oder eine Taschenlampe, die zur Decke strahlt oder in einer großen hohen Vase liegt; oder das Streichholz, das du anbrennst und auslöschst, während du gerade erzählst ... und da löschte mir der Wind das letzte Streichholz aus.

4. Die unsinnigste Gespenstergeschichte muß – doch noch einen Sinn haben! Meist ist es ja der: zu unterhalten und dabei in der etwas beängstigenden Atmosphäre ein kleines Erlebnis zu schaffen. Mitunter kann auch die Erkenntnis erstrebt werden: Was sich bisweilen so geheimnisvoll anläßt, stellt sich am Schluß ganz harmlos heraus! Niemals darf es uns darum gehen,

Gespenstergeschichten zu erzählen, für die wir keine Lösung haben. So etwas ist nicht Aufgabe einer Gruppenstunde! Ganz abgesehen davon, daß wir den einen oder anderen damit nur fürchten machen.

5. Man sollte gewöhnlich keine Gespenstergeschichte erzählen, die länger als zehn Minuten dauert; die Hälfte tut es nämlich auch schon! Unsere Zuhörer werden sonst müde, und die Spannung läßt nach.

6. Gespenstergeschichten sollte man nicht zu oft erzählen! Auch wenn sie immer wieder gefragt sind! Hie und da, hauptsächlich im Winterhalbjahr gegen Ende der Heimstunde, und im Sommer am abendlichen Lagerfeuer; das ist genug!

Witze, die man öfter erzählen kann:

Lehrer: »Wie heißt dein Vater mit Vornamen?«
Frechdachs: »Jakob.«
Lehrer: »Und was ist er?«
Frechdachs: »Alles – außer Linsensuppe; darauf kriegt er nämlich immer Sodbrennen!«

Frechdachs (liest einen Teil des Gedichtes »Der Ring des Polykrates« vor):
»Getroffen sank der Feind vom Speere; mich sendet mit der frohen Märe dein treuer Feldherr Polydor.«
Lehrer (unterbricht ihn): »Was ist denn das: eine frohe Märe?«
Frechdachs: »Eine frohe Märe – eine frohe Märe ist ein Gaul, wo lacht.«

Lehrer (der über die verschiedenen Beleuchtungskörper gesprochen hat):
»So, und nun bildet einmal einen Satz mit ›Kandelaber‹! Wer meldet sich?
– Also gut, Frechdachs!«
Frechdachs: »Ich kann de Laberwurst nicht essen!«

Lehrer (in der nächsten Deutschstunde, in der die Nachsilbe »heit« durchgenommen wird: »Nennt mir jetzt ein Wort mit der Nachsilbe ›heit‹!«
Mäxchen: »Freiheit.«
Lehrer: »Gut. Und wer sagt mir einen Satz, in dem Freiheit vorkommt?«
Frechdachs: »Ich wollt', wir hätten frei heut!«

Wohin? Wohin? Wohin?

Waldemar und das Schloßgespenst

Scheppernd schlug die alte Turmuhr an. Vier Schläge und dann nochmals –
eine Terz tiefer – zwölf Schläge. Mitternacht.

In Schloß Grauenstein waren die Lichter längst erloschen. Die Bewohner
schliefen. Auch Waldemar, ein junger Student und entfernter Verwandter
des Grafen, der das Erkerzimmer gerade unterhalb der Turmuhr als Gast-
stube bewohnte, schlief traumlos und rechtschaffen müde von der weiten
Fahrt.

Die Wolkendecke riß auf, und das milchige Mondlicht fiel breit auf das alte
Gemäuer des Schlosses und zauberte hinter jeden Mauervorsprung tief-
schwarze Schatten. Die Schatten wuchsen und verschwanden wieder, je
nachdem, ob sich gerade eine Wolke vor den Mond schob oder nicht. Es sah
aus, als würde der Regisseur einer riesigen Freilichtbühne am elektrischen
Widerstand der Bühnenbeleuchtung spielen, so daß die Scheinwerfer bald
stärker und bald schwächer aufstrahlten.

Das unruhige Mondlicht war jedoch nicht die einzige Bewegung, die auf
Schloß Grauenstein festzustellen war. Droben in der Uhrenkammer löste
sich nämlich in diesem Augenblick ein weißer Schatten aus der hintersten
Ecke, schwebte in torkelnden Flugfiguren zwischen den beiden Glocken hindurch, die sofort geheimnisvoll zu summen begannen, und wischte nun mit
einem verhaltenen Seufzer durch den offenen Türspalt nach draußen.

Unter erneutem Seufzen bückte sich das Gespenst zu den letzten Dach-
ziegeln hinter dem breiten Kamin hinunter, hob dort ein morsches Brett
hoch und – kam mit einem Paar unförmiger Schuhe in der Linken und
einem Totenkopf in der Rechten keuchend wieder zum Vorschein.

Gemächlich zog sich der Spukgeist die groben Schuhe an, ohne sie jedoch ordentlich zuzuschnüren, nahm dann den Totenkopf, den er abgestellt hatte, wieder unter den Arm und lief mit lautem Trappen zur Treppe hin und dann Stufe um Stufe ins oberste Stockwerk hinunter, wobei er wie ein kleines Kind jedesmal den linken Fuß zuerst aufsetzte und dann den rechten auf die gleiche Stufe nachzog. Tapp – tapp, machte es, und dann wieder: tapp – tapp – tapp – tapp.

Waldemar, der junge Student im Erkerzimmer, wurde davon wach. Zunächst mußte er sich eine Weile besinnen, wo er eigentlich war. Und als ihm schließlich die Erinnerung kam, daß er sich ja der Geborgenheit von Schloß Grauenstein erfreuen konnte, überlegte er angestrengt, was dieses eigenartige Geräusch vor seiner Tür wohl zu bedeuten habe.

Erst meinte er, es könne vielleicht einer von der Dienerschaft sein, der der guten Ordnung halber nochmals durchs Haus lief. – Aber der würde nicht dauernd auf dem Gang draußen auf und ab marschieren! Und ganz bestimmt würde er nicht so rücksichtslos laut trappen, sondern leise und behutsam auftreten, um ja niemanden zu wecken!

Und – man mußte schon sehr genau hinhören! – murmelte er nicht auch dauernd etwas vor sich hin? »Wo soll ich ihn bloß hintun?« glaubte Waldemar zu vernehmen. Aber vielleicht täuschte er sich auch; die Türen im Schloß waren ja schier eine Handspanne dick und dämpften alle Geräusche.

Als der Unbekannte auf dem Gang das achtemal auf die Tür des Erkerzimmers zukam, stehenblieb, kehrtmachte und wieder zurücktappte, hielt es der junge Student nicht mehr länger aus. Er zog sich die Pantoffeln an, die ihm sein Onkel freundlicherweise zur Verfügung gestellt hatte, schob den Riegel zurück und zog die Tür einen Spalt weit auf.

Er hatte nicht verhindern können, daß es dabei ein quietschendes Geräusch gab – und sogleich drehte sich auch schon die graue Gestalt auf dem Gang nach ihm um. Einen Augenblick schien das Gespenst zu überlegen, dann kam es mit tappenden Schritten auf den neugierigen Studenten zu.

Ganz deutlich hörte Waldemar jetzt die Frage, die unablässig wie ein Brunnen plätscherte: »Wo soll ich ihn hintun? Wo soll ich ihn bloß hintun?« Und dabei hob die Spukgestalt Waldemar etwas Rundes, Fahlleuchtendes entgegen.

Im gleichen Augenblick aber, da Waldemar den Totenschädel erkannte, riß ihm ein Windstoß die Tür aus der Hand, so daß er völlig frei und ungedeckt dem Schloßgeist gegenüberstand.

»Wo soll ich ihn hintun?« kam erneut die Frage, und die Geisterstimme klang so dumpf und schaurig, als würde sie aus einem unterirdischen Gewölbe heraufdringen.

»Wo soll ich ihn bloß hintun?«

Immer wieder die gleiche Frage! Und dabei kam das Gespenst drohend näher und näher, den Totenschädel weit von sich gestreckt.

»Wo soll ich ihn bloß hintun?«

Einen Augenblick schwieg das Gespenst jetzt, gleichsam als wolle es seinem Opfer Zeit zum Überlegen lassen. Und in diesen unheimlichen, beängstigenden, nervenzermürbenden, schrecklichen Augenblick des Schweigens hinein tönte – völlig unerwartet – die Stimme des Studenten, der mit gefährlicher Frechheit zur Antwort gab: »Am besten dorthin, wo du ihn hergenommen·hast!«

Ruckartig blieb das Schloßgespenst stehen. Mit jeder Sekunde schien es größer zu werden. Schon reichte es bis zur Decke des Ganges. Gleich würde es den Spötter mit seinen würgenden Händen packen! Gleich, gleich . . .

Aber nein, nichts von alledem geschah. Es wuchs nur immer größer und verlor mehr und mehr seine Gestalt. Und aus dem letzten Hauch der sich auflösenden, weißlichen Wolke hörte Waldemar eine freundliche Stimme aufatmend sagen: »Gott sei Dank, junger Freund! Auf diese kluge Antwort warte ich schon elfhundert Jahre!«

Eine paradoxe Geschichte

Der Professor hinter dem Katheder stand auf. Er trug eine schwarze Hornbrille und war mindestens zwei Meter groß.

»Und dann«, sagte er und zog die gelbglänzende Stirne in Falten, »dann hast du noch folgenden Unsinn geschrieben: Die Enten gingen im Gänsemarsch! Und hier: Der Belgier war stolz wie ein Spanier! Und was soll denn etwa dieses heißen: Dem Eseltreiber ging der Gaul durch?«

Der Professor schien immer größer zu werden. »Der Regisseur sagte zum Schauspieler, er solle kein Theater machen!« zitierte er. Jetzt war er sicher schon drei Meter groß, während er auf eine neue Stelle im Aufsatzheft zeigte. »Hast du schon einmal einen Abstinenzler gesehen, der trunken ist vor Glück? Und da wieder so ein unsinniger Satz: Der arme Teufel hörte die Engel im Himmel singen!«

Auf die stattliche Höhe von vier Metern war der Professor inzwischen schon angewachsen. »Das Schönste kommt aber noch«, schrie er. »Hier, lies es selbst laut vor! Oder nein, sage es mir laut nach, wie ich es dir jetzt vorlese: Da ist der Katzenzüchter – los, sag es schon laut nach! – da ist der Katzenzüchter« – der Professor war jetzt schon so groß, daß seine Stimme wie ein Berggewitter aus großer Höhe niederfiel – »da ist der Katzenzüchter auf den Hund gekommen!«

In diesem Augenblick wischte das Rasseln des Weckers Heinz den gespenstischen Traum von der Stirn, und noch im Aufstehen wurde er sich bewußt, daß heute deutscher Aufsatz angesetzt war. »Ich bin am Ende«, seufzte er – und dabei geschah das alles doch am Monatsersten!

Witze, die sich die Schloßgespenster erzählen

Der kleine Max vom Kastellan

Da kam neulich der kleine Max vom Kastellan in den Kaufladen unten im Ort und verlangte für zwanzig Pfennig Senf.

»So, so«, sagte der dicke Kaufmann freundlich, »den brauchst du sicher für die warmen Würstchen heute abend, wie?«

»Ach nein«, gestand der kleine Max mit treuherzigem Augenaufschlag, »den brauch' ich für die Türklinken!«

Der kleine Max vom Kastellan war beim Zahnarzt in der Kreisstadt. »Da habt ihr mich aber schön hereingelegt«, beschwerte er sich, als er wieder daheim war. »Das ist doch gar kein schmerzloser Zahnarzt!«

»Hat er dir so arg wehgetan?« fragte die Mutter mitleidig.

»Mir? Nein!« erzählte der kleine Max weiter. »Aber ich habe ihn in den Finger gebissen, und da hat er ganz jämmerlich geschrien!«

Lieselotte und ihr Bruder, der kleine Max, haben zusammen Klavierunterricht im Dorf. Max kommt nach Hause – allein.

»Wo ist denn Lieselotte?« fragt die Mutter.

»Ach«, sagte Max, »die sitzt noch am Klavier.«

»Noch am Klavier?« mischt sich der Vater ein und zieht die Augenbrauen hoch.

»Ja«, erklärt Max eilfertig, »wir haben nämlich vierhändig gespielt – und ich bin schneller fertig geworden als sie!«

Man nehme als Kulisse ...

Wald:

Man nehme als Kulisse einen tiefen, dunklen Wald. Am besten Föhren-
bestände, wo die Äste im Wind knarrend und ächzend aneinander reiben.
Mit Mooswegen dazwischen, weil hier die Geräusche, die der einsame Wanderer macht, so sorgsam geschluckt werden, daß ihm auch nicht die geringste
Möglichkeit bleibt, sich durch festes Aufstampfen wieder Mut zu machen.
Irgendein Nachtvogel muß natürlich auch mit im Spiel sein und hin und
wieder geheimnisvoll und schaurig durch das Dickicht rufen. Weiß- oder
graugefiederte Vögel sind vorzuziehen, weil die einen besonders nachhaltig
erschrecken, wenn sie mit schwerfälligem Flügelschlag die Waldschneise
durchfliegen.
Ist aber gerade nur ein dunkelgefiederter Nachtvogel zu haben, so ist das
weiter auch nicht schlimm; man setzt ihn dann möglichst nahe am Weg in
eine Astgabel, so daß der schweißgebadete Wanderer nur die zwei grün-
leuchtenden Augenpunkte sieht.

Moor und Heide:

Fast genauso gut eignet sich aber auch eine Moor- und Heidelandschaft, am
günstigsten bei Mondschein und Treibnebel. Man braucht dann nur noch
ein paar Ginsterbüsche oder Kopfweiden, denen der Wind, der Nebel und
das Mondlicht alle möglichen Spukgestalten verleihen.
Worauf man ganz besonders achten muß, sind feuchte Wege, reichlich
feuchte! Damit es nämlich bei jedem Schritt auch gebührend quietscht.
Ziemlich fern, so daß man es nicht mehr ganz deutlich unterscheiden kann,
stimmt ein Froschorchester seine Instrumente; trockene Schilfstengel rau-
schen, und irgendwo gurgelt eine Quelle.
Wenn man das alles so weit vorbereitet hat, ist es an der Zeit, noch ein paar
größere Splitter faulendes Holz auf den Weg zu legen, damit sich der einsame Wanderer minutenlang nicht mehr von der Stelle traut. Faulendes
Holz leuchtet nämlich sehr gespenstisch – und die Geschichte zieht sich auf
diese Weise beträchtlich in die Länge.

Mitternächtliches Dorf:

Ein mehrfach erprobter Schauplatz für Gespenstergeschichten ist schließlich das mitternächtliche Dorf. Städte, zumal Großstädte, eignen sich bedeutend schlechter, schon weil hier immer wieder Polizeistreifen, heutzutage sogar oft mit Funkwagen, dazwischenfahren oder die Männer der Wach- und Schließgesellschaften ihre viel zu starken Taschenscheinwerfer aufblenden. So etwas hält ja schließlich auf die Dauer auch das hartnäckigste Gespenst nicht aus!

Nein, man wählt lieber ein Dorf mit verträumtem Rathausplatz, der vom Vollmond übergossen daliegt und von dessen krummgetretenem Pflaster aus man deutlich das Stöhnen der Turmuhr hört. Straßenbeleuchtung ist entweder gar nicht vorhanden oder wird aus Sparsamkeit ab Mitternacht, also zur Gespensterstunde, abgeschaltet.

Wenn dann noch rechtzeitig ein paar Wolken vor den Vollmond hingeschoben werden, genügt die Beleuchtung vollkommen, um den wilden Spuk auftreten zu lassen. Man vergesse dann aber nicht, daß die Dorfhunde zu bellen haben! Vielleicht ist auch ein Gockel so freundlich und kräht – im Halbschlaf – etwas heiser ein unheimliches Kikeriki.

Speicher:

Wenn unsere Gespenstergeschichte aus technischen Gründen nicht bei Nacht spielen kann, dann wählen wir als Kulisse – einen Speicher. Kirchen- und Klosterspeicher eignen sich wegen ihrer ausgedehnten Räumlichkeiten und vor allem wegen der vielen unübersichtlichen Winkel mit alten abgestellten Truhen und Fahnenstangen und halbzerbrochenen Gipsfiguren besonders gut. Wenigstens ein Teil der Dachfenster ist offenzuhalten, damit die Möglichkeit besteht, daß die Fledermäuse, die an den Balken hängen, echt und lebendig sind!

Wo sich bei einem gesprungenen Dachziegel ein Sonnenstrahl hereinzwängt, muß auf dem angestrahlten Balken wenigstens eine mittelgroße schwarze, langbeinige Spinne lauern. Mit einem roten Tupfen übrigens! Sonst wird es zu gemütlich hier, und das Gespenst wird nur vergrämt.

Hat man einen Kirchenspeicher gewählt, so kann das Uhrenwerk mit seinen seltsamen, sich in gleichmäßigen Abständen wiederholenden Geräuschen des Abspulens der Gewichte recht gut die unheimliche Stimmung steigern. Eine kreischende Wetterfahne auf dem Hausdach sollte auch nicht fehlen!

Kellergewölbe:

Asthmatische Gespenster lieben die luftige Höhe eines Speichers gar nicht. Sie erscheinen lieber in Kellergewölben. Aber bitte nicht in einem so gewöhnlichen Keller des nächstbesten Mietshauses, wo in einer Ecke die Briketts aufgeschichtet sind und in der anderen die Kartoffeln lagern! Nein, man muß auch hier etwas großzügiger vorgehen: Ein Gespensterkeller braucht mehrere Gänge und Türen! Türen, die offenstehen, teilweise aber auch fest verschlossen sind. Die Schlösser können verrostet sein, die Schlüssel dazu sind irgendwann einmal verlorengegangen.

Wer keine rechte Liebe zu Erdkröten aufbringt, kann seinen Keller getrost auch mit Ratten bevölkern. Mäuse sind im allgemeinen zu harmlos – es sei denn, die Gespenstergeschichte wird in einer Mädchenklasse erzählt! Eine Truhe mit alten Uniformen – den Säbel nicht vergessen! – kann unter Umständen recht wertvolle Dienste leisten. – Dem Gespenst natürlich!

Strombett:

Ein ideales, von neugierigen Gespensterforschern jedoch noch unentdecktes Gebiet für Spukgestalten ist die Geisterlandschaft eines Strombettes, dort, wo sich die Wasser in das Meer ergießen. Wie ein riesiger Friedhof sieht das gigantische Becken aus, angefüllt mit Leibern untergegangener Schiffe, die schwarz und drohend aussehen und mit allerlei Wasserpflanzen zottelig überwuchert sind.

In das nachtschwarze Dunkel bohrt sich der Scheinwerfer eines Tauchers. Winzige Fische blinken mit ihren Schuppenpanzern wie kleine Blitze auf, und Luftblasen steigen Märchenperlen gleich senkrecht zur Höhe. Unten aber droht ein zerklüfteter Boden die geringste Unaufmerksamkeit des Tauchers erbarmungslos zu rächen.

Im Augenblick steht der Mann in seinem unförmigen Schutzanzug unmittelbar vor dem schäbigen kleinen Frachter, der – wie lange ist es doch her? – auf rätselhafte Weise plötzlich gesunken ist und dessen Geheimnissen man heute nachspürt.

Jetzt kriecht der Taucher durch die offene Luke in das unheimliche Innere, tastet sich Schritt für Schritt weiter, tiefer ...

Was er in den nächsten Minuten erlebt? Vielleicht entdeckt er drei Gespenster, die im Mannschaftslogis Skat spielen? Ach was, die Überraschungen mußt du dir selber ausdenken! Den gruseligen Rahmen aber, den ich hier angedeutet habe, den kann ich dir nur als »mehrfach ausprobiert« bestens empfehlen.

Ein erster Vorschlag:

Bahnstation im Kaukasus

Du willst eine Gespenstergeschichte erzählen, und es fällt dir nichts ein, was einem den Schweiß auf die Stirn treibt? Nun, wie wäre es – wenn ich dir einen Vorschlag machen darf – mit einer Blockhütte, einsam an einem Schienenstrang gelegen, irgendwo im Kaukasus?

Es ist Abend, und du sitzt allein am wackeligen Holztisch, gleich neben dem Telegraph, denn in letzter Zeit treibt sich wieder allerhand Gesindel in der Gegend herum.

Im Schrank liegt die Post, die der Zug am nächsten Morgen mitnehmen soll, und auch das Geld, das die umliegenden Gemeinden eingezahlt haben. Ein hübsches Sümmchen, rund genug, daß es einer Räuberbande gefallen könnte.

Die Blockhütte hat nur den einen Raum. Zwischen Schrank und Pritsche liegen das Frachtgut, ein paar Säcke und Schachteln und eine große Kiste. Ziemlich schwer, hast du festgestellt, als sie hereingetragen wurde. Die Burschen, die sie brachten, hattest du noch nie gesehen – aber in dieser Gegend kann es leicht sein, daß einer im übernächsten Dorf wohnt und dir ein Leben lang nicht begegnet.

Du sitzt da, trinkst noch eine Tasse Tee, vergewisserst dich zum zweitenmal, daß der Riegel an der Tür wirklich ganz vorgeschoben ist und daß auch die Fensterläden fest von innen verschlossen sind. Dann schraubst du das Licht deiner Lampe tiefer – dein Schatten fällt groß und plump auf die gegenüberliegende Wand – und legst den Kopf auf die Tischplatte.

Du gähnst. Aber du bist noch keineswegs eingeschlafen, als dich ein ungewohntes Geräusch hochschrecken läßt. Ein Holzwurm vielleicht, redest du dir ein, aber dein Herz klopft Sturm.

Und jetzt knarrt es, wie wenn man den Deckel einer Kiste hochhebt...

Blitzschnell hast du den Kopf gehoben. Du schaust zu der großen Kiste hin,

die zwischen Schrank und Bett steht, und du meinst, du wärst betrunken, denn – der Deckel bewegt sich wirklich!

Du packst die Lampe, schraubst mit zittrigen Fingern die Flamme größer und hältst das unförmige Ding ein gutes Stück von dir weg, damit dich das grelle Licht nicht blendet.

Und jetzt erkennst du deutlich, wie sich der Kistendeckel weiterbewegt. Eine Handspanne breit ist die Kiste schon offen.

Und jetzt – jetzt siehst du auch, was sich in der unheimlichen Kiste bewegt ...

Was? Hm, das ist ganz deiner Phantasie überlassen. Vielleicht nur ein junger Bär, der an einen Zoo verschickt werden soll. Aber hätte der sich nicht schon längst vorher einmal gerührt?

Oder ein Räuber, der auf diese Weise Zugang in deine Blockhütte gefunden hat, heute, wo das viele Geld im Schrank liegt? Jene Burschen, die die Kiste brachten, würden dann seine Genossen sein, denen er die Tür aufzuriegeln hätte ...

Meinst du nicht, daß man von hier aus – wie von einer mehrfachen Straßenkreuzung – die verschiedensten Richtungen einschlagen kann?

Und jedesmal gibt es gewiß eine gute Gruselgeschichte!

Eine andere Idee:

Ein Schloß für hundert Türen

Die »Bahnstation im Kaukasus« war dir nicht unheimlich genug? Na, vielleicht darf ich dich dann einmal mit in die Vorortsiedlung jener amerikanischen Großstadt nehmen, in der ich lange Zeit wohnte? Schade, daß ich selber für ein paar Tage verreisen muß. Aber hier hast du den Hausschlüssel des Einfamilienhäuschens. Küche und Eisschrank, alles steht zu deinen Diensten; mach es dir bequem, als ob du hier zu Hause wärst!

Du freust dich natürlich, daß du es so gut und billig getroffen hast; denn in einem der großartigen Hotels der Innenstadt zu wohnen käme dir ziemlich teuer. Lieber bleibst du doch ein paar Tage länger, um die Stadt besser kennenzulernen. Mit dem Vorortzug ist man ja schnell hin- und hergefahren.

Du kommst also abends, rechtschaffen müde von all dem Herumlaufen in Kirchen, Kaufhäusern und Museen, nach Hause. Es ist schon spät, und während du im Dunkeln die Haustür aufsperrst, hörst du drinnen in der Wohnung Geflüster. Einbrecher, begreifst du sofort, und überlegst fieberhaft, was jetzt zu tun ist.

Davonrennen? Da kämst du dir feige vor; denn die Kerle würden dann bequem mit der wertvollsten Beute entkommen!

Die Polizei rufen? Aber wo in aller Welt befindet sich denn in dieser Gegend ein Telefonapparat? Nach allem hast du dich erkundigt, nur danach nicht!

Leute aus den Nachbarhäusern holen? Du kennst ja nicht einen einzigen Menschen hier! Ob dir überhaupt jemand folgen würde? Und würdet ihr am Ende nicht doch zu spät kommen?

Es hilft also nichts – du mußt schon selbst handeln!

Auf den Zehen schleichst du weiter, selbstverständlich ohne das Licht anzuknipsen. Das würde dich nur verraten.

Aber auch die Einbrecher scheinen den gleichen Gedanken zu haben, denn

jäh erlischt der Lichtpunkt dort, wo eben noch an der Küchentür das Licht aus dem Schlüsselloch fiel. Nun stehen also auch die Einbrecher im Dunkeln. Jeder belauert den anderen ...

Und das Unheimlichste an dieser Situation ist wohl, daß jede Seite glaubt, es würden ihr Einbrecher gegenüberstehen. In Wirklichkeit hast du nämlich in der Siedlung, wo ein Häuschen dem anderen gleicht und ein einziger Schlüssel hundert Türen sperrt, nur das Haus verwechselt!

Hoffentlich hat jetzt nur niemand eine Waffe einstecken! Ein halbes Dutzend Teller und ein paar kostbare Vasen, die man sich in der Dunkelheit entgegenwirft, wird die Verwechslung ja kosten. Vor allem aber werden

die Nerven in Mitleidenschaft gezogen werden; denn wenn dir diese Szene nicht gruselig genug ist, na, dann weiß ich nicht mehr . . .

Oder doch! Eine Möglichkeit kenne ich noch, wo deine selbsterfundene Gruselgeschichte sich austoben kann. Auf einem Geisterschiff nämlich!

Wenn du willst, kannst du zunächst den alten Schlager vom Geisterschiff von Ohio summen und euren Staubsauger als »Sturmmaschine« laufen lassen. Und nun laß dir ein bißchen erzählen. Du findest dann bald genug Anregungen zu einer Gespenstergeschichte, die auf einem der Weltmeere spielt.

Hör zu . . .

Eine dritte Möglichkeit:

Die Feuer glimmten noch

Wenn die Novemberstürme über die Meere brausen, wenn die Frühnebel
bis Mittag über dem Wasser liegen, wenn der Mond über die Wellenberge
geht in wildem Tanz, dann haben schon in uralter Zeit ängstliche Menschen
auf späten Fahrten und vom Meeresstrand aus Gespensterschiffe gesehen.
Da mochten sich die Mädchen bei den Händen halten und bisweilen selbst
die Buben sich ducken, wenn man in den Fischerhütten zwischen Nidaros
und Mogador von den Gespensterschiffen zu erzählen begann.

Da waren Schiffe gesehen worden mit schwarzen Segeln und Totengerippen
am Bug, mit züngelnden Schlangen auf überhohen Masten; Piratenschiffe,
deren hölzerne Bordwand von rostigen Mordwaffen starrte, deren oberstes
Leinen Totenschädel zeigte und abgehauene, blutende Hände; Schiffe tausend
Kilometer vom Festland weg mit riesigen Vögeln im Geäst zerfetzter
Masten; Schiffe, aus deren Leibern Wasser sprudelte; Schiffe, die bis zum
Bordrand im Wasser lagen, und doch nicht untergingen; Schiffe, von denen
man sagte, der Teufel selber sei Steuermann und vielerlei Seuchen lauerten
an Bord; Schiffe, in deren Kielwasser schaurige Ungeheuer auftauchten,
feuerspeiend, schnaubend und häßlich . . .

Solche Geisterschiff-Geschichten, das wissen wir wohl, haben nicht nur aber-
gläubische, erschreckte Gemüter erdichtet; mehr als einmal wurden sie von
Stürmen, Raubüberfällen und Kriegen wirklich wahr gemacht. Da trieben
dann Wracks steuerlos, ohne Masten und mit toten Matrosen an Bord,
wohin Meeresströmung und Winde sie schickten. Von manchen dieser Irr-
fahrer hat man nie erfahren, welcher Katastrophe sie zum Opfer gefallen
waren.

Ein Dreimaster, der mit Salpeter aus Chile kam, wanderte herrenlos die
ganze Westküste von Südafrika nach Norden. Als er endlich in Höhe des
Äquators gestellt wurde, fand man die ganze Mannschaft von einer Seuche
weggerafft.

Ein anderes Wrack irrte im mexikanischen Golf. Man fand die Matrosen erschlagen, die Schiffspapiere geraubt.

Von einem größeren Ozeandampfer wurde ein Segler in voller Fahrt gerammt, so daß er mitten entzweibrach. Die beiden Schiffshälften gingen keineswegs sogleich unter, sondern schaukelten noch lange Zeit auf dem nördlichen Atlantik umher.

Ohne einen einzigen Menschen an Bord wurde ein französischer Dampfer vor Kap Hatteras aufgefunden. Das unheimliche war, daß die Feuer noch glimmten, aber man nie erfuhr, wohin die Besatzung so kurze Zeit vorher verschwunden war.

Heute versehen die Kriegsschiffe Englands und Amerikas den Polizeidienst auf den Meeren und bringen alle irrenden Schiffswracks zur Strecke. Aber Stoff zu unheimlichen Geschichten liefern die Meere auch heute noch.

Das Wort muß treffen:

Das Gesicht, das der Junge vom Hinterhaus aus einer Rübe geschnitzt hat, kann sein:

fratzenhaft,	*schief,*
plump,	*verzerrt,*
grimassenhaft,	*garstig,*
ulkig,	*greulich,*
krumm,	*mitleidlos oder auch*
furchterregend,	*frech grinsend, je nachdem!*

Das Kellergewölbe, in das sich der Held der Geschichte verirrt, wird folgendermaßen geschildert:

düster,	*modrig,*
dämmerig,	*muffig,*
dunkel,	*schimmelig,*
stockfinster,	*rauchig,*
kohlschwarz,	*feuchtkalt,*
dumpf,	*schauerlich . . .*

Selbstverständlich braucht man in einem Gespensterkeller auch entsprechende Kulissen, aus denen der Spuk hervortreten kann, beispielsweise:

Scherben,	*Trümmer,*
Lappen,	*Gerümpel,*
Lattengestelle,	*Plunder . . .*

Handelt es sich aber um einen Gespensterspeicher, so wird es dort

schwül sein oder	*bedrückend,*
erstickend,	*beklemmend,*
staubig,	*betäubend . . .*

Der alte Schrank in der Nische, aus dem jetzt ein Stöhnen zu kommen scheint, ist

abgewetzt,   *bös zugerichtet,*
angeschlagen,   *durchlöchert ...*

Von dem Gespenst, das nun endlich in Erscheinung treten soll, kann man sagen: es

erscheint,   *gespenstert,*
spukt,   *schwebt heran,*
geistert,   *rumort ...*

Vielleicht macht es sich auf eine der folgenden Weisen bemerkbar: es

weint,   *stöhnt,*
heult,   *wehklagt,*
schluchzt,   *ächzt,*
wimmert,   *krächzt,*
winselt,   *seufzt,*
jault,   *greint ...*

So ein Gespenst kann natürlich auch

lärmen,	*poltern,*
rasseln,	*rumpeln und*
kreischen,	*klappern* ...

Wirkungsvoller sind freilich oft die leisen Gespenster; sie sind so

still,	*regungslos,*
lautlos,	*bewegungslos,*
unhörbar,	*starr* ...

Wie aber verhält sich das kleine Kerzenlicht in dieser entscheidenden Situation? Es

flackert und	*ruhelos,*
zuckt,	*droht auszugehen,*
ist unruhig,	*ist am Verlöschen* ...

Und was macht der aus dem Schlaf aufgeschreckte Gast des alten Schlosses? Er

zittert,	*schlackert,*
bebt,	*taumelt,*
fährt zusammen,	*torkelt,*
bibbert,	*reißt die Augen auf,*
schlottert,	*klappert mit den Zähnen* ...

Und wie steht der arme Junge, der ausgerechnet in der Geisterstunde Lagerwache hat, dem Gespenst gegenüber? Natürlich

schutzlos,	*schwitzend,*
bedroht,	*unsicher,*
schwankend,	*ausgeliefert,*
keuchend,	*preisgegeben* ...

Aber was der arme Junge sieht, jetzt, wo der Mond aus den Wolken tritt, ist auch wirklich

schrecklich,	*beängstigend,*
grauenvoll,	*unheimlich,*
grausig,	*nervenzerrüttend,*
gruselig,	*ja haarsträubend!*

Die Gestalt, die sich dunkel im Mondlicht abzeichnet, ist

  hager,   *eckig,*
  knochig,   *rätselhaft,*
  klapperdürr,   *schiech ...*

Und die Stimmen, die man plötzlich hört, klingen

  unklar,   *hohl,*
  undeutlich,   *heiser,*
  belegt,   *krächzend,*
  gedämpft,   *schon ganz matt ...*

Wenn das Wetter beschrieben werden soll, könnte man behaupten, es sei draußen

fröstelig,	*feuchtwarm,*
trüb,	*schwül,*
nebelig,	*gewitterig,*
diesig,	*stürmisch,*
dunstig,	*föhnig oder auch*
unfreundlich,	*bitterkalt.*

Alfons meinte, das wären gute Beispiele:

Ein kopfgroßer Stein bröckelte von der grauen Mauer ab und schlug dumpf ins feuchte Gras . . .

In der Ferne jaulte ein Hund. Ein zweiter gab Antwort. Es war kein Bellen, sondern ein trockenes, heiseres Belfern . . .

Die Wetterfahne knarrte, und der Wind fing sich wimmernd im Schalloch des kleinen Turmes . . .

Die Treppe kamen Schritte herauf, langsame, vorsichtige Schritte . . .

Ein paar Wolkenfetzen jagten an der schmalen Sichel des Mondes vorbei, als wären sie auf der Flucht . . .

In dieser Nacht gab es keine Ruhe im Schloß; immer ging irgendwo eine Tür, immer fiel irgendwo ein halblautes Wort, immer stöhnte irgendwo das Holz einer Stufe oder einer alten Schranktür auf, als habe es einen bösen Traum . . .

Der Pförtner hatte ein hölzernes Gesicht, als er den Schlüssel vom Haken nahm. Es war ein übergroßer Schlüssel mit kunstvoll verziertem Griff. Aber zwischen den feinen Ornamenten hatte sich der Staub der Jahre festgesetzt, und eine Stelle leuchtete im Kerzenlicht braunrot auf wie vertrocknetes Blut . . .

Schlurfende Schritte näherten sich dem Fenster, dann verlöschte in der Stube drinnen das Licht . . .

Der Bahnwärter hob den Kopf und lauschte. Aber er hörte nur das siedende Wasser auf dem kleinen Eisenofen. Es stöhnt ja, dachte er beklommen, ich habe noch nie zuvor Wasser stöhnen hören . . .

Die Turmuhr schlug zwölfmal, und mit jedem Schlag sank die Büchse mit den spinnwebenüberzogenen und durchgerosteten Nägeln, die als Gewicht diente, ein paar Zentimeter tiefer . . .

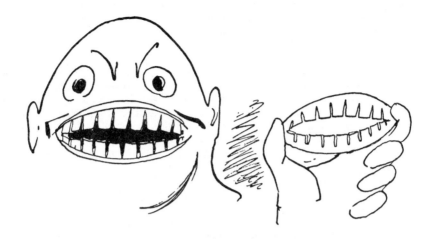

Die Orangenzähne

So etwa würde man im »Gespensterrezeptbuch« lesen können:
Man nehme eine süße, saftige Orange, schäle sie vorsichtig und verspeise die Frucht mit Wohlbehagen. Auf solche Weise gestärkt, mache man sich an die Arbeit . . .
Ein Stück Schale von etwa sieben Zentimeter Länge und zwei Zentimeter Breite, das auf beiden Seiten spitz zuläuft, wird der Länge nach durchgeschnitten, wobei der Schnitt aber fünf Millimeter vor den beiden Endspitzen aufhören muß.
Nunmehr wird der Streifen auch der Höhe nach mehrmals durchgeschnitten, aber auch diese Schnitte werden nie ganz bis zu den Rändern durchgeführt. Das Stückchen Schale soll ja keinen Orangenschalensalat geben, sondern ein furchterregendes Gebiß. Durch die Schnitte entstehen nämlich einzelne »Zähne«, die man nunmehr leicht nach der weißen Seite hin biegt, ohne sie jedoch abzubrechen. Wenn man die Schale zuvor sorgfältig abgewaschen hat, kann man sie nun zwischen Lippen und Zähne schieben, mit der weißen Schicht nach außen. Das Orangenschalengebiß ist fertig, und wer sich nicht vor den weißen Zähnen fürchtet, staunt wenigstens über die »gespensterhafte« Stimme, die einem dieses Gebiß verschafft.

Alfons erzählt:

Das Lenkrad hielten Knochenhände

Es war ein lauer, sonnenübergoldeter Abend. Vögel zwitscherten von überall her, und in den Vorgärten blühten Blumen in den zartesten Farben. Weißer und blauer Flieder, der die Hauseingänge im Villenviertel der Stadt überwucherte, duftete betäubend und lockte einen, den Spaziergang immer noch weiter auszudehnen: geradeaus und dann wieder einmal nach links abbiegend oder nach rechts ...

Immer weniger Häuser standen am Weg; dafür wurden die Gärten immer prächtiger! Und wenn man in der niederfallenden Dämmerung auch kaum mehr die Farben der einzelnen Blüten unterscheiden konnte: der Duft, den sie verströmten, berauschte um so mehr.

Schließlich mußte ich mich doch auf den Heimweg machen; denn hoch über mir stand schon der Abendstern, und von der Stadt her wuchsen schwarze Dunstwolken über den blauschimmernden Himmel.

Mir fiel ein, daß daheim niemand wußte, wo ich mich herumtrieb. Ich hatte nur einen Bummel machen wollen, um mein Kopfweh loszubekommen. Wenn die sich nur keine Sorgen um mich machen, dachte ich. Wir wohnten nämlich erst seit ein paar Wochen in der fremden Stadt. Schleunigst nach Hause, sagte ich mir also und schritt rasch aus.

Irgendwo mußte ja eine Straßenbahn oder ein Omnibus verkehren, kam mir der rettende Gedanke, als es schon ganz dunkel geworden war und ich immer noch durch einige Außenstraßen lief. In diesem Augenblick überholte mich in langsamer Fahrt ein Auto. Ein Jeep war es, wie ich gleich erkannte. Vielleicht Militärpolizei, dachte ich mir; genau war es in der Dunkelheit nicht zu unterscheiden.

Den hättest du eigentlich nach der nächsten Haltestelle fragen können, überlegte ich weiter. Aber dafür war es nun schon zu spät.

Seltsamerweise stoppte der Wagen aber etwa hundert Meter von mir ent-

fernt seine langsame Fahrt vollends ab, wendete und fuhr dann die Straße mit abgeblendeten Lichtern gemächlich wieder zurück.

Jetzt aber, ehe es zu spät ist! Ich trat auf die Fahrbahn und blieb stehen.

Der Jeep kam langsam heran und hielt dann mit einem Ruck, während ich schon meine Frage nach der nächsten Straßenbahn- oder Omnibushaltestelle hervorsprudelte.

Allein ich kam damit nicht zu Ende! Plötzlich sah ich nämlich etwas, was mir die Stimme verschlug. Im spärlichen Licht des Armaturenbrettes erkannte ich nämlich die Hände, die das Steuerrad hielten: Es waren die Hände – eines – Toten! Knochenhände!

Entsetzt schaute ich jetzt dem Fahrer voll ins Gesicht – und da grinste mich wahrhaftig ein Totenschädel an!

Gellend schrie ich auf und stürzte davon.

Im gleichen Augenblick schwang sich auch das Totengeripge aus dem offenen Wagen!

Mir wurde schwarz vor den Augen. Ich stolperte und schlug der Länge nach auf dem Bürgersteig hin.

»Aber mein Junge!« sagte eine freundliche Stimme ganz nahe bei mir. »Hab' ich dich denn so erschreckt?«

Ich machte die Augen einen Spalt weit auf und sah im Licht der Autoscheinwerfer einen Soldaten neben mir knien. Seine Haare hingen ihm ziemlich wirr ins Gesicht, sonst aber machte er den allerbesten Eindruck.

»Du mußt entschuldigen!« bat er. »Aber wir haben heute unseren sogenannten Unfallverhütungstag, und da muß immer einer von uns mit diesem Tuch über dem Kopf herumfahren. Zur Abschreckung, weißt du! Ich hatte mich nun heute so an meine Maskerade gewöhnt, daß ich gar nicht mehr daran dachte, sie nach Einbruch der Dunkelheit abzulegen. – So, aber komm jetzt und steh wieder auf!«

Ich erhob mich, immer noch ein wenig ängstlich. Als ich aber vor dem Jeep ein zeltbahngroßes schwarzes Tuch liegen sah, auf dem mit Phosphorfarben ein Totenschädel, Rippen, Arm- und Beinknochen aufgemalt waren, mußte ich doch wieder lachen. Es sah nämlich gerade so aus, als hätte sich hier ein Gespenst – wie eine Schlange gehäutet!

»So«, sagte der Militärpolizist und deutete auf seinen Wagen, »zum Ersatz für den ausgestandenen Schrecken fahre ich dich jetzt aber nach Hause! Ist dann alles wieder gut?«

»Okay«, sagte ich und nickte.

An dieser Stelle eine ernste Mahnung:

Der Junge im Speicher

In einem Jugendseminar war es. Helmut ging auf den Speicher, um seinen Koffer zu holen. Der Dachboden war ein großer, langer Raum. Wie der Junge sich nach seinem Koffer bücken wollte, hörte er ein leises Geräusch. Er blickte auf. Ganz hinten, im Dämmerschein, ging eine Gestalt auf und ab, ohne sich im geringsten um ihn zu kümmern. Gebannt starrte Helmut auf den Fremden. Der ging auf und ab, auf und ab, leise, ganz leise.

Helmut wagte sich nicht zu rühren. Sein Herz schlug zum Zerspringen. Da blieb der Unheimliche auf einmal stehen, wandte sich ihm zu... Mit Schrecken sah Helmut gähnende Schwärze dort starren, wo bei normalen Menschen unter der Kopfbedeckung das Gesicht ist. Gähnende Schwärze, der Kopf fehlte! Das war für Helmut zu viel. Lautlos brach er zusammen.

Dabei war es nur ein Klassenkamerad gewesen, der sich diesen Streich ausgedacht und dann die unheimliche Maskierung vorgenommen hatte. »Helmut! Ich bin es doch! Ich bin es doch nur!« schrie er immer wieder. Längst war er neben dem Ohnmächtigen in die Knie gesunken. Aber sein beschwörendes Rufen erreichte den anderen nicht mehr.

Jeder Scherz will gut überlegt sein, erst recht, wenn man »Gespensterles« spielen will. Entweder müssen die anderen schon darauf vorbereitet sein, oder es muß so harmlos hergehen, daß keiner vor Schreck Schaden erleiden kann.

Denkt an jenen Jungen im Speicher!

Was man so beim „Gespensterspielen" brauchen kann

Taschenlampe:

Eine Taschenlampe natürlich! Damit man Licht hat, wenn man sich zu fürchten beginnt! Aber auch zum Fürchtenmachen ist dieses Instrument geeignet. Man muß allerdings das grelle Licht abdunkeln – etwa so, daß man die Finger leicht gespreizt über das Glas legt. Dann sieht der andere nur noch vier hellrot leuchtende, geheimnisvolle Linien.

Morsches Holz:

Klaus haben wir einmal ordentlich Angst gemacht, als wir abends in seinem Hof mit morschem Holz rätselhafte Zeichen auslegten. Er traute sich fast nicht mehr heim; denn morsches, faulendes Holz leuchtet – aber das wußte Klaus damals noch nicht.

Futterrübe:

Bekannter ist da schon der Geist in der Rübe. Wir besorgen uns dazu eine Futterrübe, höhlen sie aus, schneiden eine Fratze hinein – und dann kann es losgehen! Einmal haben wir sie von außen auf das Schlafzimmerfenster unseres Kaplans gestellt und ein Kerzenstümpchen in der Rübe angezündet. Wir klopften und verhielten uns dann ganz still. Das muß man sich nämlich merken: Gespenster, die allzu viel Krach machen, wirken nicht; dafür um so mehr die unheimlich leisen!

Luftballon:

Johannes hat da neulich mit seinem Luftballon etwas Wirkungsvolles ausprobiert. Er malte vorsichtig mit Leuchtfarbe ein schauriges Gesicht darauf und ließ den Ballon dann an einer langen Kordel bis an das Wohnzimmer-

fenster im ersten Stock hinaufsteigen. Nun zuckte er ein wenig mit der Schnur – und siehe da, der Ballon klopfte höflich, wenn auch bescheiden leise, an die Scheibe. Im Wohnzimmer verstummte die Unterhaltung.

»Ein Schneeball«, meinte die große Schwester.

»Da schon eher ein Vogel«, mutmaßte die Mutter. Der Vater legte schließlich die Zeitung weg, stand auf und ging ans Fenster ...

An diesem Abend mußte Johannes zur Strafe ohne Essen ins Bett gehen! – Hab' ich zu viel versprochen, wenn ich sagte: »Wirkungsvoll!«

Gespensterflöte

Sie sieht beinahe aus wie eine andere Papierflöte. Aber die Uneingeweihten vermögen ihr keinen einzigen Ton zu entlocken. Sie blasen nämlich hinein, und das darf man bei einer Gespensterflöte eben nicht tun! Bei ihr muß man die Luft kräftig einziehen – dann brummt sie!

Ein »Gespensterrezeptbuch« würde folgende Anweisung geben:

Man nehme ein beliebiges Stück Papier, nur nicht etwa das im Kamin versteckte Testament des Schloßherrn. Das ist für diesen Zweck bereits zu rußig!

Man schneide das Papier zu einem Quadrat, dessen Seiten etwa fünfzehn

Zentimeter lang sind. Eine Ecke dieses Quadrates wird abgeschnitten, die gegenüberliegende von beiden Seiten nicht ganz bis zur Mittellinie hin eingekerbt, so daß dort ein kleines Dreieck entsteht.

Nur rollt man das Papier ziemlich eng zu einer Röhre zusammen und drückt das abstehende Papierdreieck (das durch die beiden Einschnitte entstanden ist) leicht gegen die Öffnung der Röhre.

Jetzt braucht man nur noch das andere Ende zwischen die Lippen zu stecken und kräftig die Luft einzuziehen. Dunkles, leises, gespenstisches Brummen ist das Ergebnis.

Eine Jugendzeitschrift

... kam ihren Lesern eines Tages mit der Frage: »Hast du schon einmal ›Gespenster‹ gespielt‹?« Die Antworten gingen in die Hunderte! Vieles wiederholte sich in den Berichten, manches war aber selbst dem Hauptschriftleiter neu. Und einiges war von der Art, daß die Schiedsrichter, die die besten Einsendungen auszusuchen hatten, verärgert die Stirn runzelten. Zum Beispiel bei der Einsendung von Bernhard:

»Im Schloßgarten spukt es. Am Boden schweben langsam Lichter nach links und rechts. Dabei ist kein Mensch zu sehen! Johannes und Bernd schlottern pflichtgetreu mit dem ganzen Dorf vor Aufregung; dabei können die beiden kaum das Lachen verbeißen, denn sie selber haben diese Geister heraufbeschworen. Wie? Sie ließen ihre Schildkröten ein wenig zwischen den Bäumen spazierengehen, nachdem sie ihnen brennende Kerzen auf den Rückenschild gesetzt hatten. Ja, und nun fiebert das ganze Dorf, und selbst die großen Leute sagen leise zueinander: Es spukt!«

Noch etwas für Bastler:

Hu, eine Schlange!

Wenn während der Gruselgeschichte aus deinem Jackenärmel eine Schlange hervorkriecht, brauchst du um die Wirkung nicht besorgt zu sein. Allerdings ist es nicht ratsam, eine echte Schlange zum Gastspiel zu verpflichten. Es könnte sonst eine teuere Rechnung geben: für Arzt, Fensterscheiben, zerbrochene Stuhlbeine, Überfallkommando ...

Wir halten es lieber mit einer zwar unheimlich aussehenden, aber doch harmlosen Schlange aus Papier. Ein bißchen Leim, ein bißchen Farbe – das ist alles, was wir noch dazu benötigen.

Zunächst muß unsere Schlange einen Kopf bekommen. Weiß du, wie ein Papierhelm gefaltet wird? Freilich, welcher Junge weiß das nicht! Diesmal darf die Öffnung allerdings höchstens fünfzehn Zentimeter breit werden. Wir schneiden uns dann noch einen leicht S-förmig gebogenen, etwa zehn Zentimeter langen Papierstreifen, der nach vorne immer schmäler wird und schließlich in zwei Spitzen ausläuft. Das ist die züngelnde Schlangenzunge! Knallrot wird sie angemalt und mit ihrem breiteren Ende in die Spitze unseres Papierhelms geschoben und angeleimt. Diese Spitze wird dann etwa drei Zentimeter hoch umgebogen.

An das steife Dreieck, das wir so erhalten, befestigen wir den Leib der Schlange. Vorher kleben wir in beiden Mundwinkeln ein paar Falten fest, damit unser Papierhelm allmählich mehr einem Schlangenkopf mit aufgesperrtem Rachen ähnlich sieht. Den ganzen Rachen pinseln wir mit schwarzer Tinte oder Tusche aus, so daß nur noch die rote Zunge herausleuchtet. Zwei große, runde Augen braucht unsere Schlange selbstverständlich auch, damit sie sieht, wen in der Runde sie beißen soll.

Nun bauen wir den langen, beweglichen Schwanz. Das ist noch einfacher! Wir nehmen beliebig farbiges Packpapier und schneiden zwei lange Streifen herunter. Je länger, desto besser! Selbstverständlich kann man auch mehrere Streifen zu einem langen zusammenkleben. Am Schluß sollen wir jedenfalls zwei etwa drei Meter lange Papierstreifen haben, die vorne ungefähr drei Zentimeter breit sind und allmählich immer schmäler werden. Mit den breiten Enden legen wir sie nun rechtwinklig auf den Tisch, so daß sie wie die Zeiger einer Uhr ausschauen, wo der eine auf zwölf, der andere auf drei Uhr steht. Nun knicken wir jeden Streifen so zurück, daß der erste auf sechs, der zweite auf neun Uhr weist. Und wieder zurück – und wieder – und jedesmal werden die Streifen kürzer. Beim allerletzten Knick nehmen wir dann wieder den Leim her und kleben die beiden schmalen Enden aufeinander.

Die breiten Enden unseres zopfähnlichen Gebildes befestigen wir am Dreieck des Schlangenkopfes – und schon ist das Ungeheuer fix und fertig. Schiebt man den Schwanz ganz zusammen, ist er nur wenige Zentimeter lang; zieht man ihn auseinander, wächst er gleich um mehr als einen Meter! Und durch diese Beweglichkeit entsteht im Dämmerlicht der gespenstischen Runde ganz der Eindruck des Ringelns. Es ist zum Gänsehautkriegen.

Erzählt nach Methode Nummer eins:

Die Nacht bei den Wachsfiguren

Als er das erste Stockwerk durchlaufen hatte, gähnte er lange und aus-
giebig. Im zweiten Stock mußte er sich schon dreimal fünf Minuten auf
einen der rotgepolsterten, leicht angestaubten Plüschsessel setzen. In der
nächsten Etage aber drückte er sich in eine der dämmerigen Ecken, wo ihn
kein Aufseher beobachten konnte, streckte genießerisch die Beine von sich
und stellte zum soundsovieltenmal fest, daß es doch sehr anstrengend war,
durch ein Museum zu gehen – auch wenn seine einzelnen Säle mit den
interessantesten Wachsfiguren angefüllt waren, die man sich denken konnte.
Kaiser, Wilderer und Mörder, Erfinder und Scharlatane, Gauner und
berühmte Künstler: Alles, was Eingang in die Geschichte gefunden hatte –
rühmlich oder nicht –, war hier vertreten.
Hein in seiner Schlummerecke fühlte, wie ihn der Schlaf überkam. Er
stützte den rechten Ellenbogen aufs Knie und legte den schweren Kopf in
die rechte Hand. So schlief er ein.
Er konnte noch nicht lange geschlafen haben – oder täuschte er sich? –, da
schreckte er zusammen. Irgend jemand hatte ihm auf die Schulter getippt.
Noch im Aufstehen überlegte der Junge, was er dem Wärter zur Entschuldigung sagen wollte; denn nur einer von den rotbemützten Männern
konnte es sein, der ihn entdeckt hatte und nun aus der gemütlichen Ecke
trieb.
Doch – nirgendwo war ein Aufseher zu erblicken. Ja, es war überhaupt kein
Mensch zu sehen! Oder sollte jemand einen Schabernack mit ihm getrieben
haben?
Hein guckte sich um. Hinter ihm stand eine Wachsfigur in Lebensgröße;
sie hielt die rechte Hand weit von sich gestreckt, und in dieser Hand trug
sie – man sah ihn deutlich glänzen – einen Dolch. »Deveroux, einer von

Wallensteins Mördern«, entzifferte Hein auf dem Messingschildchen am Boden.

Der Junge beugte sich hinter die Figur, ob sich vielleicht dort jemand versteckt hielt. Niemand! Auch hinter den anderen Wachsplastiken war kein Mensch zu entdecken.

»Aber irgend jemand hat mich doch angestupst!« murmelte Hein und schritt auf den Zehenspitzen quer durch den Saal. Er wollte zum Ausgang zurück. Es bedrückte ihn, keinem Menschen zu begegnen. So allein inmitten der vielen Figuren – auch wenn sie nur aus Wachs nachgebildet waren –, das gefiel ihm nicht. Und mit jedem Schritt wuchs dieses dumme Gefühl des Unbehagens noch mehr an.

Auch im nächsten Saal war Hein der einzige Besucher.

Im übernächsten wagte er leise »Hallo?« zu rufen. Doch niemand gab Antwort. Nur weiter vorne schien sich etwas bewegt zu haben; aber als Hein näher kam, war auch dort alles leblos und still.

Jetzt bekam es der Junge mit der Angst zu tun. »Ich werde doch nicht so lange geschlafen haben, daß das Museum inzwischen geschlossen worden ist?« stammelte er. »Das wäre – ja – – nicht – – – auszudenken!«

Aber es mußte doch wohl so sein. Ja, tatsächlich, es gab keinen Zweifel mehr: Das Museum war geschlossen! Kein einziger Besucher außer ihm befand sich noch in diesen schaurigen Räumen. Und auch die Männer von der Aufsicht schienen alle nach Hause gegangen zu sein – und ihn hatte man hier sitzen lassen und eingesperrt!

Hein zog sein Taschentuch hervor; der Schweiß stand ihm auf der Stirn – wie sonst höchstens an einem ganz schwülen, hochsommerlichen Gewitternachmittag.

Von Saal zu Saal irrte der Junge. Immer öfter stellte er fest, daß er da und dort schon einmal gewesen war. Er fand nicht mehr zum Treppenhaus hin und schon gar nicht zum Ausgang, wo er sich vielleicht durch Klopfen hätte bemerkbar machen können. Die Fenster – das hatte er schon ausprobiert – waren nicht zu öffnen; nur auf der einen Seite vermochte man die Oberlichter aufzuschieben. Aber ohne Leiter konnte man auch da nicht auf die Straße hinuntersehen. Zudem – das fiel Hein erst jetzt wieder ein – stand das Wachsfigurenmuseum ja abseits der Straße in einem kleinen dunkellaubigen Park.

War er wirklich dazu verurteilt, eine ganze Nacht bei den wächsernen Puppen zuzubringen, bis morgen das Museum wieder geöffnet wurde? Na, da wollte er sich aber bei der Direktion beschweren! Hätten die Aufseher

nicht erst laut rufen können, bevor sie das Museum schlossen? Da wäre er
bestimmt aufgewacht und aus seinem Winkel ...

Halt! Waren das nicht Schritte gewesen?

Hein erstarrte, als sei er selber aus Wachs.

Da kam doch wer? Ein Wärter vielleicht, der nochmals einen Rundgang
machte? Hein hätte jubeln mögen – aber die Lippen blieben ihm geschlossen, als seien sie aufeinandergeklebt. Der da vorne um die Ecke bog,
war doch – war doch – ja ganz gewiß: war niemand anders als Deveroux!
Hein erkannte ihn an dem dreieckigen Spitzhut und an der ausgestreckten
Hand, die den Dolch hielt.

Dem Jungen setzte das Herz einen Schlag lang aus. Was war denn hier los? Ging denn das noch mit rechten Dingen zu? Plötzlich überfiel Hein ein Zittern. »Wenn mich der Wallenstein-Mörder nur nicht entdeckt!« flüsterte er. Und ohne sich recht bewußt zu werden, was er tat, drängte sich Hein unter die neben ihm stehende Gruppe.

Wilderer stellten diese Wachsfiguren dar; sie trugen schwarze Bärte, dicke Rucksäcke und lange Flinten. Und als Hein sich jetzt in ihre Mitte schob, wichen – wichen – wichen sie ein paar Schritte zur Seite und machten dem Jungen bereitwillig Platz!

Hein brauchte ein paar Sekunden, bis sein Verstand es richtig aufgenommen hatte, was da eigentlich passiert war. Wachsfiguren, also Drahtgestelle, die mit Wachs verschmiert waren und denen man richtige Kleider angezogen hatte, bewegten sich! Bewegten sich, als wären es keine toten Puppen, sondern lebendige Menschen!

Der Junge wagte kaum zu atmen, als jetzt – wenige Meter von ihm entfernt – Wallensteins Mörder in einen anderen Raum hinüberschritt. Er ging, ohne den Kopf zu wenden, mit steifen Knien und hatte die Hand mit dem Dolch weit nach rechts ausgestreckt.

Ganz deutlich hörte man es, wenn er die Füße aufsetzte. Tapp – tapp tapp – tapp.

Langsam ebbte das Geräusch ab und verwehte nun völlig.

Hein fühlte sich so elend wie damals, als er heimlich eine Zigarette geraucht hatte. »Nur jetzt nicht schlappmachen«, redete er sich ein, »sonst bin ich unter diesen unheimlichen Gesellen unweigerlich verloren!«

Am liebsten hätte er schnell einmal die Wilderer studiert, die neben ihm standen und ihm vorhin Platz gemacht hatten. Aber er traute sich nicht einmal die Pupillen zu bewegen, obgleich er fühlte, daß ihn jemand starr ansah.

Endlich faßte er sich ein Herz und hob unmerklich den Blick. Und – sah einem der Wilderer direkt ins Gesicht.

War das wirklich noch eine Wachsfigur? Eine tote, zusammengebastelte Wachsfigur? Der Kerl lebte doch! Auch wenn er sich Mühe gab, geradeaus zu schauen! Freilich, man sah doch, wie seine Lippen ganz leicht bebten!

Hatten sich hier vielleicht ein paar übermütige Kerle maskiert, um Hein einen Schrecken einzujagen? Schon wollte Hein hell hinauslachen, um denen zu zeigen, daß er ihr Spiel durchschaut hatte, da sah er es.

Er sah es, und er dachte nur noch: Mensch, ich werde verrückt!

Er sah nämlich, daß eben diesem Wilderer, der da vor ihm stand, der Hut mitsamt dem ganzen Kopf von einem furchtbaren Messerhieb auseinandergespalten war, wie es vielleicht in einem Ringen zwischen Wilderer und Förster, in einem Ringen auf Leben und Tod, sich einmal zugetragen haben mochte.

Hein fühlte, daß er jetzt gleich zusammensinken würde; da packte ihn der Wilderer vorne an der Jacke und schrie: »He, junger Mann! Aufwachen! Das Museum wird in zehn Minuten geschlossen!«

Und als Hein sich die Augen rieb, lag der Raum in freundlichem Lampenlicht, und vor ihm standen zwei rotbemützte Männer von der Aufsicht und lachten: »Schlecht geträumt, was, junger Mann?«

Hein, der noch ganz benommen war, nickte.

Rezept für Spukgeschichten à la Traum

Ein Glas Wasser und dazu
eine gute Schlaftablette;
vor dem Fenster eine ku-
kugelrunde Mondsilhouette;
dann – damit die Äste streifen –
dicht beim Haus ein alter Baum,
und du hast sie, nah zum Greifen:
Spukgeschichten à la Traum.

Nach einer anderen Methode:

Der Fahrgast, der langsam nach vorne kam

»Sieh zu, daß du nicht in einer Dienstagnacht die Strecke fahren mußt, wenn gerade Vollmond ist!« hatten mir meine Kameraden gesagt.

»Nanu?« lachte ich. »Das hört sich ja recht geheimnisvoll an! Es wird doch keine Wegelagerer mehr in eurer Gegend geben?«

»Wegelagerer nicht! Die würden sich sicherlich auch nicht nach dem Vollmond richten! Aber – na ja, du wirst es doch einmal erfahren müssen! Also hör her, es ist dergleichen nämlich nicht das erstemal auf dieser Strecke passiert...«

Ich war damals von meiner Omnibus-Gesellschaft in das Waldgebiet geschickt worden, um für einen Kameraden die Strecke zu fahren, der verunglückt war und nun Erholungsurlaub bekommen hatte. In einer Dienstagnacht war das Unglück geschehen, und der Vollmond hatte geschienen. Meine neuen Kollegen erzählten mir die Geschichte ausführlich, während wir in der »Goldenen Krone« bei einem Sprudel beisammensaßen und auf unsere Abfahrtzeiten warteten. Ich hatte die weiteste und einsamste Strecke zu fahren. Das Waldtal hinter bis dahin, wo sich die Füchse gute Nacht sagten.

Die erste Woche verging, ohne daß sich etwas Besonderes ereignet hätte. Ich fuhr früh, mittags, abends und – je nach Bedarf – auch noch einmal in der Nacht die Strecke.

Dann kam wieder ein Dienstag. In meinem Taschenkalender hatte ich es schon längst gelesen, daß auf diesen Dienstag Vollmond fiel. Ganz geheuer war mir nicht, aber schließlich war ich ja kein Anfänger mehr hinter dem Steuerrad! Ich würde mich schon nicht so schnell kleinkriegen lassen – so dachte ich wenigstens. Und überdies war es ja noch gar nicht bestimmt, ob ich die Strecke auch in der Nacht zu fahren hatte.

Am Montag nachmittag bekam ich es jedoch sogar schriftlich, daß ich in einer zusätzlichen Fahrt Leute zu einer Abendveranstaltung in die Stadt und gegen Mitternacht wieder nach Hause bringen sollte.

»Mensch, Kerl!« sagten meine Kollegen. »Ausgerechnet Dienstag, wenn Vollmond ist! Wenn das nur gutgeht! Du weißt doch ...« Und sie gaben mir die Hand wie einem zum Tode Verurteilten.

Ich lachte und ließ mir nicht anmerken, wie nervös sie mich mit ihrem Reden machten. Allein – was konnte mir denn schon Großes passieren?

Um elf Uhr und zehn Minuten fuhren wir vom Marktplatz in der Stadt ab. Vierzig Leute saßen im Wagen. Die Nacht war lau und sehr hell, denn es stand keine einzige Wolke am Himmel. Wir fuhren ein zügiges Tempo, denn ein paar Männer hinter mir gähnten schon laut, weil sie sonst um diese Zeit längst im Bett lagen.

In jeder Ortschaft, durch die wir kamen, stiegen ein paar Leute aus. Sie verabschiedeten sich freundlich, als sei ich ein alter guter Bekannter von ihnen, obwohl ich kaum einen von ihnen dem Namen nach kannte.

Auf der vorletzten Station blieb nur noch ein einziger Fahrgast im Wagen; offenbar wollte er bis zur Endstation mitfahren. Mir konnte das nur recht sein; dann fuhr ich wenigstens nicht so allein.

Es ging jetzt kilometerlang mitten durch den Wald. Die schwarzen Föhren berührten sich fast mit ihren Zweigen, so daß der Vollmond nur einen ganz schmalen Silberstreifen auf die Fahrbahn legen konnte.

Plötzlich sah ich im Rückspiegel, wie sich mein Fahrgast vom hintersten Sitz erhob und langsam durch den Mittelgang nach vorne kam. Im gleichen Augenblick fiel mir natürlich wieder all das ein, was mir meine Kollegen über meinen Vorgänger und seinen geheimnisvollen Unfall zugeflüstert hatten. Nach ihren Schilderungen war nämlich auch er von der vorletzten Station mit nur einem einzigen Fahrgast im Wagen weitergefahren. Auch bei ihm war dieser Fahrgast während der Fahrt langsam nach vorne gekommen – und hatte dann – plötzlich einen Hebel nach dem andern aus dem Instrumentenbrett gerissen, bis der Wagen ohne Gangschaltung und ohne Lenkrad, ohne Gaspedal und ohne Bremse immer rascher die Talstrecke entlanggerast war – – – bis bei der Eisenbahnbrücke die gefährliche S-Kurve kam: An ihren steinernen Pfeilern war der Wagen zerschellt. Wie durch ein Wunder hatte der Fahrer nur ein paar Prellungen davongetragen; der Nervenschock freilich machte einen längeren Erholungsurlaub nötig.

Von dem unheimlichen Fahrgast hatte man keine Spur mehr gesehen. Und seltsamerweise auch nichts mehr von den herausgerissenen Instrumenten.

Es wird ein ganz gewöhnlicher Unfall gewesen sein, und ein paar Schrott-
diebe haben die fehlenden Teile des Autos eben gestohlen, so hatte ich mir
bisher die Sache erklärt. Aber jetzt, wo der unheimliche Fahrgast hinter
mir aufgestanden war und langsam zwischen den gepolsterten Sitzen nach
vorne kam, da fühlte ich plötzlich: Die Aussagen meines verunglückten
Kollegen waren wahr!
Sollte ich nicht lieber meinen Wagen anhalten und den unheimlichen Gast
zum Aussteigen zwingen?
Wenn es aber nun wirklich nur ein harmloser Reisender war? Dann würde
er mich mit Recht anzeigen, und ich hatte meinen guten Posten als Omnibus-
fahrer ein für allemal verloren! Nein, mit Gewalt ging es nicht.
Und mit List? Sonst kamen mir immer die besten Einfälle, aber diesmal
war mein Gehirn wie ausgetrocknet. Kein Ausweg fiel mir ein.
Kein einziger!

Und der unheimliche Fahrgast war schon in der Mitte des Wagens angelangt!

Und kam langsam näher.

Kam näher.

Kam immer noch näher.

Jetzt – ich nahm unwillkürlich das Gas weg – stand er schon dicht hinter mir. Ich fühlte seinen Atem. Einen warmen, nach Tabak riechenden Atem.

Jetzt schob der Unheimliche die Hand tastend nach vorn.

Tastend nach vorn und . . .

Ja, und was er jetzt tat, mußt du dir schon selber ausdenken. Ich habe nämlich keine Ahnung!

Weil die ganze Geschichte doch nur erdichtet und erlogen ist!

Rezept für »Spukgeschichten à la Phantasie«

Stützen brauchst du, nichts als Stützen!
(Noch dazu aus bestem Holz;
andre würden dir nichts nützen!)
Damit sicherst du voll Stolz

all die Balken, die sich biegen,
während du Erzähl-Genie
frei erfindest deine Lügen-
Geister »à la Phantasie«!

Methode Nummer drei:

Die Erbsenmännchen

Künftig werde ich vorsichtiger sein, wenn ich wieder einmal zu Verwandten aufs Land reise! Im vorigen Jahr konnte ich es allerdings noch nicht wissen, daß es dort kurzweiliger und auch abenteuerlicher zugehen kann als bei uns in der Stadt.

Es fing damit an, daß Tante Theres bei einem ihrer seltenen Besuche mich eingehend musterte und dann zu meiner Mutter sagte: »Das Mädel sieht aber blaß aus! Das müßte einmal ein paar Wochen zu uns aufs Land kommen! Gute Butter und frische Luft – das wäre einmal etwas anderes als Lehrbücher und Benzingestank!«

Nun hatte ich ja auch daheim täglich manches Butterbrot verdrückt und nicht etwa von Schulbüchern gelebt, aber zu der Bemerkung von der besseren Luft nickte meine Mutter bereits sehr nachdenklich, und wer meine Mutter so gut kennt wie ich, weiß, daß es jetzt höchste Zeit war, ihr einen fast fertigen Plan noch schnell auszureden.

Diesmal war ich jedoch mit all meinen Überredungskünsten (daß ich ja mit Bärbel und Petra zu Petras Onkel nach London fahren wolle, und daß ich das, was ich dort alles sehen und erleben würde, so gut in der Schule wieder verwenden könne) zu spät dran. Mutter entschied, Tante Theres lächelte, und ich sagte verärgert: »Ausgerechnet in dieses langweilige Kuh-Dorf!«

Tante Theres lächelte auch jetzt noch, Mutter zog die Augenbrauen hoch, und ich verschwand niedergeschlagen und über mich und die ganze Welt verärgert auf mein Zimmer.

Vier Wochen später war es so weit, daß ich mit zwei Koffern aus der Kleinbahn ausstieg und nach meinen beiden Kusinen ausschaute, aber offenbar wußten die nicht einmal, daß man einen Gast am Bahnhof empfing und ihm wenigstens die schweren Koffer abnahm! Ach, was würden das für langweilige Ferien werden!

Ich seufzte, nahm meine beiden Koffer wieder in die Hände und keuchte zur Bahnsperre – die allerdings nur durch zwei Pfosten angedeutet war.

Der Beamte nahm meine Fahrkarte entgegen, schaute sie sehr genau an und murmelte dann: »Sie wollten doch wohl bis Untermühlbach fahren, mein Fräulein?«

Ich nickte.

Da deutete er lediglich mit dem Kinn auf das Brett, das schwarz auf weiß den Ortsnamen zeigte. Ich las: Unterkuhdorf!

»Du lieber Schreck!« rief ich. »Da bin ich wohl an der verkehrten Station ausgestiegen?« Und ich mußte mich erst einmal auf einen meiner beiden Koffer setzen, denn der Bummelzug war schon längst zwischen Wiesen und Feldern in die Waldschneise hineingedampft.

In diesem Augenblick rannten zwei übermütige Mädchen hinter der Schalterhalle hervor und auf mich zu. Sie lachten und schrien und packten erst mich, dann meine beiden Koffer und zogen und schoben mich auf den Wiesenweg zu ihrem Hof, der ein wenig abseits vom Dorf lag.

Erst unterwegs dämmerte es mir langsam, was meine beiden Kusinen da für einen Streich ausgeheckt hatten. Ich erfuhr, daß sie selber das Brett bemalt und ausgetauscht und den Bahnhofsvorsteher, der weitläufig mit ihnen verwandt war, so lange bestürmt hatten, bis er mitspielte.

»Du bist uns aber nicht böse deswegen?« bettelten sie.

Ich schüttelte den Kopf; ich war sogar herzlich froh, denn wenigstens meine beiden Kusinen schienen nicht so langweilig zu sein, wie ich befürchtet hatte. Müde von der Fahrt ging ich an diesem Abend buchstäblich mit den Hühnern schlafen. Wenn ich die ersten Stunden meiner Sommerfrische ehrlich überdachte, mußte ich zugeben, daß alle sehr nett zu mir gewesen waren und daß der große Bauernhof einen schon beeindrucken konnte. Aber auf die Dauer würde es wohl doch ziemlich fade für mich werden, fürchtete ich. Dieser eine Streich bei der Ankunft konnte ja schließlich nicht für zwei, drei Wochen reichen. So schlief ich denn mit ziemlich gemischten Gefühlen ein.

Ich konnte noch nicht lange geschlafen haben, da klopfte es, und ich wurde wach. »Ja bitte?« fragte ich halblaut.

Es rührte sich nichts. Sollte ich nur schwer geträumt haben? Ich lauschte angestrengt, aber weder bei mir im Zimmer noch draußen auf dem Hausflur war irgend etwas Verdächtiges zu hören.

Eben wollte ich mir wieder das Kommando zum Einschlafen geben, da klopfte es erneut. Es war ein ganz eigenartiges, schwer zu beschreibendes Klopfen. Es klang etwa so, wie wenn einer mit jedem Fingerknöchel nacheinander einmal gegen die Tür schlägt. Ziemlich in Bodennähe, wie es mir vorkam. Und gar nicht sehr laut.

Mir fielen allerlei Geschichten aus meinem ersten Lesealter ein: von Heinzelmännchen und Kobolden und Tieren, die nichts anderes als verzauberte Menschen waren.

»Dummes Zeug!« murmelte ich und sprang aus dem Bett. In diesem Augenblick klopfte es wieder, klopfte nochmals – und dann war es still. Lange Zeit.

Ich öffnete leise die Tür. Nichts.

Ich tastete mich zu meinem Bett zurück. Gerade wollte ich mich wieder hinlegen, da klopfte es von neuem, und, wie mir schien, nicht mehr in der Nähe der Tür, sondern direkt vor mir. Oder wenn ich es ganz genau beschreiben soll: Es war, als würde das Klopfen bei der Tür beginnen und unmittelbar vor mir auf dem Fußboden enden.

Ich hatte mir längst einzureden versucht, daß hier meine beiden Kusinen mit einem neuen Streich aufwarteten, aber nachdem das Klopfen so deutlich in meiner unmittelbaren Nähe geschah, ohne daß ich irgendein Wesen ausfindig machen konnte, wurde es mir unheimlich zumute. Ich kämpfte eine Weile mit meiner Angst, und dann stand ich doch plötzlich am Lichtschalter und drehte.

Das große Licht flammte auf, aber nichts Verdächtiges war zu sehen. Oder doch: Am Rande meines Bettvorlegers lag eine Erbse, die ich vorher dort noch nicht erblickt hatte. Sie war grün und rund und glänzte.

Als ich mich bückte, um sie aufzuheben, gewahrte ich an der Tür noch eine zweite, ebenfalls grün und rund und glänzend. Und von neuem schoß mir die Geschichte von den Heinzelmännchen durch den Sinn.

Später – ich legte mich wieder ins Bett, nachdem ich das Licht gelöscht hatte, weil alles still blieb – träumte ich sogar von ihnen. Es waren fünf oder sechs kleine Wichte mit langen Mützen, drollige Kerlchen, und sie schleuderten grüne Erbsen nach mir ...

Beim gemeinsamen Frühstück am nächsten Morgen kam natürlich die unausbleibliche Frage, wie ich denn in der ersten Nacht unterm fremden Dach geschlafen hätte.

»Ach, nicht schlecht«, sagte ich, »nur hat es ein paarmal geklopft, ich weiß nur nicht wo und warum. Ich habe jedenfalls niemanden entdeckt und bin dann wieder eingeschlafen. Da habe ich dann allerdings ziemlich aufregend geträumt. Von Heinzelmännchen, die mich mit Erbsen beworfen haben. Aber daran war sicher nur schuld, daß ich, ehe ich wieder ins Bett stieg, zwei Erbsen auf dem Fußboden liegen sah.«

»Erbsen?« fragten da meine beiden Kusinen wie aus einem Mund. »Erbsen?« Und Christine, die ältere, legte bedeutungsvoll den Finger hinters Ohr und meinte: »Dann werden es wohl die Erbsenmännchen gewesen sein!«

»Erbsenmännchen?« lachte ich. »Du, ich bin bereits über das Abc-Schützenalter hinaus!«

»Darauf kannst du zwar stolz sein, aber die Erbsenmännchen werden sich wenig darum kümmern«, fuhr Christine fort. »Die kommen immer, so erzählt man sich bei uns, wenn jemand geringschätzig von anderen denkt. Und dann bombardieren sie ihn so lange mit grünen Erbsen, bis er seinen Hochmut endlich ablegt. Manchmal sollen die Leute richtige blaue Flecken davontragen, obwohl sie glauben, sie hätten das Erbsen-Bombardement nur geträumt. Hast du dich schon einmal genau betrachtet? Dort an der Stirn den blauen Flecken hattest du doch gestern noch nicht?«

»Und auch hier am Hals zwei blaue Flecken!« Ursula schien sich geradezu über ihre Entdeckung zu freuen. Mir aber wurde es ein bißchen ungemütlich, und ich ging unter irgendeinem Vorwand hinaus, um mich im Spiegel zu betrachten. Blaue Flecken? Ich entdeckte nichts. Die beiden wollten mir sicher nur Angst einjagen! Aber den ganzen Unsinn mit den Erbsenmännchen sollten sie lieber jemand anderem aufbinden! Mir jedenfalls nicht! War doch wirklich nur ein großer Unsinn, das Ganze!

Vielleicht wollten mich meine beiden Kusinen nur ein bißchen fühlen lassen, daß meine Bemerkung »Kuhdorf« unhöflich gewesen war? Dabei fand ich meinen Aufenthalt ja schon gar nicht mehr so ärgerlich wie damals, als Tante Theres mich einlud. Ich fing an, sogar Gefallen an dieser Sommerfrische auf dem Lande zu finden. Und das mit den Erbsenmännchen war gewiß nichts anderes als ein neuer Streich von Christine und Ursula!

Aber es hatte doch geklopft? Ich hatte es ja deutlich gehört! Und sollte sich der Spuk vielleicht gar in der kommenden Nacht wiederholen?

Nein, er wiederholte sich nicht. Meine beiden Kusinen konnten nämlich nur bis zum späten Vormittag schweigen. Dann wären sie sicherlich geplatzt, wenn sie mir nicht alles hätten erzählen und zeigen können. Freilich waren sie es gewesen, die mir die »Erbsenmännchen« ins Zimmer geschickt hatten, aber wie großartig hatten sie es sich ausgedacht! Ich mußte meine Einstellung zu diesen Leuten in »Kuhdorf« wirklich gründlich ändern!

Sie hatten eine Blechdose mit Erbsen gefüllt, Wasser dazugegossen und die Dose dann neben der Tür hinter den Ofen gestellt, kurz bevor ich schlafen ging. Die Erbsen waren nun gequollen, immer mehr gequollen, und schließlich kollerte die erste Erbse über den Dosenrand auf den Boden. Das war das eigenartige Klopfen gewesen, das mich wachgemacht hatte.

Die Erbsen waren weiter gequollen, und so fiel immer wieder eine über den Rand auf den Boden. Zwei, die ein bißchen weit gekollert waren, hatte ich entdeckt. Und erst als ich davon erzählte, erfand Christine geistesgegenwärtig das Märchen von den »Erbsenmännchen«.

Eine Zwischenbemerkung:

Gruseln — nichts für kleine Kinder!

»Wenn du jetzt keine Ruhe gibst«, sagte die große Schwester (und sie hatte dergleichen schon öfters zu ihrem kleinen Bruder gesagt), »dann kommt der Schwarze Mann und steckt dich in seinen Sack!«

Aber der kleine Bruder gab sich nicht zufrieden und wollte bald dieses, bald jenes, und seine große Schwester wurde allmählich wütend. »Diesem Lausejungen müßte es einmal gezeigt werden!« dachte sie, und plötzlich fiel ihr Manfred ein, ein Schulkamerad, der im gleichen Haus wohnte, und der heute aus dem Schulmuseum eine hölzerne Tanzmaske hatte mitheimnehmen dürfen, um sie abzuzeichnen. Es war eine wilde, eine furchterregende Maske.

Manfred war auch gleich mit dem Plan, den ihm Liesl vortrug, einverstanden. Er fand noch eine alte schwarze Decke, die er sich umwarf; die Maske band er sich vors Gesicht.

So klopfte er ein paar Minuten später an die Tür, gerade in dem Augenblick, wo Liesl dem kleinen Bruder erneut mit dem Schwarzen Mann drohte. Der Kleine, der ihr eben noch als einzige Antwort die Zunge herausgestreckt hatte, schrak zusammen. Wenn sonst jemand sie besuchte, läutete er. Das Klopfen jetzt kam dem kleinen Frechdachs unheimlich vor.

Die große Schwester blieb jedoch ganz ruhig. »Das wird wohl der Schwarze Mann sein«, sagte sie lediglich und ging, um die Türe zu öffnen.

»Nein, bitte nicht!« rief der kleine Andreas, der es nun mächtig mit der Angst zu tun bekam. »Bitte nicht! Laß ihn nicht herein!«

Aber Liesl blieb unerbittlich. »Du bist auch immer so frech zu mir!« sagte sie nur.

Als der maskierte Manfred das Zimmer betrat, sprang Andreas mit einem Aufschrei unter den Tisch.

»Komm nur vor!« befahl die große Schwester. »Du bist selber schuld daran!« Und mit Gewalt zerrte sie den kleinen Bruder unter dem Tisch hervor. Als sie aber sein schreckverzerrtes Gesicht sah, bekam sie doch Mitleid mit ihm. »Nun, diesmal soll dich der Schwarze Mann noch nicht mitnehmen«, sagte sie, »aber merk es dir für die Zukunft!«

Andreas konnte nicht einmal nicken, so gelähmt war er noch von dem ausgestandenen Schrecken. Auch als Manfred schon längst wieder in seiner eigenen Wohnung die Maskerade abgelegt hatte, sprach der kleine Andreas noch kein einziges Wort. Schließlich bekam es Liesl, die zu spät spürte, daß Bangemachen eine schlechte Erziehungsmethode ist, mit der Angst zu tun. »Nun red doch schon etwas!« sagte sie.

Aber der kleine Bruder, dessen Fragen und Wünsche ihr immer zuviel gewesen waren, bemühte sich umsonst, Worte hervorzubringen. Er hatte vor Schreck die Sprache verloren.

Rezept für Spukgeschichten à la Textbuch

Man nehme einen Hasenfuß
und einen – kecken Jungen!
Und wenn sich j e n e r fürchten muß,
ist's d i e s e m gut gelungen.
Ein Einfall hier, ein Reinfall dort:
schon gilt 'was als verhext – huch! –
und man erzeugt in einem fort
Gespenster »à la Textbuch«!

Noch eine Methode:

Nachts, als der Vollmond schien

Unsere Großfahrt hatte wirklich abenteuerlich angefangen: Bimbo zählte an diesem ersten Tag durchschnittlich auf je zwanzig Kilometer eine Panne; am Nachmittag kamen wir in einen Gewitterregen, der so plötzlich und so heftig einsetzte, daß wir bis auf die Haut durchnäßt waren, ehe wir den nächsten Heuschober erreichten; am Abend begann es sich dann »einzuregnen«, so daß wir für die erste Nacht die Zeltbahnen lieber zusammengerollt ließen und bei einem Bauern anfragten, ob wir in seiner Scheune übernachten dürften. Entzückt schien er zwar nicht zu sein, aber er sagte nach kurzem Überlegen schließlich doch ja. »Nur«, fügte er noch hinzu, »benutzt bitte den hinteren Eingang, den bei den Ställen, und nicht diesen beim Hof hier!« Uns war das recht, und ehe es vom Kirchturm zehnmal schlug, schliefen wir schon alle. Müde genug waren wir. Schon wegen der sieben Pannen.

Plötzlich stieß mich eine riesige Maus in die Seite. Oh, Entschuldigung! Ich bin jetzt beim Erzählen etwas durcheinandergekommen und muß mich insofern berichtigen, als ich nur von einer riesigen Maus geträumt hatte, die mich mit ihrer spitzen Schnute in die Seite boxte. In Wirklichkeit war ι Karl, der neben mir schlief und der jetzt angstvoll auf mich einflüsterte. Bis ich richtig wach geworden war, mußte er mir seine Geschichte schon das zweite oder dritte Mal erzählt haben. Es handelte sich um folgendes: Er war aufgewacht und konnte nicht mehr einschlafen, weil ihn das Stroh überall kitzelte. Offenbar hatte er seinen Schlafsack nicht richtig benutzt. Schließlich stand er auf, um zum Brunnen hinunterzugehen und sich kalt abzuwaschen. Und als er schon auf der Leiter stand, sah er es.

Das Fürchterliche. Gespenstische. Schauerliche ...

Ich wühlte mich aus meinen Decken und schlich zur Leiter. Tatsächlich! Es war genauso, wie Karl behauptet hatte. Unten auf dem Tennenboden lag ein Brett über einem runden Korb, und das Brett schwebte, wie von Geisterhänden getragen, bald mit dem einen, bald mit dem anderen Ende in die Höhe, um dann wieder bis zum Boden hinunterzusinken. Es war eine richtige Wippe.

Uns quollen schier die Augen aus den Höhlen, so strengten wir uns an, jemanden ausfindig zu machen, der die Wippe in Bewegung hielt. Unsere Mühe war umsonst. Das dort unten mußte eine richtige Gespensterwippe sein! Ich wollte Karl gerade ins Ohr flüstern, daß wir die anderen wecken müßten, da merkte ich, daß ich allein stand. Karl war verschwunden.

Nicht lange, da kam er wieder, und neben ihm drängten sich Ed und Philipp, Franz und Edgar. Und alle standen sprachlos und schauten und schauten. Unten wippte es weiter.

»Wollen wir hinuntergehen?« fragte Edgar auf einmal halblaut.

Nun, wo wir alle beisammen waren, fühlten wir uns stark genug. Edgar ging voraus, wir stiegen hinterdrein. Immer in Tuchfühlung!

Als wir dann unten auf der Tenne standen, sahen wir im Mondschein, daß noch mehr so runde Körbe herumlagen. »Brotkörbe«, flüsterte Ed, dessen Vater Bäcker war. Hier schien also schon alles fürs Brotbacken am anderen Morgen vorgerichtet zu sein, und wir begriffen, warum uns der Bauer nicht in diesem Teil der Scheune haben wollte.

Ob er aber wußte, daß es bei ihm umging?

Oder war vielleicht gerade diese Gespenster-Wippe die Ursache, warum er uns nur zögernd aufgenommen hatte?

Wir schlichen im Licht des Vollmondes noch näher an die unheimliche Wippe heran – und da erst erkannten wir es: Auf dem Brett saßen am Ende je zwei Flöhe, und die wippten, was sie nur konnten!

Rezept für Spukgeschichten à la Klassik

Es war nicht Goethe. Auch nicht Schiller!
Der Mann hieß vielmehr Hammerschmidt,
vielleicht auch Maier oder Miller,
kurzum: der Name kam nicht mit,

als man von Lag- zu Lagerfeuer
begeistert die Geschichte trug:
teils lustig, teils auch nicht geheuer;
ein wenig dumm – und doch auch klug!

Man gab sie weiter mit Varianten,
zum x-tenmal – und stets doch rassig,
und grüßte neu den altbekannten
Gespensterschlager »à la Klassik«!

Und hier die letzte Methode:

Der Mitternachtsseufzer

Jetzt erzählten sie es sich schon in den Nachbardörfern, daß es im Einödhof umging. Nun gut, solche Geschichten waren nicht neu in einer Gegend, in der so wenig passierte, daß man jeden Wanderburschen hoch willkommen hieß, weil er ein paar Neuigkeiten aus der großen Welt mitbrachte.

Wenn aber keiner kam, oft ein ganzes Jahr kein einziger, dann mußten eben die alten Geschichten herhalten, auch alte Gruselgeschichten, wie sie schon vor hundert und mehr Jahren erzählt worden waren.

Aber die Geschichte mit dem Mitternachtsseufzer hatte keine Tradition. Und die sie weitererzählten, brauchten auch nicht zu behaupten, daß der oder jener es ihnen berichtet hätte, sondern diesen Mitternachtsseufzer hatten sie selber gehört. Oftmals sogar. Und ganz deutlich.

Der kleine Seppl schilderte es in der Schule. Er wußte es haargenau: »Das erstemal war es vor zwei Wochen gewesen. Abends, an einem Dienstag. Ich hatte gerade gute Nacht gesagt und wollte in meine Kammer hinauf. Wie ich mitten auf der Stiege war, ertönte plötzlich dieser wimmernde Seufzer. Ich war so erschrocken, daß ich nicht einmal geschrien habe. Aber in die Stube bin ich zurückgerannt, als sei der Teufel hinter mir her. Die anderen hatten alle nichts gehört, und meine Geschwister lachten mich aus, ich hätte Angst, und wenn einer furchtsam sei, höre er allerhand.

Am nächsten Tag aber – ich schlief längst – war es Heinrich, mein großer Bruder, der das Wimmern vernahm. Er rief gleich meine Eltern herbei, aber auch diesmal blieb es bei dem einen Seufzer. Die folgenden Abende und Nächte hörten es dann nacheinander alle, manchmal mehrmals hintereinander. Unten, im Erdgeschoß, war es weniger deutlich zu vernehmen als in den Kammern oben. Ich zog deshalb mit meinem Bettzeug um, ins Fremdenzimmer unten. Wenn ich schlief, hörte ich nichts. Dafür aber meine Eltern! Die wurden nunmehr beinahe jede Nacht aufgeschreckt. Meine Mutter schlief schon gar nicht mehr richtig ein, weil sie jeden Augenblick auf das Wimmern wartete.

Gestern geschah es dann zum erstenmal, daß bei Tag, mitten unterm Essen, der Seufzer geisterhaft durchs Haus tönte. Wir hatten wegen der Hitze alle Türen offenstehen, und so hörten wir es in der Küche. Mir fiel der Löffel aus der Hand mitten in meinen Suppenteller hinein.

Ein anderesmal hätte mir mein Vater dafür wahrscheinlich eine Ohrfeige gegeben, aber diesmal saß er genauso starr wie die anderen und lauschte nach oben.«

»Und ihr seid nicht hinaufgegangen und habt gesucht, woher das Geräusch nun ganz genau gekommen ist?« forschte der Lehrer.

Der kleine Seppel schüttelte den Kopf. »Ein Gespenst ist es halt!« meinte er.

»Ich komme heute nachmittag einmal bei euch vorbei!« sagte der Lehrer noch, und dann fuhr er mit dem Unterricht fort.

Man mußte fast annehmen, das Gespenst hätte auf den Lehrer gewartet, denn kaum war er am Nachmittag auf dem Hof erschienen, begann das Seufzen und Wimmern mit einer Lautstärke wie noch nie.

Der Lehrer nahm sich nicht einmal die Zeit, die Bäuerin und den Bauern richtig zu begrüßen, sondern schlich, nachdem er den anderen bedeutet hatte, sich ruhig zu verhalten, so rasch er konnte, die Treppe hinauf. Heinrich und sein Vater folgten nach einigem Zögern. Heinrich hielt noch die Mistgabel in der Hand.

Der Lehrer lauschte. Dann öffnete er die Tür zum Speicher. Heinrich und sein Vater hielten ein bißchen Abstand, aber sie – kamen nach.

Noch einmal klang der Seufzer auf, und in diesem Augenblick stieß der Lehrer einen kleinen, spinnwebenüberzogenen Bretterverschlag auf. Die drei Männer sahen gerade noch, wie Peter, der Kater, durch eine Fensterluke aufs Dach hinaus verschwand.

In dem Verschlag aber baumelte eine alte Gitarre. Über deren Saiten hatte der musikalische Kater mit sichtlichem Behagen seine Krallen gezogen!

Rezept für »Spukgeschichten à la Happy-End«

Zumeist –
zumeist braucht's gar nicht viel:
Ein Schatten kreist;
ein Holzwurm treibt mit uns sein Spiel;
die Wetterfahne quietscht und schreit . . .
Schon ist's so weit!
Tja! Wenn man gleich die Lösung fänd',
gäb's keinen »Spuk mit Happy-End!«

Gespenstischer Unfug

Ein Schriftsteller saß an seiner Schreibmaschine. Nicht an der neuen elektrischen, sondern an der alten aus dem vorigen Jahrhundert. Die war nämlich bisweilen ein bißchen verhext. Wenn er zum Beispiel schreiben wollte: Der Diener öffnete die Pforte, schrieb seine Maschine bestimmt: Der Diener öffnete die Pfote. Und aus Mosel- und Saarwein machte sie Mogel- und Saurwein. Und als er neulich von einem vierstimmigen Gesang geschrieben hatte, stand am Ende etwas von einem bierstimmigen Gesang auf dem Blatt. Die Schreibmaschine hatte es also in sich!
Der Schriftsteller tippte an diesem Tag schon ein paar Stunden auf ihr

herum. Er war nämlich dabei, eine Gespenstergeschichte zu schreiben. Eine von der Art, wo man hinterher hellauf lachen kann. Da hatte er plötzlich das Gefühl, angeschaut zu werden. Er sah auf und sah ... sah im Spiegel, wie ein Geist, heiser röchelnd, zu ihm ins Zimmer trat? Gedacht! Das waren eben nur wiederum einige Tippfehler gewesen. Richtig muß es – ganz harmlos – heißen: Sah im Spiegel, wie ein Gast, heiter lächelnd, zu ihm ins Zimmer trat.

(Und diesem Gast las der Schriftsteller dann seine neueste Gespenstergeschichte voller Unfug vor ...)

Als der Strom ausfiel . . .

Sie hießen Pitt, Patt und – nein nicht Putt, sondern Nepomuk, und sie wohnten in einem Wolkenkratzer-Hotel in der 119. Etage.

Wer denkt, das sei ungemütlich, hat noch nicht in einem Wolkenkratzer gewohnt. Kein Nachbar kann einem dort Bananenschalen zum Fenster hereinwerfen, und selbst an schwülen Tagen geht ein erfrischendes Lüftchen.

Ungemütlich wird es nur, wenn, ja wenn das geschieht, was an jenem 27. August Pitt, Patt und Nepomuk geschah. Der Aufzug versagte! An jenem 27. August versagte er, weil der Strom ausfiel, wie der Pförtner erklärte. Für drei volle Stunden, hieß es. Und Pitt, Patt und Nepomuk mußten unbedingt in ihr Zimmer! Nein, sie mußten nicht gerade Hausaufgaben machen; dafür waren sie schon zu alt, und überdies wäre die Sache mit dem Aufzug am nächsten Morgen in der Schule eine wunderschöne Entschuldigung gewesen! Nein, es war anders: Pitt, Patt und Nepomuk wollten am Abend ausgehen und sich noch fein machen. Rasieren und die Zähne putzen und den grauen Werktagsanzug mit einem dunklen Feiertagsanzug vertauschen.

Es blieb ihnen also nichts anderes übrig, als die Treppe zu benutzen. Nun kann man es sich ja ausrechnen, wie viele Stufen das wohl insgesamt waren, weil sie ja im 119. Stockwerk wohnten.

Nach dem fünften Stockwerk schwitzten sie bereits und legten eine kurze Rast ein. »Wenn wir aber alle fünf Stockwerke einmal rasten, kommen wir vor Mitternacht nicht hinauf, geschweige denn wieder herunter!« stellte Patt ermattet fest.

»Ich hätte eine Idee«, ließ sich da Pitt vernehmen, der in Rechnen früher immer eine Eins geschrieben hatte. »Wir haben jetzt noch genau 114 Stockwerke zu steigen. Machen wir es doch so, daß jeder eine Geschichte erzählen muß; er hat dazu 38 Stockwerke lang Muße, und ihm und uns vergeht dabei nicht nur die Zeit viel schneller, sondern wir vergessen vor lauter Aufmerksamkeit auch, wie müde wir werden, und brauchen nur noch nach jedem 38. Stockwerk, wenn nämlich wieder eine Geschichte fertigerzählt ist, eine Pause einzulegen.«

»Bei dieser Hitze Geschichten erzählen?« zweifelte Patt.

Und in diesem Augenblick bekam Nepomuk einen großartigen Einfall.

»Nicht irgendeine«, sagte er, »das würde freilich zu anstrengend sein. Aber eine Gespenstergeschichte! Die kann man auch bei 35 Grad im Schatten erzählen!«

Sein Vorschlag wurde angenommen, und Patt begann . . .

In London existiert ein Buch-Verlag, der jedes Jahr ein Dutzend neuer Titel auf den Markt bringt. Das ist noch nichts Besonderes, denn andere Verlage tun das gleiche. Aber nun ereignete sich im vorigen Jahr etwas Seltsames.

Aus einer großen Bücherei wurde ihm gemeldet, daß alle zwölf Bücher, die während des Jahres erschienen waren, den Mäusen zum Opfer gefallen seien.

»Sollen halt besser aufpassen!« brummte der Verlagsleiter und schickte die bestellten Ersatz-Bände.

Aber am nächsten Tag kamen Schreiben von zwei weiteren Büchereien, am übernächsten von drei Kunden, eine Woche darauf von verschiedenen Buchhandlungen, und immer war der Inhalt kurz der: Sämtliche Neu-erscheinungen des Verlages waren von den Mäusen angenagt worden – und dabei hatten die Bücher keineswegs beisammengestanden!

Die Mäuse in aller Welt schienen es also ausgerechnet auf die Bücher dieses einen Verlages abgesehen zu haben!

Man lachte in London und machte Witze über diesen Verlag, dessen Bücher sich gerade gut genug als Mäusefutter erwiesen! Die Autoren begannen sich zu schämen, der Verlag wurde nervös, denn niemand wollte mehr die Bücher kaufen, über die nicht nur die Buchkritiker, sondern sogar die Mäuse herfielen.

Wie sollte man es sich erklären? Was waren das für Mäuse, die unter Tausenden von Büchern überall jene zwölf herausfanden und anknabber-ten? Das ging doch nicht mehr mit rechten Dingen zu?

Ein Detektiv kam dem unheimlichen Spuk schließlich auf die Spur. Es war lediglich das Ziegenleder gewesen, das der Verlag zum Einband seiner Bücher verwendet hatte – das hatte die Mäuse gelockt.

Die Autoren hatten ihre Ehrenrettung, und auch der Verlag atmete auf.

Allerdings mußte er alle Bücher, die noch auf Lager waren, neu aufbinden lassen, ehe er sie in die Welt verschickte.

Patt hatte seine Geschichte viel ausführlicher erzählt, als sie hier wiedergegeben wurde. Auch hatte er immer wieder eine größere Pause eingelegt, teils, um sich auf die einmal gelesenen Zusammenhänge zu besinnen, teils auch, um die Spannung zu erhöhen. Als die Geschichte zu Ende war, näherte man sich jedenfalls dem 43. Stockwerk. Von da ab ging Pitt in der Mitte, denn nun war er mit dem Erzählen an der Reihe . . .

Über eine einsame Straße fuhr ein Auto. Es war Nacht, und die beiden Scheinwerfer bohrten sich weit in die Dunkelheit hinein. Plötzlich trafen sie auf ein Haus. Erst waren nur die schattenhaften Umrisse zu erkennen, dann Einzelheiten.

»Stop!« schrie plötzlich der Beifahrer, ein Mann in Polizeiuniform, und er wies erregt auf ein Fenster im ersten Stock.

Im Licht des Zusatzscheinwerfers, den sie nach dem Anhalten hastig auf das Fenster richteten, sahen sie es in grausiger Deutlichkeit: Am Fensterkreuz – hing – eine Frau.

Mord oder Selbstmord?

Es war keine Zeit zu verlieren. Die beiden Beamten rannten aus dem Wagen, klopften an die Haustür, und als nicht gleich jemand öffnete, stießen sie die Tür mit Gewalt auf, rannten die Treppe hinauf, in das Zimmer hinein und – standen betroffen vor dem Fenster, an dem ein frischgewaschenes und mit Papier ausgestopftes, zum Trocknen aufgehängtes Kleid baumelte.

Pitt hatte seine Geschichte so nach allen Seiten hin ausgesponnen, daß man zum gleichen Zeitpunkt, da die Polizeibeamten der Erzählung im ersten Stock angekommen waren, selber die 81. Etage erreicht hatte. Die Ruhepause fiel diesmal ziemlich lange aus, denn die drei Wolkenkratzer-Wanderer waren schon recht abgekämpft. Aber immerhin hatten sie bereits 81 Stockwerke geschafft, und für die letzte Etappe würde die Gruselgeschichte von Nepomuk schon den nötigen Schwung vermitteln!

»Also, Nepomuk, fang an!« sagten Pitt und Patt gleichzeitig und standen auf. Sie nahmen den Freund in die Mitte, und Nepomuk begann. Er begann recht sonderbar, wie Pitt und Patt sogleich feststellten.

»Liebe Freunde, meine Geschichte ist so gruselig, daß ich mich fast nicht traue, sie euch zu erzählen.«

»Nur nicht kneifen!« lachte Patt. »Du bist an der Reihe!«

Und Pitt meinte: »Erzähle ruhig! Wir haben schon noch gute Nerven!«

»Also gut«, seufzte Nepomuk, »wenn ihr es nicht anders haben wollt! Allerdings ist meine Gruselgeschichte nicht sehr lang. Eigentlich besteht sie nur aus einem einzigen Satz.«

»Also dann zunächst einmal diesen einen Satz«, erklärten sich Patt und Pitt einverstanden.

»Dieser Satz heißt«, sagte Nepomuk, und seine Stimme vibrierte vor verhaltener Spannung: »Freunde, ich habe den Schlüssel zu unserem Zimmer beim Portier unten liegengelassen!«

Frechdachs ...

... stand zum erstenmal auf amerikanischem Boden. »Und das hier«, erklärte sein Onkel, der ihn am Flughafen abgeholt hatte, »ist ein Wolkenkratzer.«

»Ganz hübsch hoch«, bestätigte Frechdachs und schaute lange Zeit und sehr ergriffen an dem Gebäude hinauf. Dann sah er seinen Onkel an und fragte: »Und wann kratzt er eigentlich?«

Zwischendurch etwas zum Hellauflachen:

Es ist wie verhext . . .

Der Gutsbesitzer schickt seinen Fahrer mit dem Lastkraftwagen in die Stadt, damit er den Motorpflug abhole, der dort in Reparatur ist. Als der Wagen schon zum Hof hinausfahren will, ruft die gnädige Frau aus dem Küchenfenster dem Fahrer nach, er solle, wenn er schon einmal in der Stadt ist, auch ein Paket Streichhölzer mitbringen.

»Wird nicht vergessen!« ruft der Fahrer zum Fenster hinauf, legt grüßend zwei Finger lässig an den Schild seiner öligen Mütze und braust ab.

Mittags kommt er zurück. Zweiundfünfzig Kilometer hat er insgesamt fahren müssen. Er geht gleich in die Küche und liefert die Streichhölzer ab. »Hab's nicht vergessen!« sagt er dabei freudestrahlend.

In diesem Augenblick tritt der Gutsbesitzer unter die Tür. »Und wo ist der Motorpflug?« fragt er argwöhnisch.

Da kratzt sich der Fahrer erschrocken am Kopf. »Es ist wie verhext!« stöhnt er. »Mir war's doch schon die ganze Zeit so, als ob ich etwas vergessen hätte!«

Der Sportredakteur seufzt, als er seinen Artikel in der Zeitung liest. Da hat ihm der Druckfehlerteufel wieder einen schönen Streich gespielt! Da heißt es nämlich in der Montagausgabe: »Kurz vor Spielende vermochte der Kittelstürmer des Platzvereins das entscheidende Tor zu erzielen und so den Sieg an die Vereinsfahne zu heften.«

Der Sportredakteur ruft seine Zeitung an und verlangt für den nächsten Tag eine Berichtigung, denn »Kittelstürmer« könne leicht als Beleidigung aufgefaßt werden, als würde der Mittelstürmer gerne foul spielen.

Die Dienstagausgabe bringt also die Verbesserung, aber zugleich einen neuen Druckfehler. Man liest nämlich nunmehr: »Kurz vor Spielende vermochte der Mittelstürmer des Platzvereins das entscheidende Tor zu erzählen und so den Sieg an die Vereinsfahne zu heften.«

Diesmal beschwert sich der Platzverein: Von einer bloßen Erzählung könne nicht die Rede sein, denn das Tor sei wirklich geschossen worden.

Die Zeitung beeilt sich, am Mittwoch erneut eine Berichtigung zu bringen, und die Leser schmunzeln – bis auf jenen Mittelstürmer – über den Satz, der nunmehr lautet: »Kurz vor Spielende vermochte der Mittelstümper des Platzvereins das entscheidende Tor zu erzielen und so den Sieg an die Vereinsfahne zu heften.«

Diesmal schaltete sich der Chefredakteur selber ein. Aber auch er kann nicht verhindern, daß das Gespenst jeder Druckerei, der sogenannte Druckfehlerteufel, erneut sein Unwesen treibt. Die Donnerstagausgabe bringt nämlich nach einer Bitte um wohlwollende Entschuldigung der Druckfehler in den vorigen Ausgaben den Satz noch einmal. Und diesmal sogar fettgedruckt! Er lautet: »Kurz vor Spielende vermochte der Mittelstürmer des Platzvereins das entscheidende Tor zu erzielen und so den Sarg an die Vereinsfahne zu heften.«

Mäxchen muß Lebertran einnehmen. Der Onkel Doktor hat es gesagt, und nun steht die Flasche auf dem Tisch.

Den ersten Löffel nimmt Mäxchen, weil es etwas Neues ist. Aber beim zweiten Löffel will er schon nichts mehr von dieser Arznei wissen. Die Mutter redet ihm gut zu. Sie bittet und bettelt. Der Vater kommt und klopft Mäxchen erst eine sanft hinter die Ohren, dann legt er ihn über und nimmt den Kochlöffel zu Hilfe. Aber es nutzt alles nichts. Mäxchen versperrt sich der Arznei.

Schließlich macht Mäxchen selber den schlauen Vorschlag, ihm für jeden Löffel Lebertran, den er einnimmt, zehn Pfennig in die Sparbüchse zu stecken.

Die Mutter schaut entrüstet den Vater an, aber der nickt dem hoffnungsvollen Sprößling lächelnd zu, und von da an nimmt Mäxchen brav seinen Lebertran ein. Jeden Tag vier Löffel voll!

Als die große Flasche endlich leer ist, wird die Sparbüchse geöffnet. Mäxchen darf selber die Zehner zählen. »Siebenundachtzig Stück!« jubelt er. »Acht Mark und siebzig Pfennige sind das! Was werdet ihr mir jetzt dafür kaufen?«

»Warte bis heute abend«, sagt der Vater. »Auf dem Heimweg vom Dienst werde ich's besorgen!«

Mäxchen kann es gar nicht erwarten, bis der Vater endlich heimkommt und das Geschenk auspackt. Und was stellt der Vater lächelnd auf den Tisch? Genau für acht Mark und siebzig? Eine neue Flasche Lebertran!

Versäumen Sie nicht . . .

. . . die internationale Magierkonferenz

Nein, versäumen Sie es bitte nicht, die Konferenz der ersten Zauberer der Welt zu besuchen! Sagte ich Zauberer? Verbündete der alterfahrensten Gespenster müßte ich sie nennen, denn was diese Meister aus Amerika, Deutschland, England, Frankreich, aus dem Libanon und der Schweiz bei ihrem Stelldichein zeigen, übertrifft die kühnste Phantasie von Gespenstergeschichtenerzählern! Schon die erste Nummer, die den schlichten Namen »Fürst der Geister« trägt, zeigt keinen Geringeren als Sambalo, der sich während der Vorführung seinen Kopf abschraubt und in seine rechte Hand legt.

Und Sie sehen den Mann, der wie ein englisches Schloßgespenst auf der Bühne erscheint und verduftet, ganz wie es ihm der Chor des Publikums zuruft.

Es fehlt natürlich auch nicht die junge Dame, die sich samt der Kiste, in die sie sich zwängt, zersägen läßt – um wenige Minuten später frisch und gesund über die Bühne zu tanzen.

Haben Sie schon einmal eine Frau zwei Meter hoch über der Bühne schweben sehen? Haben Sie schon einmal zuschauen dürfen, wie jemand, der die Gestalt eines Riesen hat, plötzlich zu einem Zwerg zusammenschrumpft? Waren Sie jemals Zeuge eines umgekehrten Vorgangs, wie also jemand, der klein und schmächtig wie ein Zwerg im Rampenlicht steht, auf Befehl zu wachsen beginnt, plötzlich und unaufhörlich, bis er die Vorhangleiste schier mit dem Kopf berührt?

Wie, Sie glauben mir nicht? Bitte, kommen Sie und überzeugen Sie sich selbst! Versäumen Sie nicht die große internationale Magier-Konferenz. Ein Besuch wird zum Erlebnis!

Und versäumen Sie nicht, nach der Vorstellung in der Weinstube gleich neben dem Konferenzgebäude einen Gute-Nacht-Trunk zu sich zu nehmen, denn sonst werden Sie viele Stunden nicht einschlafen können, so gruselig, so gespensterhaft werden die Darbietungen sein . . .

Eine Straßenecke weiter beginnt der Ausrufer von neuem: »Versäumen Sie nicht ... Die Verbündeten der alterfahrensten Gespenster müßte ich sie nennen ... Ein Besuch wird zum Erlebnis!«

In einem kleinen Straßencafé aber erzählt einer seinem Tischnachbarn, sobald der Ausrufer außer Hörweite ist, von einem Zaubertrick, den man bei der internationalen Konferenz nicht zu sehen bekäme.

Um welches Kunststück es sich da handle, fragt der Nachbar. Und der andere tischt ihm nun die Geschichte von den zwei Papageien auf, die lange Jahre in Europa gelebt hatten und schließlich nach Afrika zurückreisten. Der eine von ihnen, der mit den roten Federn, brüstete sich vor dem grüngefiederten mit den Zauberkunststücken, die er seinem ehemaligen Herrn abgeschaut haben wollte.

Er könne Fische in Stallhasen verwandeln und Meerwasser in süßen Himbeersaft, und er könne alle Gegenstände einfach wegzaubern, wie er gerade wolle.

In diesem Augenblick, wo er so große Worte sprach, lief das Schiff, auf dem sich die beiden Papageien befanden, auf eine Mine. Als sich nach geraumer Zeit der Rauch verzogen hatte, trieben die beiden Tiere, auf Stangen festgekrallt, gerade nebeneinander im Wasser.

»Na«, sagte da der Grüne vorwurfsvoll, als er den Roten erblickte, »mußtest du denn ausgerechnet bei deinem Kunststück mit unserem Schiff beginnen?«

Dieser Angeber:

Uli in der Gespensterbahn

Uli wühlte in der Tasche herum. Er mußte doch noch – ah, hier steckte noch ein Fünfziger! Also konnte er sich die Fahrt mit der Gespensterbahn noch leisten.

Uli hatte den Besuch im Prater, dem Vergnügungspark von Wien, über den ganzen Nachmittag ausgedehnt. Er war mit dem Riesenrad gefahren und hatte aus der Höhe auf die Stadt geschaut; er hatte so viele Runden auf dem Kettenkarussell mitgemacht, daß es ihm schier schwindlig geworden war, und er hatte sich dreimal Eis für zwanzig geleistet. Alles in allem ein ziemlicher Aderlaß für seine Urlaubskasse. Aber schließlich war er das erstemal bei seinem Onkel in Wien, und schließlich war es der letzte Tag vor seiner Abreise.

Uli trat einen Schritt zurück. Genießerisch betrachtete er das buntbemalte Zelt der Gespensterbahn, wo man ein Gerippe tanzen und einen Zauberer seinen Kopf auf dem Zeigefinger balancieren sah. Sogar vom Zeltdach starrte eine weiße unförmige Spukgestalt herunter.

Nun, das waren alles nur Attrappen. Aber drinnen im Zelt selber, da mußte es toll zugehen. Uli hatte während der letzten Viertelstunde schon oftmals Leute gellend aufschreien hören, und eine dicke Frau war nach der Fahrt herausgewankt und hatte »mein Herz!« gerufen; dabei waren ihr vor Lachen die Tränen gekommen.

»Nur immer hereinspaziert!« sagte der Mann an der Kasse freundlich, als Uli seinen Fünfziger hinschob. »Dort steht die Gespensterkutsche schon bereit! Daß du dich aber nicht aus dem Wagen lehnst! Sonst –«

Er sprach nicht mehr weiter, denn der Wagen fuhr schon, wie von Geisterhänden geschoben, an, fuhr auf eine Pendeltür zu, die sich im letzten Augenblick öffnete, und dann war es stockdunkel um Uli.

Und nun ging es Schlag auf Schlag. Lichter flammten auf, rot, blau, grün, grellweiß. Der Wagen fuhr kreischend um scharfe Kurven. Plötzlich kam ihm unter eine knatternden Serie von Lichtblitzen ein anderer Wagen entgegen. »Zusammenstoß!« schrie Uli auf. Aber da waren sie auch schon an-

einander vorbei. Erst viel später dämmerte es Uli, daß es sein eigenes Fahrzeug gewesen sein mußte, das er im Spiegel gesehen hatte.

Unerwartet hielt der Wagen jetzt an. Seitlich sprang eine schwarze Tür auf – und ein Gerippe hob grüßend die Hand. Uli kam langsam ins Schwitzen.

Und der Bär, der plötzlich überlebensgroß vor ihm stand, das Gespenst, das auf ihn zuschwebte, der kühle Wind, der ihn anblies, die bizarre Musik, die auf einmal einsetzte, all das ließ Ulis Atem rascher gehen, bis er auf einmal – über ihm tat es einen furchtbaren Donnerschlag – mit seinem Fahrzeug wieder im Zelteingang stand. Hinter ihm schlug die Pendeltür zu. Der Mann an der Kasse lachte, weil Uli noch so aufgeregt war, daß er beinahe den Ausgang nicht gefunden hätte. Aber mit Angst hatte das natürlich nichts zu tun; es kam lediglich daher, daß sich die Augen erst wieder an das helle Sonnenlicht gewöhnen mußten.

Ja, genauso trug es sich zu. Ein paar Wochen später aber war Jahrmarkt in der Kleinstadt, in der Uli wohnte. Und auf dem Rummelplatz – niemand hätte das für möglich gehalten – stellte auch eine Gespensterbahn ihr Zelt auf. Zum erstenmal, denn nicht einmal Ulis Großvater konnte sich erinnern, je einmal dergleichen auf der Festwiese gesehen zu haben.

Ulis Klassenkameraden redeten schier den ganzen Tag von nichts anderem mehr, als von den gruseligen Dingen, die sie mit der Gespensterbahn in Zusammenhang brachten. Und jeder behauptete, sich kein bißchen zu fürchten. Bis Uli sein Ferienerlebnis zum besten gab. Da bekamen sie mit einemmal alle Bedenken ...

Also, als ich in den kleinen Wagen eingestiegen war, ging zunächst alles ganz harmlos zu. Aber kaum war mein Fahrzeug ins Innere des Zeltes verschwunden, da krachte es plötzlich fürchterlich und ein richtiger Funkenregen prasselte auf mich nieder. Das piekte ganz schön auf der Haut, sage ich euch. Man hat noch Tage später die kleinen Brandflecken gesehen! Auf einmal kam ein Neger auf mich zu, der hatte ein riesiges Messer in der Hand, und wie er nur noch drei, vier Schritte von mir entfernt war, da wackelte er so stark mit dem Kopf, daß ihm der vom Hals und in die Hände fiel.

»Da, fang auf!« rief der Neger. »Und wenn du ihn fallen läßt, muß dein eigener Kopf dran glauben!« Und er warf mir seinen Kopf zu.

Ich habe ihn gerade noch auffangen können, denn er warf ihn ziemlich hoch und ich mußte ganz schön springen. Aber auf den Boden kam ich nicht wieder so schnell, denn der war, während ich sprang, mitsamt meinem Fahrzeug weggezogen worden, so daß ich in einer Grube landete. Ich weiß nicht, wie tief sie war, aber ich schätze drei, vier Meter, denn die Matratzen, die mich auffingen, federten ganz schön.

Na, bis jetzt hatte ich mich natürlich kein bißchen gefürchtet. Aber nun begann es richtig unheimlich zu werden. Wenn mich nämlich vorher noch von irgendwoher ein schwacher Lichtschein getroffen hatte, so war es jetzt in der Grube stockfinster. Und – was mir noch viel schlimmer vorkam – es ereignete sich nichts. Gar nichts.

Langsam kamen mir Zweifel, ob dieser Sprung in die Grube überhaupt zum Programm gehörte. Vielleicht war nur ein technisches Versagen daran

Vorsitzende des Fremdenverkehrsvereins war, den Prospekt ihres Reisebüros unter die Nase, deuteten auf eine ganz bestimmte Stelle und sagten: »Na, wo ist denn nun euer Gespenst, von dem ihr hier so großspurig schreibt? Das habt ihr wohl nur so zusammenphantasiert, um uns herzulocken! Denn sonst habt ihr ja gewiß keine Sehenswürdigkeiten zu bieten! Oder ist es vielleicht so, daß eure Angst das Gespenst erfunden hat? Ja, so wird es wohl sein! Ihr fürchtet euch, nachts über die Straße zu laufen, und deshalb habt ihr die Geschichte mit dem Schloßgespenst erfunden!« Genauso sagten die fremden Besucher, und der Bürgermeister konnte nur immer wieder versichern, daß wirklich bis vor kurzem ein Gespenst das Schloß bewohnt habe, und er selber sei höchst betroffen, daß es sich seit einigen Wochen nicht mehr zeige.

Einmal saßen ein paar Fremde über die Polizeistunde hinaus im Wirtshaus beisammen und redeten wieder über das Gespenst, das gar nicht existiere, als das Moorgespenst des Weges kam. Neugierig wie Gespenster bisweilen sind, trat es unter das beleuchtete Fenster und hörte dem Gespräch eine Weile zu. Na, und so erfuhr das zweitausend Jahre alte Gespenst die ganze Sache. Ach, es tobte trotz seines Rheumatismus. »So geht das nicht weiter!« ächzte es. »Wir brauchen Ersatz! Warum schicken wir denn nicht unser kleines Gespenst? Schließlich sitzt das schon eineinhalb Jahrhunderte an unserem Tisch! Jetzt soll es auch einmal den Ernst des Gespensterlebens verkosten und arbeiten!«

Durch Sippenbeschluß wurde das kleine Gespenst von heute auf morgen für das ganze Schloß verantwortlich. Es gab sich auch die größte Mühe – aber es schien ihm alles danebenzugehen. Schon in der ersten Nacht.

Es rannte, mit der alten rostigen Kette beladen, die der Burgschmied vor sechshundertzwanzig Jahren angefertigt hatte, über den Schloßhof, da sah es Licht hinter einem Fenster im Erdgeschoß. Neugierig schaute das kleine Gespenst in die Stube und erkannte, daß sich drinnen die Frau des Schloß-verwalters um ihr Kind bemühte, das eine ersten Zähne bekam und des-halb fürchterlich schrie.

Das kleine Gespenst verspürte Mitleid und überlegte, wie es helfen könnte. Aber so sehr es auch nachdachte, es fiel ihm nichts ein. Mittlerweile schien sich der Knirps im Zimmer beruhigt zu haben und – plötzlich war er eingeschlafen.

Das kleine Gespenst lächelte zufrieden und wollte weitergehen, als ihm plötzlich seine Kette einfiel. Ach, wie würde die klirren, wenn es nun die Treppe hinaufschlurfte! Der kleine Junge im Zimmer würde gewiß wieder aufwachen und seine Zahnschmerzen von neuem spüren! Und dann müßte wieder die Mutter kommen und – nein, das durfte nicht sein. Das kleine Gespenst schüttelte den Kopf und dachte wieder nach. Und diesmal kam ihm ein Einfall. Es ließ die Kette im Hof liegen, schwebte schnell in den hintersten Schuppen, holte sich einen Eimer Wagenschmiere und begann, die alte rostige Kette dick einzufetten.

Als es eine Weile darauf die Treppe hinaufschwebte, zog es die Kette wie eine stumme Schlange hinter sich her, so geräuschlos glitten die einzelnen Glieder über die Stufen.

Nach Mitternacht wurde die Kette allerdings von einem anderen Gespenst benötigt, das an der Brücke zu spuken hatte. Und da kam es heraus, was das kleine Gespenst getan hatte.

»Wie kannst du nur unsere einzige Kette kaputtmachen!« schrie das alte Gespenst erbost. »Jahre werden wir brauchen, bis die Kette wieder ordentlich verrostet ist! Du bist wirklich ein Gespenst, das zu nichts taugt!«

Am nächsten Abend wollte das kleine Gespenst es besser machen. Es zog seine Kette die Treppe hinauf, daß sie bald links, bald rechts an das Gemäuer schleuderte. Aber der kleine Junge im Zimmer hatte keine Zahnschmerzen mehr, und seine Eltern schliefen ebenfalls ungestört weiter, denn sie waren den Lärm der Kette schon seit vielen Jahren gewöhnt.

Als das kleine Gespenst in dieser Nacht im Turm ankam, um die Fensterläden auf- und zuzustoßen, weil das so ein schaurig-schönes Geräusch gab, entdeckte es plötzlich eine ganz kleine Eule. Die saß ganz allein unter einem Balken; die Euleneltern waren auf Futtersuche geflogen.

Das kleine Gespenst kauerte sich dem Eulenkind gegenüber auf die staubigen Speicherbretter und schaute es aufmerksam an. Dabei entdeckte es, wie das Eulenkind fror. Es zitterte, so fror es im kühlen Nachtwind, der zu den offenen Fenstern hereinwehte.

Da schlich das kleine Gespenst voll Mitleid an die Fenster und machte alle Läden zu. Das Eulenkind legte den Kopf schief auf die Schulter und zitterte kein bißchen mehr.

Ja, aber die Euleneltern konnten nun nicht mehr in den Turm zurückfliegen! Sie mußten sich schließlich durch eine Dachluke, wo der Sturm ein paar Schieferplatten weggerissen hatte, hindurchzwängen und beschwerten sich deshalb bei dem alten Gespenst.

So kam es also wieder heraus, was der kleine Spukgeist aus Mitleid angestellt hatte. »Ein Gespenst mit Mitleid taugt nichts!« schrie das Gespenst, das schon über zweitausend Jahre alt war und das starke Gliederreißen hatte. »Ich möchte nur wissen, wem du das abgeschaut hast! Mitleid! So eine Untugend für ein rechtschaffenes Gespenst!«

Das kleine Gespenst schluckte schwer und beschloß, sich künftig wirklich wie ein ordentliches Gespenst zu betragen.

Der nächste Tag war der dreizehnte im Monat! Laut Gespenster-Terminkalender mußte an diesem Tag der Blutfleck in der Bibliothek des Schlosses erneuert werden. Nun konnte das kleine Gespenst alles – nur kein Blut sehen. Und das legte seinem Eifer ziemlich die Zügel an. Aber nach einigem Nachdenken entdeckte es einen Ausweg.

Flugs rutschte es an der Dachrinne in den Schloßhof, hüpfte in den hintersten Schuppen, wo es neulich neben der Wagenschmiere rotes Bohnerwachs entdeckt hatte, und schleppte den ganzen schweren Kübel hinauf in die Bibliothek. Und dann strich es dort, wo der Blutfleck im Parkett unter den vielen Schuhen der Besucher schon ziemlich verblaßt war, eine kleine Fläche mit rotem Bohnerwachs ein.

»Das sieht genauso gut aus wie echtes Blut«, nickte das kleine Gespenst sich selber zu (Gespenster können das) und vergrößerte die Fläche noch ein wenig. Dann trat es ein paar Schritte zurück und betrachtete kritisch das Werk aus dem Blickwinkel der Schloßbesucher.

»Die Ränder sind noch zu glattgezogen«, stellte das kleine Gespenst fest und brachte noch etwas rotes Bohnerwachs an den Rändern an. Dadurch wurde die eingewachste Fläche ein Stück größer. Wieder erhob sich das kleine Gespenst, und wieder hatte es etwas an seinem Werk auszusetzen und – wie hätte es anders sein können – wieder vergrößerte sich die eingewachste Fläche des Parketts um ein gutes Stück. Als es schließlich ein Uhr schlug, war der Wachskübel halb leer und der ganze Fußboden in der Bibliothek säuberlich eingewachst. So gleichmäßig übrigens, daß man nicht einmal mehr erkennen konnte, wo früher der berüchtigte Blutfleck gewesen war.

Jetzt wurde es dem kleinen Gespenst doch ein wenig sonderbar zumute. »Wenn das nur gut geht«, seufzte es und wollte mit dem halbleeren Wachskübel aus der Bibliothek verschwinden.

Aber unter der Tür stand das alte, das zweitausendjährige Gespenst, jenes mit dem Gliederreißen. Es hatte sich mühsam die Treppen heraufgeschleppt, um das kleine Gespenst zu kontrollieren. Als es nun sehen mußte, daß der Blutfleck, der vierhundert Jahre ununterbrochen in der Bibliothek gezeigt worden war, spurlos durch das rote Wachs ausgelöscht war, bekam es einen Wutanfall. »Hinweg mit dir!« schrie es das verschüchterte kleine Gespenst an. »Aus dir wird in zehntausend Jahren kein richtiges Gespenst werden! Schau, daß du weiterkommst oder –«. Es wußte nicht, welche Drohung es ausstoßen sollte, und knirschte darum mit den Kieferknochen; Zähne hatte es bei seinem Alter nämlich keine mehr.

Da rannte das kleine Gespenst wie um sein Leben. Es rannte zum offenen Kamin, schwebte schnell den Schornstein hinauf, traf dort das Eulenkind, das inzwischen so groß geworden war, daß ihm der Nachtwind nicht mehr schadete, und ließ sich von ihm zum Dorf tragen.

Und dann saß es also auf dem Eisengitter, das den Friedhof umgab, und weinte. Und seine Tränen waren groß. Wo sie hinfielen, entstand eine Wasserlache. Bei jedem neuen Tränentropfen, der in die schwarze Lache fiel, gab es einen leisen Knall. Bei Gespenstertränen ist das so. Aber je größer und dunkler die Lache wurde, desto winziger und heller wurde das kleine Gespenst. Und auf einmal war es überhaupt nicht mehr da.

Dafür saß jetzt eine Nachtigall auf dem Gitter und sang. Sie sang sehr schön und so laut, daß der Schloßverwalter oben auf dem Schloß überm Dorf es noch hörte. Er machte das Fenster ganz weit auf, und seine Frau trug das Büblein, das wieder einmal wegen der Zahnschmerzen nicht einschlafen konnte, ans Fenster und sagte: »Horch, eine Nachtigall!« Und das Bübchen lauschte, ohne noch einmal zu weinen, so lange, bis es auf den Armen seiner Mutter eingeschlafen war.

Die Natur als Post

Tausend Kilometer lang ist der Weg von Nubien bis ans Mittelmeer. Die Wasser des Nil gehen diesen Weg ohne Ermüdung. In das leise Schlagen der Wellen aber mischt sich allenthalben das Seufzen der Schadufs, der Ziehbrunnen, die – manchmal nur auf Steinwurfweite voneinander entfernt – an beiden Ufern stehen.

Seit Menschengedenken seufzen diese Brunnen, die schmucklos und schief wie verkrüppelte Bäume vor dem dunklen Teppich des verschlammten Bodens oder, weiter zum Scheitel des Dammes hin, vor dem hellen Vorhang eines strahlenden Himmels stehen.

Jahrtausendealt ist auch der Griff, mit dem der Fellache den Wassersack aus Ziegenhaut aus der Tiefe holt, unterstützt von dem Gewicht eines Klumpen Nilschlammes am kurzen Hebelarm.

Jahrtausende hindurch das gleiche Bild – und immer gespenstisch und schön!

Originalauszug aus einem Fahrtenbuch:

»Endlich ein frisches Gerippe!«

Keiner wußte recht, was eigentlich geschehen sollte. Auf Schleichwegen näherten wir uns der Burg unserer Stadt. Aus der Nacht tauchten vor uns die Umrisse eines Turmes auf, der uns mit seinen Kanonenlöchern wie aus hohlen Augen anstarrte. In diesen Turm stiegen wir hinein.

Unser Gruppenhäuptling zündete eine Kerze an. »Wenn der Eulenschrei ertönt, dann geht der Tanz los!« hörten wir. Und dann mußte sich jeder einzelne auf den Weg machen. Es sollte eine Mutprobe sein, und sie wurde uns wahrlich nicht leicht gemacht.

Die letzte Szene auf dem langen Marsch war die Begegnung mit zwei »Geistern«. »Endlich ein frisches Gerippe!« schrie der eine, und der andere packte mich. Aber dann ließen sie mich wieder los und führten mich in einen Nebenraum, wo sich nach und nach lachend und übermütig die ganze Gruppe einfand . . .

Hier hat die »Mutprobe« offenbar geklappt. Aber oft genug geht es nicht ohne Zwischenfälle ab. Manchmal kommt sogar eine wirkliche Gefahr hinzu. Deshalb sollte man mit Mutproben siebenfach vorsichtig sein und auf keinen Fall die Umsicht zu Hause lassen. Und von Mutproben, die mit Gruselszenen verbunden sind, sollte man ganz die Hände lassen. So wenig wir Gespenstergeschichten erzählen, deren Ende nicht eine einsichtige oder gar fröhliche Erklärung bringt, so wenig sollten wir jemandem Aufgaben stellen, die mit wirklichem Erschrecken verbunden sind. Wenn erst einmal einer Schaden genommen hat, kommt alle Einsicht zu spät.

Schergen-Toni und die anderen

Erst als sie näher kamen, erkannten sie, daß die Burg, die von weitem wie eine Ruine aussah, zum größeren Teil noch erhalten war. Einer der früheren Besitzer hatte sie zu einem Museum umgewandelt, und eine ältere Dame führte die Besucher willig durch die einzelnen Räume. Sie trug ein weißes Spitzenhäubchen und einen Ledergürtel mit dem notwendigen Schlüsselbund und sah aus, als wohne sie schon seit der Zeit der Raubritter auf dieser Burg.

Auf die Jungen, die ihr Zeltlager am Fuß der Burg aufgeschlagen hatten, machte den größten Eindruck nicht die Bibliothek mit den alten, in Schweinsleder gebundenen Folianten, auch nicht der Rauchsalon mit der »zweitgrößten Pfeifensammlung des Landes«, auch nicht das Jagdzimmer, wo man über alte Vorderlader und Sau-Spieße streichen konnte, sondern – das Sagenzimmer.

Dort waren die Ausrüstungen von Wilderern zu sehen und die Schwerter, mit denen sich auf der Burgwiese eines Nachts zwei Geister duelliert haben sollen, und es hingen an allen vier Wänden riesige Ölgemälde, wirkungsvolle Illustrationen zu allerlei Geschichten, die in der näheren Umgebung der Burg in Umlauf waren.
Die größte Fläche nahm das Bild vom Schergen-Toni ein, einem Scharfrichter aus einem früheren Jahrhundert, wie er »sechsspännig zum Teufel fährt«, weil er in seinem Beruf so unglaublich hartherzig und grausam geworden war . . .

Als die Jungen an diesem Abend beisammensaßen, gab es nur ein Thema. Und das Lagerfeuer brannte noch lange mit roten Flammen in den nächtlichen Himmel hinein.

Die erweiterte Runde:

Von Grimm bis Kipling

»Und als er so saß«, erzählte die Großmutter, »da wollten ihm die Augen nicht länger offenbleiben und er bekam Lust zu schlafen. Da blickte er um sich und sah in der Ecke ein großes Bett. Das ist mir eben recht, sprach er und legte sich hinein. Als er aber die Augen zutun wollte, fing das Bett von selbst an zu fahren und fuhr im ganzen Schloß herum...«

»Und ist ihm auch diesmal nichts passiert?« fragte einer aus der Schar der Enkel, die sich um die Großmutter drängten.

»Hört nur weiter«, lächelte die Großmutter und erzählte das Märchen von Grimm zu Ende, in dem die Gespenster so zahlreich sind, daß sie sich jede Nacht abwechseln können: das Märchen von einem, der auszog, das Fürchten zu lernen.

Wer den Jungen so in seine Lektüre vertieft gesehen hätte, würde nie auf den Gedanken gekommen sein, daß er einen Band aus der Reihe der Klassiker vor sich liegen hatte. Eben las er, wie der verwegene Türmer einem der tanzenden Totengerippe das Totenhemd entwendete. Und nun kletterte das Gespenst an den gotischen Türmchen und Wasserspeiern höher, von Zinne zu Zinne. »Es ruckt sich von Schnörkel zu Schnörkel hinan, langbeinigen Spinnen vergleichbar.« Schon faßt die knochige Hand durchs kleine Fenster – da schlägt die Glocke vom Turm einmal: Die Geisterstunde ist vorbei. Das Gerippe fällt kraftlos den Turm herunter und zerschellt. Der Türmer aber, von dem uns kein Geringerer als Goethe in seinem »Totentanz« erzählt, ist gerettet.

Viele Schlösser Europas haben ihre »Weiße Dame«. Bisweilen ist es auch eine »Graue« oder eine »Schwarze Frau«, die zu dem jeweiligen Haus ihre besondere Beziehung hat. Man spricht von ihr in Ansbach und Bayreuth, in Darmstadt und in Mannheim; sie ist in den Hohenzollernschlössern und in den Burgen in Schottland zu Gast.

Der österreichische Dichter Franz Grillparzer schrieb 1817 ein Drama, in dem eine Weiße Frau eine große Rolle spielt. Das Stück heißt »Die Ahnfrau« und machte den Dichter über Nacht berühmt.

Eine einfallsreiche Gespenstergeschichte hat der Engländer Oscar Wilde uns aufgeschrieben. Hauptperson der Handlung ist das Gespenst des Schlosses Canterville, ein seit mehr als drei Jahrhunderten umherirrender Geist, dessen Selbstbemitleidung sich oft genug in bösartige Rachsucht verwandelt. Die einstigen Schloßbewohner besaßen Sinn für Tradition und hatten deshalb das Gespenst zwar nicht gerade respektiert, aber doch kritiklos hingenommen. Als jedoch eines Tages die amerikanische Familie Otis das alte Schloß samt Wirtschafterin und Hausgespenst übernimmt, ändert sich die Lage vollkommen.

Schon bald nach dem Einzug der neuen Schloßherren erscheint Sir Simon Canterville in altertümlichen Gewändern und klirrt mit einer Kette. Aber die amerikanische Familie ist weit davon entfernt, sich erschrecken zu lassen. Man überreicht dem Spukgeist eine Flasche Öl, damit er seine Kette einschmieren könne. Die Kinder schießen mit Pfeilen nach ihm und schütten ihn voll Wasser, ja der älteste Junge baut eines Tages aus Bettüchern, Kürbis und Besenstiel so etwas wie ein »Gegengespenst«, das den alten Simon Canterville gräßlich erschreckt.

Er versucht es nun mit seinen alten Tricks und erscheint bald als »Graf ohne Kopf«, als »Jonas der Grablose«, als »Kühner Ruprecht« und als »Martin der Verrückte« – aber er hat keinen Erfolg. Ja, eines Tages, als das Gespenst es mit furchtbarem Stöhnen und gräßlichem Gelächter versucht, überreicht ihm die unerschrockene Hausfrau – Beruhigungstropfen! Da ist es mit seiner Fassung vorbei. Doch nun kommt die große Stunde von Virginia, der sanften Schwester der beiden Lausbuben. Sie hat dem Gespenst nie etwas zuleide getan und erlöst es schließlich durch ihre reine Hilfsbereitschaft. Man findet das Skelett jenes Simon Canterville und begräbt es, und fortan herrschen Ruhe und Frieden im Schloß.

Auch Kipling, von dem die bekannten Dschungelbücher stammen, erlebte einmal eine Gespenstergeschichte mit allem Drum und Dran. Er war in einem der kleinen einfachen Unterkunftshäuser eingekehrt, wie sie die indische Regierung an den Straßen errichtet hatte. Da er der einzige Gast war, staunte er nicht wenig, als er plötzlich nachts aus dem Nebenraum unverkennbar die Geräusche hörte, wie sie beim Billardspielen entstehen.

Dabei wußte Kipling, daß das Nebenzimmer so winzig war, daß man nicht einmal einen Billardtisch hätte hineinstellen können!

Am nächsten Morgen sprach er mit dem Hausverwalter darüber, und der wußte zu berichten, daß das Unterkunftshaus tatsächlich einmal ein Billardsaal gewesen war, später aber in verschiedene kleine Räume aufgeteilt wurde.

Eigenartig, sagte sich Kipling. Aber wie er noch so darüber nachdachte, wie sich frühere Begebenheiten in der vergangenen Nacht plötzlich wiederholen konnten, hörte er das bekannte Geräusch von neuem. Also mitten am Tag.

Er stürzte in das Nebenzimmer und – wurde Zeuge eines seltsamen Schauspiels: Eine junge Ratte lief ruhelos auf einem quergespannten Tuch hin und her, und ein Fensterrahmen schlug im Wind in gemessenen Zeitabständen gegen die Versperrung. Diese beiden Geräusche aber hörten sich genauso an, als würden Kugeln rollen und aufeinanderprallen.

Das alte Schloß . . .

. . . war umgebaut worden. Ein Besucher, der es noch von früher her kannte, kam aus dem Staunen nicht heraus. »Ist eigentlich das Gespenst noch da?« fragte er schließlich. »Wir haben es als kleine Jungen doch mehrmals die Treppe herunterschleichen hören, und dann hat es in der Küche wüst mit Kochtöpfen und Deckeln geklappert! Aber ich glaube fast, in einem so modernisierten Schloß hält sich kein altes Gespenst mehr . . .«

»Und ob!« widersprach ihm da lachend der Hausherr. »Der alte Spukgeist ist schon noch da! Nur hat auch er sich etwas umgestellt. Wenn er zum Beispiel vom Dach ins Erdgeschoß herunter will, benutzt er nur noch den elektrischen Aufzug, und in der Küche geht er jetzt einfach an den Radioapparat und schaltet moderne Schlagermusik ein!«

Anleihe bei unseren Dichtern:

Der Reiter im Nebel

»Oh, schaurig ist's, übers Moor zu gehn, wenn es wimmelt vom Heiderauche, sich wie Phantome die Dünste drehn und die Ranke häkelt am Strauche...« So beginnt Annette von Droste-Hülshoff ihr Gedicht »Der Knabe im Moor«, und das wäre doch eine großartige Einleitung für eine Gespenstergeschichte! Aber es ist auch wirklich so etwas Ähnliches: Dem Jungen, den der Schulweg übers Moor führt, begegnen »der gespenstische Gräberknecht, der dem Meister die besten Torfe verzecht«; die »unselige Spinnerin, die gebannte Spinnlenor', die den Haspel dreht im Geröhre«, dann »der Geigenmann ungetreu, der diebische Fiedler Knauf, der den Hochzeitsteller gestohlen«, und schließlich »die verdammte Margret«, und die ruft: »Ho, ho, meine arme Seele!«
Wir ahnen schon, daß es nur die Angst ist, die dem Schulkind im Moor allerlei Gestalten vortäuscht, aber wir verstehen den Jungen auch gut, wenn es am Schluß, als er endlich aus dem Moor draußen ist, von ihm heißt: »Tief atmet er auf, zum Moore zurück noch immer wirft er den scheuen Blick: Ja, im Geröhre war's fürchterlich, oh, schaurig war's in der Heide!«

Den »Erlkönig« von Johann Wolfgang von Goethe kennt fast jeder. Der kleine Junge, den der Vater da vor sich auf dem Pferd hält, fürchtet sich schrecklich, und wenn ihn auch der Vater beschwichtigt, es sei nur ein Nebelstreifen, so glaubt er doch den Erlkönig zu sehen; sogar Krone und Schweif will er erkennen. Und wenn der Vater beruhigt, daß die fremden Geräusche nur daher rühren, daß der Wind in dürren Blättern säuselt, so vermeint der Knabe, richtige Worte zu verstehen, von »Du liebes Kind, komm, geh mit mir!« bis zu »Und bist du nicht willig, so brauch' ich Gewalt«.

Das Entsetzen des Knaben wird schließlich zu groß; selbst »dem Vater grauset's, er reitet geschwind, er hält in den Armen das ächzende Kind, erreicht den Hof mit Müh und Not; in seinen Armen das Kind war tot.«

Da gibt es dann aber auch noch ein anderes Gedicht von einem Reiter im Nebel, und du kannst dich ganz gut in die Rolle hineindenken, wenn du durch den dichten Nebel reitest und plötzlich gewahr wirst, daß du schon so lange niemanden und nichts mehr gesehen hast: keinen Menschen, kein Haus, nicht einmal einen Baum.
Und nun hältst du Ausschau, ob du nicht doch bald irgendwo wenigstens den Schatten eines Gegenstandes, wenn schon nicht den eines Menschen, erblickst. Aber nein, nichts! Du reitest und reitest, und es ist, als würde der Nebel dich gespenstisch begleiten und alles vorher zur Seite räumen. Du reitest schneller; die Angst faßt nach deinem Herzen – und dann endlich siehst du einen Strauch, einen Baum – und schließlich auch Häuser, Menschen! Aber die schauen dich alle so sonderbar an. Und jetzt sprechen sie, und ihre Mienen verraten Entsetzen. Sie deuten nämlich auf den Weg hinter dir und sagen, daß du direkt über den See, den zugefrorenen See hergeritten kamst . . .

Weniger bekannt ist die »Roggenmuhme« von Jakob Loewenberg. Sie lauert einem kleinen Mädchen auf, das sich, obschon es ihm verboten war, weit ins Getreidefeld hineingewagt hat, um Kornblumen und Mohn zu pflücken. Die Roggenmuhme wird beschrieben, daß man sich beinahe schon beim Lesen fürchtet: »Sie kommt heran auf Windesfahrt, die roten Augen blitzen, gelb ist die Wange, langstachlig ihr Bart, die Haare sind Ährenspitzen.«
Verständlich, daß das Mädchen die Flucht ergreift. »›Fort, fort zur Mutter! Das Korn nimmt kein End'‹, vergebens will es entwischen, die Roggenmuhme dicht hinter ihm rennt, die Ähren höhnen und zischen. Schon fühlt es, wie ihr Arm es umschlingt. ›Erbarme dich mein, erbarme!‹ Dort ist der Rain. ›O Mutter!‹ – Da sinkt das Kind ihr tot in die Arme.«

Entdeckungen im alten Schloß:

Weberknechte und Fledermäuse

Scheppernd schlug die Kirchturmuhr, die schon in so vielen Gespenstergeschichten die Mitternachtsstunde geschlagen hatte, das zwölfte Mal. Der
Mond hatte sich rechtzeitig ein paar Dutzend Wolken gemietet, die nun
– der dauernden Wiederholung wohl ein wenig müde – vertragsgemäß
an ihm vorbeischwebten und einen Gutteil des silberhellen Lichtes schluck-
ten. Man sollte freilich noch etwas sehen von dem alten Schloß, aber bei-
leibe nicht zuviel.
Dieses Schloß lag in einem geradezu idealen Spukgelände. Es war schier
alles vorhanden, was sich ein Gespensterherz wünschen konnte: dunkler
dichter Tannenwald, aber auch ein paar im Wind knarrende Föhren; ein
Stück Moor, von dem die Sage ging, daß in früheren Zeiten schon einmal
die Bevölkerung eines ganzen Dorfes eine Nacht lang darin umhergeirrt
sei; aber auch die steinerne Schlucht mit wildaufgetürmten, scharfkantigen
Felsen fehlte nicht und auch nicht der Weiher, den man passenderweise
Rote Lache nannte. In der Heimatkunde der nahen Dorfschule wurde der
Name in Zusammenhang mit einer dort zu Tausenden wuchernden roten
Blume gebracht, aber nachts und erst recht in einer gespenstischen Mitter-
nachtsstunde denkt man bei dem Namen Rote Lache natürlich gleich an
Blut.
An den Mauern vor dem alten Schloß bewegte sich etwas. Ein dunkler
Schatten. Leise Geräusche, als würde in der Ferne ein Kind durch die Dunkelheit tappen. Unser Scheinwerfer blitzt auf – aber was er so plötzlich
aus der Finsternis herausreißt, sind nur ein paar Kröten, die jetzt erschrok-
ken verharren, bis wir die Lampe wieder ausschalten. Da hüpfen sie weiter, und es hört sich wirklich so an, als würde ein Kind in der Ferne durch
die Dunkelheit tappen, Schritt für Schritt, zögernd, und ganz unregelmäßig.

Aber dort im Innenhof, am Brunnen, da ist wieder eine Bewegung! Doch erneut stellt sich heraus, daß es ein Tier ist, ein harmloses und nützliches Tier. Ein Feuersalamander, der gewissermaßen Brunnendienst hat, denn er sorgt für die Reinlichkeit in den Brunnen des Schlosses. Wir stören ihn nicht lange, denn wir wollen ihn nicht erst reizen, damit er uns nicht aus seinen Hautdrüsen den scharfen Saft entgegenspritzt.

Im Schloß steigen wir zuerst einmal in den Speicher hinauf. Wir bücken uns freiwillig recht tief, denn wir haben erfahren, daß hier der Schlafsaal einiger Fledermäuse ist. Und wenn wir auch nicht das Märchen glauben, daß Fledermäuse sich unlösbar ins Haar verkrallen würden – uns ist es doch lieber, wenn wir sie ungestört baumeln lassen können, sorgsam zugedeckt von ihren eigenen Flügeln.

Die Schloßbibliothek suchen wir besonders sorgfältig nach Gespenstern ab, denn dort sollen sie ja am liebsten spuken. Aber wir finden keinerlei Lebewesen – oder doch: Einen Bücherskorpion entdecken wir. Das ist ein winziges Tier, das Ähnlichkeit mit einem Krebs hat und auch tatsächlich seitwärts und rückwärts laufen kann. Für die Milben, die das Papier zerstören, gibt es da wirklich schreckliche Begegnungen, denn der Bücherskorpion frißt diese Schädlinge auf. Er ist also »der gute Geist« einer alten Bücherei. Wenn wir von unserer Entdeckungsfahrt heimwärts ziehen, scheint bereits die Sonne warm auf die Mauern. Und da erblicken wir nochmals Schloßbewohner, die uns für den ersten Augenblick gespenstisch vorkommen, bis wir mehr von ihnen und ihrer Lebensweise erfahren. Es sind Weberknechte, die in einer ganzen Kolonie zusammenhocken und schädliches Ungeziefer vernichten. Sie sehen mit ihren langen Spinnenbeinen beinahe wie Unkraut aus, wenn sie so beisammen sind. Wir verbeugen uns lachend vor ihnen, denn sie tragen das Ihre dazu bei, daß das Ungeziefer im alten Schloß nicht überhandnimmt.

Ja, ein altes Schloß ist interessant, auch wenn es nicht mit einem »gruftlosen Grafen« aufwarten kann!

Gespenstergeschichte als Gruppenbeitrag:

Studio I gegen Studio II

Da tragen die einzelnen Rundfunkstationen mitunter recht spannende, lustige Wettkämpfe aus. Von einem Schiedsrichter werden ihnen bestimmte Aufgaben gestellt, die sie nach den gegebenen Bedingungen in festgesetzter Zeit erfüllen müssen. Wenn ich Sendeleiter wäre, würde ich einmal den Vorschlag einbringen, eine solche Sendung unter das Stichwort »fröhliche Gespensterei« zu stellen.

Da müßte dann etwa auf der nächsten Burgruine eine nächtliche Reportage zusammengestellt werden, oder verschiedene Nachtvögel wären nach ihrem Schrei zu bestimmen. Überhaupt gäbe es sicher ein lustiges Raten, wenn man einfach Geräusche, die nachts im Freien aufgenommen wurden, benennen sollte: etwa das gegenseitige Reiben von Ästen im Laubwald; das Ächzen, das aus einem Wasserhäuschen dringt, wenn die Pumpe sich automatisch ein- und ausschaltet; der Wind, der sich unter dem Brückenbogen fängt. Das Lied einer Nachtigall wäre noch am leichtesten zu erkennen.

Nun könnte man aber »Studio I gegen Studio II« auch einmal zum Gesellschaftsspiel daheim oder in der Gruppe wählen. Etwa so, daß der eine den Ort bestimmt, der zweite die Zeit, der dritte ein Geräusch, das vorkommen soll, der vierte einen Satz, der im Laufe der Geschichte wörtlich eingeschoben werden muß. Einer übernimmt dann die Aufgabe, die entsprechende Gruselgeschichte zusammenzufabulieren.

Da wird dann schon allerhand verlangt: ein gutes Gedächtnis, eine sprühende Phantasie und auch die Gabe, spannend zu erzählen. Das alles fällt einem nicht in den Schoß; mit fröhlichen Gespenstergeschichten kann man sich aber ganz gut trainieren . . .

Das erste Beispiel:

»Aber das ist ja Blut!«

Edgar meint, der Ort der Handlung soll das Innere eines Lastwagens sein. Franz schlägt als Zeit, in der die Geschichte spielen soll, eine späte Abendstunde vor.

Werner ist zunächst ein bißchen verlegen, weil er die Personen zu bestimmen hat. Aber dann meint er: »Na, wie wäre es mit den folgenden beiden: Schornsteinfeger und Theaterregisseur?«

Willi denkt kurz nach, dann sagt er: »Folgende Geräusche sollen vorkommen: Ein lauter Aufschrei ›Hilfe!‹. Ferner hörbares Zähneklappern. Und schließlich ein dumpfer Aufschlag – oder noch besser deren zwei!«

Oskar: »Und ich wünsche, daß die Geschichte folgenden Satz enthält – hört gut zu: ›Aber das ist ja Blut!‹«

Alfons hat die schwere Aufgabe übernommen, aus all dem, was die einzelnen an »Zutaten« mitgebracht haben, nun eine anständige Gruselgeschichte zu mixen. Er erzählt, scheinbar ganz unbekümmert, ohne lange nachzudenken:

Die Straßenlaternen brannten schon seit drei Stunden; es war also spät am Abend. Ein Schornsteinfeger, dem man den Feierabend nicht ansah, weil er sich nur innerlich frisch gemacht hatte, schlenderte aus einer Wirtschaft am Stadtrand und machte sich zu Fuß auf den Heimweg. Er wohnte drei Kilometer weiter in einem Dorf.

Die vier Glas Bier hatten ihn ziemlich müde gemacht, und so war er ganz froh, als er hinter sich einen Automotor brummen hörte. Er winkte, und tatsächlich hielt der Fahrer des Lastwagens an und bedeutete dem schwarzen Mann, hinten aufzusteigen. Der Schornsteinfeger sah nicht, ob vorn im Führerhaus schon alle Plätze besetzt waren oder ob ihn der Fahrer nur nicht neben sich haben wollte, aus Angst, er könne selber voll Ruß werden. Oder gab es einen dritten Grund?

Es war eine sternklare Nacht, und deshalb konnte der Schornsteinfeger, sobald sich seine Augen, die den hellen Scheinwerfern ausgesetzt gewesen waren, wieder an die Dunkelheit gewöhnt hatten, im Innern des Lastwagens Einzelheiten erkennen. Da standen verschieden große Kisten herum und – Hilfe! Was lag da? Ein Mensch! Bewegungslos!

Der Schornsteinfeger wollte ihn rütteln, aber er wagte sich nicht zu bewegen. Hörbar klapperte er vor Angst mit den Zähnen. Ob er dem Fahrer klopfen sollte? Aber der mußte ja ohnehin wissen, welche Fracht er fuhr. Vielleicht war der Mensch dort am Boden ohnmächtig? Vielleicht hatte der Fahrer ihn in der Dunkelheit angefahren und dann einfach mitgenommen?

Der Schornsteinfeger fingerte nach seiner Besenkugel. Sonst zielte er damit nach den Kaminöffnungen, aber diesmal warf er sie zu dem am Boden liegenden Menschen hin. Ob der vielleicht doch nur schlief? Dann würde er jetzt bestimmt aufwachen.

Aber die Gestalt regte sich nicht, obwohl der Besen genau auf der Brust gelandet war.

Endlich fand der Schornsteinfeger den Mut, sich zu dem Menschen am Boden hinunterzubeugen. Aber als er die Besenkugel wieder an sich zog, schrak er zusammen: Sie fühlte sich ganz feucht an! Schnell tastete er nach der Brust dessen, der da am Boden des Lastwagens lag – und fühlte wieder eine Feuchtigkeit – Blut?

Als ein schneller Wagen von hinten kam und das Licht der Scheinwerfer in den Lastwagen hineinleuchtete, sah der Schornsteinfeger für Sekunden überdeutlich: Die Kugel und seine Hände und das Hemd dessen, der am Boden lag – alles war rot.

»Hilfe!« schrie der schwarze Mann laut auf und fuchtelte mit den Armen. Aber der Fahrer des schnellen Wagens schien das schon nicht mehr gesehen zu haben, denn er überholte und fuhr mit unverminderter Geschwindigkeit weiter.

Dafür bremste der Lastkraftwagen ab. Jetzt wird er auch mir an den Kragen wollen, entsetzte sich der Schornsteinfeger, und ehe der Wagen noch völlig zum Stehen gekommen war, sprang er ab. Es gab einen dumpfen Aufschlag – oder genauer gesagt – deren zwei. Er war nämlich ein wenig zu sehr nach links gesprungen und purzelte vom Straßenrand in den Straßengraben hinunter. Der war auch ziemlich feucht, aber – der Schornsteinfeger schnaufte auf – nicht von Blut.

»He, Sie, was haben Sie denn?« hörte er da eine Männerstimme rufen. Das mußte der Fahrer sein. Der Schornsteinfeger war wie gelähmt und vielleicht auch ein wenig benommen vom Sprung. Er wagte nicht zu fliehen. »Tun Sie mir nichts, ich habe vier Kinder!« rief er verzweifelt.

Der Fahrer schüttelte den Kopf. Er verstand den Zusammenhang nicht.

Der Schornsteinfeger nahm seinen ganzen Mut zusammen. »Wa-warum«, stotterte er, »warum haben Sie den dort ermordet?«

»Ermordet?« Auf einmal schien der andere zu begreifen. »Herr Maier!« schrie er und winkte den Mann, der eben vom Beifahrersitz herunterstieg, lebhaft heran. »Herr Maier, wenn die Leute bei der Aufführung morgen unsere Puppe auch für einen ›echten Toten‹ ansehen, können wir uns gratulieren!«

Der Schornsteinfeger bekam große Augen. »Eine Puppe?« fragte er tonlos. »Aber woher kommt denn dann das Blut?«

»Blut? Wieso Blut?« schrie Herr Maier, von Beruf Theaterregisseur. »Er wird mir doch nicht . . .« Und er kletterte auf den Wagen hinauf.

Lachend kam er nach einer Weile wieder herunter. »Wir sind Ihnen wohl eine Erklärung schuldig«, sagte er zu dem Schornsteinfeger. »Der vermeintliche Tote ist tatsächlich nur eine Puppe, wie Sie sich selbst gerne überzeugen können. Was Sie aber als Blut angesehen haben, ist eine Art Sirup. In unserem sehr realistischen Theaterstück fließt nämlich in einer Szene Blut. Und da ist dieser Beutel mit der roten Spezialflüssigkeit der richtige Ersatz. Der Beutel, der bereits der Puppe um den Hals gehängt war, muß irgendwie geplatzt sein, so daß sich die Flüssigkeit über die Puppe ergoß und einen perfekten Mord vortäuschte. Na, hoffentlich sind Sie nicht allzusehr erschrocken!« Der Theaterregisseur und der Fahrer lächelten sich heimlich zu, denn der Schornsteinfeger sah wirklich nicht so aus wie einer, der sich nicht gefürchtet hätte.

Der schwarze Mann atmete befreit auf, verriet aber mit keinem Wort, daß er selber es gewesen war, der den Beutel mit »Blut« durch seinen Kugelbesen zum Platzen gebracht hatte.

Zweites Beispiel:

Sie sahen ihn im Kerzenschein

Fips schlägt vor, daß sechs oder sieben Jungen eine Rolle spielen sollen.
Manfred meint, eine winterliche Abendstunde im Jugendheim wäre ein gu-
ter Zeitpunkt für die Gruselszene.
Und Heini will, daß unbedingt ein Sarg in der Geschichte vorkommt.
Alfred aber nimmt folgende Sätze vorweg: »Wer hat denn da nur am Schal-
ter gedreht?« Und: »Ob einer drinnenliegt?«
Alfons besinnt sich eine Weile und erzählt dann:

In der Kleinstadt, in der ich früher wohnte, hatten wir ein Jugendheim,
das hinter der Kirche stand. Diese abseitige Lage bot manchen Vorteil, wie
sich denken läßt; andererseits war es dort abends immer ziemlich dunkel,
denn der Schein der Straßenbeleuchtung reichte längst nicht bis zur Tür.
Ich weiß, daß wir Kleineren deshalb im Winter, wenn es schon frühzeitig
dunkel wurde, immer in Gruppen zum Jugendheim kamen.
An einem Tag, Ende November, hatten wir wieder Heimstunde. Wir waren
zu sechst oder siebt, die wir uns auf dem Kirchplatz getroffen hatten und
nun die paar steinernen Stufen hinauf ins Jugendheim gingen. Gleich rechts
lag unser Gruppenzimmer.
Einer von uns wollte das Licht anknipsen. Wir hörten auch das leise Geräusch der Feder, aber im Raum blieb es dunkel. »Wer hat denn da nur am
Schalter gedreht!« murmelte Bimbo und knipste ein zweitesmal. Wiederum
ohne Erfolg. Der Lichtschalter mußte tatsächlich kaputt sein. Nun, ein
Grund zur Aufregung war das nicht. Wir wußten, daß auf dem Tisch
unsere große selbstgezogene Kerze stand; so würden wir die Heimstunde
eben bei Kerzenschein halten.
Bimbo, der immer Streichhölzer mittrug, fingerte nach der Schachtel, zündete ein Hölzchen an und – ließ es mit einem Aufschrei zu Boden fallen,
so daß es nach einem kurzen Aufflackern erlosch.
»Hast du dich gebrannt?« fragte Ole, der Bimbos Freund war.
Aber Bimbo konnte vor Schrecken nicht gleich antworten. Erst als wir näher
zu ihm hingerückt waren und ihn bestürmten, doch endlich die Kerze anzu-
brennen, begann er zu reden. »Da – da herinnen«, stotterte er, »da herinnen steht ein – ein Sarg!«

Wir wußten nicht recht, ob uns Bimbo nicht vielleicht einen Streich spielen wollte und uns nur ein Schauermärchen vorsetzte. Dennoch wagten wir nicht zu lachen. Vielleicht stimmte es doch, was Bimbo gesehen haben wollte? Ole ließ sich die Streichholzschachtel geben und brannte ein zweites Hölzchen an. Und in diesem Augenblick sahen auch wir den Sarg. Er stand groß und schwarz gleich rechts neben der Tür.

»Ob einer drinnenliegt?« wisperte Otto, der die Kerze in seinen zitternden Händen hielt.

Wir wagten es nicht, den Sarg näher zu untersuchen, sondern zogen uns auf den Zehenspitzen langsam zurück. Als wir dann jedoch die Türe hinter uns geschlossen hatten, rannten wir wie die wilde Jagd davon, quer über den Kirchplatz bis unter den hellen Schein der Laterne beim Pfarrhaus.

Hier sah uns der Kaplan. »Ach«, rief er uns zu, »da fällt mir ein, ihr geht heute am besten in das Zimmer im ersten Stock! In euer Gruppenzimmer hat der Küster nämlich verschiedene Sachen aus der Sakristei getragen, weil diese morgen getüncht werden soll!«

Nun wußten wir Bescheid: Da hatte also der Küster auch die Tumba, die bei Totenmessen im Chor aufgebaut wird, in unser Gruppenzimmer gestellt, und das hölzerne, mit einer schwarzen Decke verhangene Gestell, das wie ein Sarg aussieht, hatte uns Hasenfüße so schnell in die Flucht geschlagen!

Fips hat noch weitere Vorschläge gemacht

... welche Geräuschkulissen man bei einem Wettkampf »Studio I gegen Studio II« auffahren könnte:

Auf dem Ofen, in dem ein Feuer von Buchenscheiten prasselt, liegen Äpfel. Immer wieder platzt an einer Stelle die Schale, zischt der Saft auf der heißen Platte auf, torkelt der Apfel wie berauscht nach links und rechts, bis er wieder festen Stand gefunden hat. Und wieder platzt es und zischt es und torkelt der Apfel und zischt es gleich zweimal ...

Alles im Wohnzimmer ist mucksmäuschenstille. Aber jetzt hört man ein feines Geräusch. Holz knarrt. – Stille. Man hört sogar das leise Flackern der Kerze. – Und wieder jenes seltsame, klopfende Geräusch. Dabei geht alles so harmlos zu! Nur der Holzwurm nagt in den Brettern ...

Es ist, als würde ein Rad sich drehen. Metall berührt Metall. Ein Seufzen. Das kurze Vibrieren einer straffgespannten Kette. Und dazwischen langsam und gleichmäßig das Ticktack – ja das Ticktack einer Turmuhr!

Und noch ein Beispiel:

Die gelbe Hand

Bruno macht es kurz und sagt: »Die beiden Hauptpersonen sollen ein Herr August Müller und seine Frau Isabella sein.«
Adam schließt sich mit der schlichten Feststellung an: »Die Küche!« Und er meint damit, daß die Szene in der Küche von Müllers spielen soll.
Fips lächelt hintergründig, während er fragt: »Könnte nicht einmal eine schwarze Hand vorkommen? Oder nein, eine gelbe, denn schwarze Hände sind ja in den bisherigen Geschichten schon so viele vorgekommen!«
Bruno, der den Satz angeben soll, zuckt bei der Erwähnung der schwarzen bzw. gelben Hand zusammen, sagt dann aber tapfer seinen Satz: »Gib mir mal die Ananas her!«
Na, nun sind wir aber gespannt, was Alfons aus diesen Angaben zusammenbauen wird! Alfons räuspert sich und beginnt:

Bei Müllers fand dieser Tage eine kleine Familienfeier statt. Eine Erbtante war zu Besuch erschienen. Seit zehn Jahren wieder! Da konnte man sich nicht knauserig zeigen, und deshalb sollte es zum Nachtisch Ananas geben. Herr Müller half seiner Frau Isabella in der Küche. Alles war trefflich vorbereitet, nur die Nachspeise mußte aus der Dose in die Glasschüssel geleert werden.

»Gib mir mal die Ananas her!« sagte Frau Müller, und ihr Gemahl reichte ihr die Dose vom Regal herunter. Dann widmete er sich wieder der Suppe, die gerade am Kochen war.

Wenig später ließ ihn ein markerschütternder Schrei erschreckt zusammenfahren. Er sah gerade noch, wie seine Frau zu Boden sank. Die Ananas-Dose war ihren Händen entglitten, und zwischen den Früchten, die in ihrem eigenen Saft am Boden schwammen, gewahrte Herr Müller – welch schreckliche Entdeckung! – eine gelbe Menschenhand.

Beim näheren Zusehen entpuppte sich diese allerdings als gelber Gummihandschuh, den einige Fruchtschnitten und der Fruchtsaft aufgebläht hatten. Acht Tage später – Frau Müller hatte sich längst erholt, Herr Müller hatte bei der Firma wegen der unangenehmen Überraschung protestiert, und die Erbtante war freundlich lächelnd wieder abgereist – kam von der Konservenfabrik ein Entschuldigungsbrief. Es habe sich bei dem Gummihandschuh um einen Handschuh gehandelt, wie ihn die Arbeiterinnen in der Fabrik tragen müßten, wenn sie im Füllraum beschäftigt wären. Wie der Handschuh allerdings in die Dose gekommen sei, wäre nicht mehr herauszubringen. Man möge sich aber die beiden mitgeschickten Ersatzdosen trotz allem recht gut munden lassen.

Ja, auch die Technik . . .

. . . kann die trefflichste Kulisse für Gespenstergeschichten bereitstellen. Wiederum war es Fips, der sich dazu ein paar Ideen aufgeschrieben hat:
Da fängt in einem Redaktionsbüro plötzlich eine Maschine zu summen an und spuckt dann lange beschriebene Papierstreifen aus, ohne daß jemand dabeisteht. Es ist ein Fernschreiber, der Nachrichten von irgendwoher, vielleicht von weither, schnell und zuverlässig ins Zimmer hereinzaubert. Da steht eine große Schreibmaschine. Ein Briefbogen ist eingespannt; du beugst dich darüber und liest den Text, den die fliegenden Buchstabenhämmer entstehen lassen. Du liest, ohne die Sekretärin zu stören. Die ist nämlich derzeit einmal ans Fenster gegangen, um frische Luft zu schöpfen. Aber ihre Schreibmaschine tippt pausenlos weiter. Bis unten zum Datum – dann erst hält sie inne. Die Sekretärin kommt, führt für den beschriebenen Bogen einen neuen, unbeschriebenen, ein, tippt noch die Anschrift, drückt auf einen Knopf an der Seite – und schon rattert die Maschine von allein, schreibt schneller, als es die beste Sekretärin könnte. Hexerei? Ach wo! Hier arbeitet nur ein elektrischer Schreibautomat.
Warst du schon einmal in einer Fernsprechvermittlung? Inmitten der vielen Geräteschränke? Alles ist möglichst staubdicht untergebracht, und eine eigene Klimaanlage sorgt für günstige Luftfeuchtigkeit und Temperatur. Aber wenn du dann um dich schaust und lauschst – überall die kleinen Bewegungen, die leisen Geräusche der Tastaturen. Moderne Hexerei!
An Hexerei glaubten seinerzeit die Leute, als sie die ersten Automobile sahen. Und wir lassen uns von »Fliegenden Untertassen« einen Schrecken einjagen oder lesen wenigstens von ihnen, früh beim Kaffee, und das Marmeladebrot schmeckt hernach besonders gut.

Ein Dutzend saßen beisammen ...

Der gespenstischste Augenblick meines Lebens

Ich flog damals, als mir die unheimliche Sache passierte, als Stewardeß die Strecke London–New York. Wir hatten noch etwa vier Stunden Flugzeit, als mir der Reisende auf dem letzten Passagiersitz so sonderbar vorkam. Er saß da, hatte die Augen zwar offen, lehnte aber ganz steif gegen die Kabinenwand und bewegte sich nicht.

Ich sah ihn, während ich die anderen Passagiere bei ihrem kurzen Imbiß zu Ende bediente, immer wieder verstohlen an, und schließlich wurde es mir zur Gewißheit, daß er einem Herzschlag erlegen sein mußte. Er hatte schon beim Einsteigen eine Bemerkung gemacht, aus der ich nachträglich herauszuhören glaubte, daß ihm das Herz Schwierigkeiten machte.

Als gerade niemand nach mir verlangte, setzte ich mich neben ihn. Ich griff nach seiner Hand und fühlte den Puls. Kein Zweifel – ich saß neben einem Toten.

Wer wie ich so viel Zeit zwischen Himmel und Erde verbrachte, mußte sich mit dem Tod vertraut gemacht haben. Die Luft hat nun einmal keine Balken, und der ausgeklügeltste technische Wunderapparat kann einmal versagen. Ich fürchtete mich auch keineswegs vor diesem Toten im Passagierraum, aber ich hatte ein wenig Angst vor der Reaktion der anderen Fluggäste. »Alles, nur keine Panik aufkommen lassen!« hatte man uns im Unterricht immer wieder eingeprägt.

So blieb mir nichts anderes übrig, als mich immer wieder einmal neben den Toten – dieser Platz war nicht belegt worden – zu setzen, ja ich redete sogar halblaut auf ihn ein, so daß es den Reisenden in der Reihe davor, wenn sie aufmerksam wurden, vorkommen mußte, als wären wir alte Flugbekannte, die Erinnerungen aufwärmten.

Dem Piloten sagte ich zwischendurch Bescheid, und der Funker veranlaßte, daß man am Zielflughafen wußte, daß wir einen Toten an Bord hatten. Von den Passagieren ahnte keiner etwas. Selbst beim Aussteigen bat ich den

Toten, doch Platz zu behalten, bis die anderen ausgestiegen wären, und ich blieb ganz gegen die Vorschrift neben ihm stehen. Noch einmal: Gefürchtet habe ich mich bestimmt nicht, wovor auch! Aber unheimlich waren diese Stunden doch, vor allem, weil ich immer wieder laut mit dem Mann plaudern mußte, der doch in Wirklichkeit tot war.

Für mich war der gespenstischte Augenblick meines Lebens damals, als ich mit einem Freund an einem Wochenende nur eben mal kurz zu einem Ballonflug über unser Stadt gestartet war und wir in tausend Meter Höhe plötzlich von einem so dichten Hochnebel umgeben wurden, daß wir die Orientierung verloren. Zunächst ließen wir uns treiben. Aber nachdem wir es volle sieben Stunden ausgehalten hatten, beschlossen wir, tiefer zu gehen. Als wir Land erkannten, ließen wir langsam Gas ab. Wir kamen gut auf, und das übrige war nicht mehr sonderlich aufregend. Wir waren von einem starken Höhenwind über die Alpen abgetrieben worden. Aber wie gesagt, das war nicht mehr das Unheimliche, sondern unheimlich waren die ersten Sekunden, als wir erkannten, daß wir dem Wetter ganz und gar ausgeliefert waren.

Auch in meinem Leben gibt es eine Szene, die etwas so Unheimliches an sich hatte, daß ich sie nicht mehr vergessen kann. Ich hatte mich damals noch nicht lange in einem Landstädtchen als Ärztin niedergelassen, als ich zu einem Verunglückten gerufen wurde. Der Mann hatte in seinem Neubau an der elektrischen Leitung hantiert und dabei einen Schlag bekommen, der ihn ohnmächtig zusammenbrechen ließ. Eile tat not.
Ich lief also aus dem Wagen, in den Vorgarten hinein, wo der Verunglückte lag. Die Staffelei, auf der er gestanden hatte, lehnte noch an der Lampe am Eingang.
Ich war schon bis auf wenige Meter herangekommen, da richtete sich der Hund des Verunglückten, eine riesige Bulldogge, plötzlich auf und knurrte bösartig zu mir her. Ich fühlte, das Tier würde mir an die Kehle springen, wenn ich noch einen einzigen Schritt wagte.
Ein Nachbar kam. Noch andere Leute kamen. Aber die Bulldogge ließ keinen an den bewußtlosen Mann heran. Sie verteidigte ihren Herrn gegen jeden.
So etwas war mir in meiner Praxis wirklich noch nicht vorgekommen. Dazustehen und zusehen zu müssen, wie die Chancen für den Verunglückten von Minute zu Minute geringer wurden, war furchtbar.

Schließlich sah man keinen anderen Ausweg mehr, als den treuen Hund zu erschießen. Ein Polizist übernahm die undankbare Aufgabe. Und es war die höchste Zeit! Hätten wir nur noch eine Viertelstunde gewartet, wäre dem Mann nicht mehr zu helfen gewesen.

Wenn ihr nach meinem »Gespensteraugenblick« fragt, so steht der für mich fest auf meinem Kalender. Es war vor drei Jahren. Ich wollte auf meiner Farm die Kühe melken. Einhundertzehn gute Milchkühe hatte ich damals. Personal war auch bei uns schon rar, und so hatte ich mir eine elektrische Melkanlage angeschafft. Ziemlich teuer, das Ding, aber an sich eine gute Sache!

Ich hatte die ersten vierundzwanzig Kühe angeschlossen und bediente den Schalter – da stürzten sämtliche Tiere zu Boden. Dreizehn waren sofort tot, die übrigen elf mußten notgeschlachtet werden.

Wie eine Untersuchung ergab, war der Motor defekt gewesen und hatte einen Kurzschluß verursacht. Nun, auch diesen Verlust – die Summe ging über sechzehntausend Mark hinaus – habe ich inzwischen verkraftet, aber das Bild, dieses unheimliche Bild der niederstürzenden Tiere überfällt mich auch heute noch manchmal im Traum.

Ich bin noch jung, und mein Freund, der neben mir sitzt, ist nicht älter. Dennoch haben auch wir recht gespenstische Augenblicke erlebt, und sogar die nämlichen, denn wir waren auch damals beisammen in dem Höhlenlabyrinth des Yorkshiremoores.

Wir waren zu sechst, und unsere kleine Expedition wäre glücklich verlaufen, hätten uns nicht plötzlich Felsstürze und Hochwasser von der Außenwelt abgeschnitten. Unsere Uhren und unsere Ersatzbatterien hatten wir verloren; mit dem Licht unserer Grubenhelme mußten wir sparsam umgehen. Das Wasser ging uns bis an die Knie.

Schließlich trennten wir beide uns von den anderen, um einen Ausgang zu suchen und Rettungsmannschaften zu alarmieren. Aber die waren schon längst am Werk. Mehr als zweihundert Höhlenexperten, Rettungsmannschaften und Froschmänner, so erfuhren wir später, kämpften verbissen um unser Leben. Sie holten uns auch rechtzeitig heraus. Aber jenes Bild, wo wir beisammenstanden: über uns Felsen und unter uns Wasser und ringsum stockdunkle Nacht, die unsere Lampen nur auf wenige Meter erhellten – dieses gespenstische Bild werden wir unser Leben lang nicht vergessen.

Der gespenstischste Augenblick in meinem Leben? Ich brauche nicht lange zu überlegen, denn er hätte mich schier das Leben gekostet, und er ist schuld daran, daß ich vor Jahren meinen Beruf gewechselt habe. Ich mußte ihn wechseln, aber Sie werden gleich erfahren warum.

Damals war ich als Artistin bei einem Zirkus verpflichtet. Mein Künstlername stand auf jedem Plakat. Man spricht nicht gerne von seiner eigenen Leistung, aber ich darf wirklich sagen, daß ich eine gute Artistin war. Ich hatte von klein auf geübt, und ich hatte mich dem Drahtseil ganz verschworen.

An jenem Abend stand ich wieder im Scheinwerferlicht. Das Drahtseil war in fünf, sechs Meter Höhe gespannt. Ich hatte gerade eine schwierige Figur mit voller Wendung hinter mich gebracht und konzentrierte mich auf den nächsten Schritt – da wurde es um mich plötzlich Nacht. Stockfinstere Nacht.

Ich glaube, mein Herz setzte einen Schlag aus. Wenn man aus dem grellen Licht der Scheinwerfer plötzlich ins Dunkel geworfen wird, sieht man auch nicht mehr den leisesten Schatten. Kein Glitzern des Seiles. Nichts. Und ich war schon mitten in der Bewegung eines neuen Schrittes gewesen.

So kam es, daß ich danebentrat. Ins Leere. Ich stürzte in die Arena.

Die beiden Clowns waren die ersten, wie ich später erfuhr, die sich um mich kümmerten, als das Licht wenige Sekunden später wieder anging. Ich selber hatte das Bewußtsein verloren. Ich lag ziemlich lange im Krankenhaus, bis alle Brüche und Quetschungen wieder verheilt waren.

Meinen Beruf habe ich aufgeben müssen, obwohl mein Herz – Sie lächeln jetzt vielleicht – am Drahtseil hing. Aber wenn es einmal nicht gehen will und mir alles so schwer fällt, denke ich an jenen gespenstischen Augenblick plötzlicher Dunkelheit – ja, und dann geht alles wieder viel leichter.

Der gespenstischste Augenblick, den ich je erlebt habe, war mir vor Jahren am Mihara beschieden. Ein wolkenloser herrlicher Sommerhimmel dehnte sich über der Insel, und mehr als tausend Ausflügler befanden sich auf dem Gipfel und an den Hängen des Vulkans, der zu den beliebtesten Ausflugsorten Japans zählt.

Plötzlich hörte man ein fernes Dröhnen, das deutlich anschwoll. Es klang etwa so, als würde die Luft immer mehr von wildjagenden Düsenflugzeugen erfüllt. Plötzliche Erdstöße, stärker und stärker – und jetzt schoß ein Pilz aus Staub, Steinen und Rauch gegen den Himmel, und glühende Lava quoll über den Kraterrand.

Ich weiß nicht, ob die Leute in meiner Nähe geschrien haben; ich weiß es nicht einmal von mir selber. Ich sehe nur immer noch vor mir dieses unheimliche Bild: Alles schien leblos erstarrt zu sein, nur die Unheilssäule wuchs noch immer bedrohlich in den Himmel hinein, tausend Meter hoch, schrieben die Zeitungen am nächsten Tag.

Aber jetzt kam plötzlich Bewegung in die Menschen, und sie rasten talwärts, im Rücken den glühenden Strom der Lava, der unaufhörlich über den Kraterrand quoll. Ich hatte die Kinder an der Hand, von denen immer wieder eines im Lauf zu stürzen drohte. Als uns der Atem ausging, hielten wir ein wenig an. Wir waren erst beim Aufstieg gewesen und daher rasch aus dem Gefahrenbereich gekommen. Aber all die anderen über uns ...

Da hörten wir erneut ganz in der Nähe Dröhnen und Dröhnen. Aber diesmal war es nicht der gespenstische Lärm der Vernichtung, sondern das willkommene Signal der Rettung: Hubschrauber auf Hubschrauber flog an die Hänge heran. Die Maschinen waren von den Flugplätzen in Tokio gestartet und zur Insel Oshima herübergeflogen, um die Abgesprengten, Eingeschlossenen zu bergen.

Es gab, wie man später erfuhr, eine ganze Reihe Verletzter, aber wer selber dabei war, hätte niemals gedacht, daß der unerwartete Vulkanausbruch nicht größere Opfer forderte. Das gespenstische Bild werde ich jedenfalls mein ganzes Leben lang nicht vergessen, und ich sehe den Berg in meiner Erinnerung immer wie durch einen schwefelgelben Schleier.

Jene Stunde, die zu den gespenstischsten meines Lebens gehört, kehrt selbst in meinen Träumen noch manches Mal wieder. Ich hatte auf meiner Pflanzenexpedition eine noch unbekannte Sumpfpflanze entdeckt, von der ich noch einige Exemplare ausgraben wollte. Sie kam nur vereinzelt vor, und ich mußte einen langen Tag mühsam suchen. Aber in meiner inneren Erregung gab ich gar nicht auf die Zeit acht. Erst als ich merkte, daß ich nicht mehr die Richtung wußte, erst als ich auf meiner verzweifelten Suche immer tiefer ins uferlose Gelände geriet und schließlich überhaupt keinen festen Boden mehr unter den Füßen spürte, sah ich meine Unvorsichtigkeit ein. Aber nun war es zu spät.

Schließlich kamen meine eingeborenen Begleiter, die mich suchten, mit Booten und holten mich heraus. Aber die Angst zuvor! Die wünsche ich keinem. Ich glaube, ich habe damals sämtliche Moorgespenster kennengelernt, von denen unsere Dichter erzählen.

Wenn ich behaupte, daß ich den gespenstischsten Augenblick meines Lebens in einem Vergnügungspark erlebte, dann wird jeder denken, mir sei die Geisterbahn nicht gut bekommen. Aber mit der war ich gar nicht gefahren! Ich hatte mich vielmehr auf das Riesenrad gefreut, vor allem wegen der schönen Aussicht. Aber ehe ich sie noch hätte genießen können, trat etwas Unheimliches ein. Das Riesenrad neigte sich plötzlich zur Seite. Es blieb sofort stehen, aber die Neigung war so groß, daß man jeden Augenblick den Einsturz befürchten mußte.

Mit Tatütata war die Feuerwehr schon wenige Minuten später zur Stelle und stützte das Rad ab. Aber bis alle Fahrgäste aus den Gondeln befreit waren, verging doch noch eine mit Angst erfüllte Stunde.

In meinem Leben gibt es mehrere Augenblicke, die gespenstisch genannt werden müßten. An der Spitze aber, meine ich, liegt jene Episode, wo wir im Krieg das deutsche Unterseeboot U-505, das jetzt im Chicagoer Industrie-Museum gezeigt wird, enterten. Die Besatzung hatte das Boot bereits verlassen, und unsere Aufgabe bestand darin, U-505 vor dem Sinken zu bewahren. Es wurde ein dramatischer Wettlauf mit der Zeit. Wir wußten, daß in deutschen Unterseebooten Zerstörungsladungen mit Zeitzünder eingebaut waren, damit kein Boot in Feindeshand fallen könne. Vierzehn Anlagen, gut versteckt, so hatte es unsere Spionage herausgebracht. Dreizehn Zeitbomben fanden wir schließlich, aber von der vierzehnten nicht die Spur. Freunde, das waren kribbelige Minuten! Aber es passierte nichts. Die vierzehnte Anlage war nämlich gar nicht scharf gemacht – doch das entdeckte man erst zwei Wochen später.

Jetzt hört sich das freilich recht harmlos an, aber damals!

Gespenstergeschichte in Telegrammstil:

hausklingel – niemand da – wieder klingel – wieder niemand da – einbrecher? – suche – mit besen bewaffnet – läutet – niemand da – gespenster? – plötzlich schulkenntnisse: vielleicht kurzschluß? – tatsächlich! leitung läuft hängelampe entlang – kommt durch gehen ins schaukeln – läutet schon wieder – aber keine gespenster!

Gespielte Gespenster

»Kennt ihr schon die Sache mit der Geisterzahl?« Edgar fragte es, und als wir alle verneinten, führte er uns den gespenstischen Trick gleich vor.

Aus einer Mappe nahm er eine beiderseits unbeschriebene Schiefertafel heraus, zeigte sie vor und wickelte die Tafel dann in einen Bogen Zeitungspapier. Wir sollten ihm nun eine zweistellige Zahl zurufen; diese würde dann, behauptete er, auf der Tafel erscheinen.

Und die Zahl erschien auch tatsächlich, so daß unser Gespenster-Unglaube für einen Augenblick ins Wanken geriet. Aber dann ließ uns Edgar hinter die Kulissen schauen und wir entdeckten den Trick.

Während wir Zuschauer uns nämlich leise über die Zahl besprachen, hielt Edgar die Tafel mit beiden Händen weit von sich gestreckt. Als wir uns schließlich geeinigt hatten und ihm »siebzehn« zuriefen, schrieb er mit dem linken Daumen die erste Ziffer, also eins, mit dem rechten Daumen die zweite Ziffer, nämlich sieben auf die Rückseite der Tafel. Für den Zuschauer war das nicht zu bemerken. Nun hatte er aber das Zeitungspapier vorher an der Stelle, die auf die Rückseite der Tafel zu liegen kommt, mit Schulkreide fest eingerieben. Als wir das erfahren hatten, war es für uns natürlich kein Geheimnis mehr, wieso die erwünschte Zahl auf der Tafel steht, sobald der Geisterbeschwörer die Tafel aus dem Zeitungspapier auspackt.

Franz – er ist Piccolo im Hotel zum »Doppelköpfigen Adler« – erzählte uns von einem Gespensterstreich, der ihm eine – wie er sagte – beinahe gespenstische Ohrfeige eingetragen hat. Franz nahm ein rohes Ei, stach vorsichtig an beiden Enden hinein und trank es aus. Dann steckte er einen Käfer, den er gefangen hatte, in diese leere Eierschale, verschloß die beiden Öffnungen bis auf zwei winzige Luftlöcher mit Wachs und brachte das Ei einer Gesellschaft, die zu irgendeiner Feier zusammengekommen war und zum Abendessen unter anderem gekochte Eier verlangt hatte. Sein präpariertes Ei legte Franz einfach neben den Teller mit den übrigen Eiern. Es sah wie eine kleine Achtlosigkeit aus und fiel niemandem auf. Bis sich das Ei auf einmal bewegte! Und zu rollen anfing! Jemand wollte schon mit der Hand danach greifen, da blieb es plötzlich liegen, um im nächsten Augenblick nach der anderen Seite zu rollen, ganz unregelmäßig und nach den verschiedensten Richtungen. Die Tischgäste wagten nicht mehr zu atmen.

In diesem Augenblick erschien der Ober mit den Salaten. Schleunigst griff Franz nach dem verhexten Ei, sagte zu den noch immer fassungslosen Leuten, er würde ihnen ein anderes bringen, und verschwand schnell im Garten, wo er dem Käfer wieder die Freiheit gab. Dann rannte er in die Küche zurück.

Der Ober schien nichts gemerkt zu haben, denn er kam in die Küche, ohne Franz Beachtung zu schenken. Aber plötzlich – der Piccolo wußte nicht, wie ihm geschah – klatschte es, und Franz hatte eine gesalzene Ohrfeige weg. »So«, sagte der Ober hinter ihm, »das ist dafür, daß du Gäste erschreckt hast! Und das hier« – der alte Ober hielt plötzlich eine große Portion Früchte mit Eis in der anderen Hand – »das hier ist für den gelungenen Streich!« Und er lachte und lachte noch lange.

Heinrich, der für seine tollen Einfälle in der ganzen Gruppe bekannt ist, spielte auf der letzten Fahrt in der Scheune, wo er mit den anderen übernachtete, außerhalb der Geisterstunde das »Phosphorgespenst«. Und wenn er es auch den anderen angekündigt hatte, so machte sein Knochentanz doch einen ungeheueren Eindruck. In der Runde wagte man kaum mehr zu atmen.

Heinrich hatte sich mit Leuchtfarbe ein Knochengerippe auf Karton gemalt und sich die einzelnen Teile dann umgebunden. Die Füße freilich hatte er etwas kürzer gehalten, damit der Eindruck entstand, der tanzende Knochenmann würde über dem Boden schweben.

Wenn er sich umdrehte, so war er in der Dunkelheit kaum zu erkennen und konnte leicht in eine andere Ecke der Tenne huschen, um dort seinen Tanz von neuem zu beginnen.

Einmal streifte er den Karton vom linken Arm ab, so daß es aussah, als würde seine rechte Knochenhand den linken Arm in der Luft schwenken. Und als er am Schluß das gleiche Experiment mit seinem Kopf – Entschuldigung, mit dem gemalten Pappdeckelkopf machte, schrie Benno vor Schreck laut auf.

Das Theater der Ratten und Mäuse

Um die ausgeschriebene Stelle hatten sich mehrere Frauen bei der Stadt-
verwaltung beworben, aber nur eine einzige hatte schließlich zugesagt.
Allen anderen schien die verlangte Arbeit nicht zu entsprechen.
Frau Weismüller – sie war grauhaarig und kam schon ein wenig gebückt
daher – schien die Absonderlichkeit, ein altes, verlassenes Theater zu be-
treuen, nichts auszumachen. Sie nahm den Bund mit der erstaunlichen
Menge großer und kleiner Schlüssel entgegen und unterschrieb den Vertrag.
Noch am gleichen Nachmittag wollte sie mit der Arbeit beginnen.

Am Abend wartete ihre Schwester, mit der zusammen sie eine kleine Wohnung gemietet hatte, umsonst mit dem Essen. Als es immer später wurde,
ohne daß die Erwartete heimkam, machte sich die Schwester selber auf
den Weg. Sie kam eben in dem Augenblick am alten Theater an, als die
neue Betreuerin das äußere Tor zusperrte. Sie tat es langsam und nachdenklich, wie jemand, der etwas erlebt hat und noch nicht mit sich darüber
ins reine gekommen ist.
Erst zu Hause begann sie zu erzählen ...

Die Dinge erzählen . . .

»Ich war ein vergifteter Dolch!«

Mein Geburtsjahr ist irgendeines im siebten Jahrhundert. Ich bin also schon sehr alt. Meine Heimat ist Indonesien, und mein Wert ist beträchtlich. Ich wurde einmal von einem Händler auf zwölftausend Mark geschätzt, aber mein Herr gab mich nicht einmal für den doppelten Betrag her. Er sagte, ich sei schon durch viele Generationen hindurch Familienbesitz und ich hätte die Aufgabe, böse Geister fernzuhalten.

Aber den Einbrecher, der da eines Nachts ins Zimmer einstieg, sich nur flüchtig umsah und mich dann aus der kleinen Glasvitrine nahm, konnte ich leider nicht verscheuchen. Und ich konnte auch nicht verhindern, daß er mich wegwarf auf der Flucht. Aber zuvor hatte ich ihn noch in die Hand geschnitten. Es war ein ganz kleiner Schnitt, nicht der Rede wert. Aber ich trug Gift an meinem Stahl, und es ist möglich, daß der Dieb an der kleinen, unscheinbaren Wunde starb.

Ein Junge hat mich gefunden. Ich mußte aufpassen, daß ich ihm nichts zuleide tat. Ich war in eine Regenpfütze gefallen, und der Schmutz hatte mich ganz unansehnlich gemacht. Deswegen erkannten sie auch auf dem Fundbüro, wo mich der Junge abgeliefert hatte, meinen Wert nicht. Und da mich mein rechtmäßiger Herr, dem ich gestohlen worden war, natürlich nicht auf dem Fundbüro vermutete, blieb ich viele Monate dort liegen, von niemandem beachtet.

Eines Tages wurde ich aber dann doch aus dem Regal geholt. Man versteigerte mich. Für zwölf Mark statt für zwölftausend nahm mich ein Herr mit, der noch viele andere Gegenstände billig erwarb: Kleider und Schuhe und Bücher. Er sagte, das könne er alles gut für sein Theater zu Hause gebrauchen.

Die Reise war lang. Ich kann mich noch gut entsinnen, daß es ein trüber Vormittag war, als ich in dieser Stadt hier ankam. Zusammen mit anderen Gegenständen, die aus Metall waren, wurde ich in eine große Schüssel geworfen. Einen halben Tag lagen wir im Wasser, und ich habe ein wenig von meiner früheren strahlenden Schönheit eingebüßt. Auch das Gift, das ich durch Jahrhunderte mit mir getragen hatte, verlor ich dabei. Jedoch nicht alles. Hier, an der einen Stelle, dicht unter dem Griff, findet sich noch eine Spur. Eine winzige Menge tödlichen Giftes. Niemand weiß es. Aber wenn einer nicht gut zu mir ist, werde ich ihn verletzen. Es wird ein ganz kleiner Schnitt sein, und er wird denken: Nicht der Rede wert!

Ich bin nur ein Stück Leinwand, ein abgerissener Fetzen aus der vorderen Seitenkulisse. Früher hatte ich mir manchmal gewünscht, mich schminken zu können, aber jetzt, wo ich alle Farben des Regenbogens trage, mehrfach übereinander, bin ich des Spiels ziemlich müde.
Es muß einen auch müde machen, wenn man sein ganzes Leben lang mit jedem Winter ein anderer werden muß . . .
Im ersten Jahr war ich ein Rosenstrauch. Ich hatte wildverschlungene Zweige mit Dornen aufgemalt bekommen, ich gebe es zu. Aber ich trug dafür auch einen ganzen Garten voll Rosen. Man spielte damals ein Märchen; es war so schön, daß viele Leute weinten. Aber am Schluß freuten sich alle.
Ein Jahr später spielte ich in einer Oper mit. Auch sie war nur am Anfang traurig, aber die Leute weinten noch mehr, zum Beispiel bei dem Chor der Gefangenen. Doch am Schluß wurden die alle frei! Nur der Bösewicht Pizarro nicht. Ich selber spielte in dieser Oper ein Stück Mauerwerk. Dicke Quadern im Gefängnisgewölbe! Wer mich ansah, den fror.
Und dann spielte ich einmal ein Stück Wald. Und später eine Wiese mit Blumen, eine finstere Schlucht, ein Fenster, einen morschen Steg . . . ach, ich kann mich gar nicht mehr an alle meine Rollen erinnern. Die letzte jedoch, ehe ich hierher geschafft wurde, bleibt mir unvergeßlich. Man sieht es ja noch, was ich da spielte: eine Blume! Aber nicht irgendeine, sondern eine, die so einen schwierigen, fremdländischen Namen hat und Fleisch frißt. Und nicht nur Tiere! Nur gut, daß rechtzeitig der Vorhang fiel und die Zuschauer im nächsten Akt nur aus den Worten der Spieler erfuhren, was ich angeblich angestellt hatte: Ich hatte nämlich den Begleiter des Pflanzenforschers verschlungen! Der war zwar ein unsympathischer Kerl, der nur die Freundschaft heuchelte und den Forscher in Wirklichkeit um Geld und Ruhm bringen wollte – aber ein so furchtbares Ende hatte er schließlich doch nicht verdient. Und ausgerechnet ich mußte es sein, die die gespenstische Blume spielte! Dabei hatte ich das erstemal doch ein Rosenstrauch sein dürfen in einem Märchen!

Untertassen und andere Überraschungen:

16 Ladies nahmen die Hände hoch

Noch hielten die braven Bürger den Atem an, weil sie beinahe jeden Abend über dem Himmel ihrer Stadt einen geheimnisvollen Flugkörper sahen, der nichts anderes sein konnte als eine Fliegende Untertasse; noch drehten sich die Stammtischgespräche um nichts anderes, da wurde die Polizei dringlich von einer anderen Stelle her alarmiert. Ein Streifenposten glaubte einer Diebesbande auf die Spur gekommen zu sein. Er hatte in einer abgelegenen Feldscheune vielerlei Stimmen und Geräusche wie Geschirrklappern gehört.

Zwei Funkstreifenwagen brausten ab. Die Beamten umstellten die Scheune, drei rissen das morsche Holztor auf und brüllten gleichzeitig: »Hände hoch!«

Mit schrillen Angstschreien fuhren da sechzehn Frauen von ihren Stühlen auf, nahmen die Hände hoch und harrten der schrecklichen Dinge, die nun kommen mußten. Aber es kamen nur gestammelte Entschuldigungen der Polizisten.

Die Frauen hier waren nämlich lediglich zum gemeinsamen Kaffeetrinken zusammengekommen, weil keine ihrer Wohnungen für so viele Gäste Platz bot (und wahrscheinlich auch, weil die Ehemänner einen so ausgedehnten Kaffeeklatsch nicht allzugern sahen).

Die unternehmungslustigen Frauen hatten die Scheune für ihre Zusammenkünfte vom Besitzer zur Verfügung gestellt bekommen und sich sogar eine fast drei Kilometer lange Lichtleitung legen lassen.

Daß sich aber die Polizei eines Tages mit ihnen befassen würde, hatten sie sich nicht im Traum gedacht!

Beim nächsten Kaffeeklatsch hatte man selbstverständlich Gesprächsstoff in Fülle. Als die Ladies aber nach acht Tagen wieder beisammensaßen, waren erneut die Fliegenden Untertassen an der Reihe. Die zuletzt ange-

kommene Dame hatte nämlich eine aufsehenerregende Neuigkeit aus der Stadt mitgebracht: Der gespenstische Flugkörper war lediglich von einem Ingenieur aus Draht, Stanniolpapier, einigen Blitzlichtern und einem Uhrwerk zusammengebastelt worden. Diese Untertasse hatte er an einem Ballon etwa zweihundert Meter hochgelassen und den Apparat dann mit einer Spielzeugrakete in den »Raum« geschossen. Durch das Uhrwerk angetrieben, kreiste die Untertasse – von Blitzlichtern grell beleuchtet – am Himmel über der Stadt. Nicht einmal die Frau des Ingenieurs hatte eine Ahnung vom Steckenpferd ihres Mannes. Und dabei hatte sie selber sich die ganze Zeit so schrecklich vor diesen gespenstischen Untertassen gefürchtet!

Geisterfurcht macht erst ängstlich!

Die Villa des Onkels

So hatte sich Jürgen den Einzug in die Villa nicht vorgestellt! Und sein Bruder Klaus maulte schon, man hätte doch die Ferien nicht dazu erfunden, daß einem die Nerven noch mehr zersägt würden als bei den dauernden Schulaufgaben! Aber alles Schimpfen und Seufzen half nichts; sie mußten die freiwillig übernommene Aufgabe zu Ende führen.

Diese Aufgabe bestand darin, die Villa eines entfernt verwandten Professors während dessen Urlaubswochen, die er wahrscheinlich wieder an einem anderen Ende der Welt verbringen wollte, zu bewachen. Seit seinem netten Einladungsbrief sprach man dann von nichts anderem mehr als von ihm, von seiner furchtbaren Gescheitheit und natürlich auch von seiner oft belächelten Zerstreutheit.

Diese Zerstreutheit war wohl auch schuld daran gewesen, daß er in seinem Brief nur von den Vorzügen der Villa geschrieben hatte, von der ruhigen Lage und dem großen Garten, den roten Geranien vor den Fenstern und den Apfelbäumen hinterm Haus. Von dem Geist jedoch, der in der Villa spukte, hatte er kein Wort verlauten lassen.

Es hatte ziemlich harmlos angefangen. Jürgen und Klaus waren spät am Abend angekommen. Mit dem übersandten Schlüssel hatten sie das Gartentor geöffnet und ihre Fahrräder unter das Vordach gestellt. Dann hatten sie die Haustüre aufsperren wollen – aber der bezeichnete Schlüssel paßte nicht. Sie waren um die Villa herumgelaufen und hatten nach einem anderen Eingang gesucht – aber sie konnten nur noch eine schmale Tür bei der Terrasse ausfindig machen. In deren Schloß konnte man jedoch von außen überhaupt keinen Schlüssel hineinstecken. Sie gingen also wieder zur vorderen Tür zurück und versuchten es noch einmal. Und siehe da! Diesmal sperrte der Schlüssel ohne Schwierigkeiten.

Jürgen hatte nur den Kopf geschüttelt, und Klaus hatte ihn von der Seite her angegrinst: Nicht einmal die Tür kann der Kerl mehr aufsperren!

Jürgen fühlte den Spott, aber er schluckte ihn wortlos hinunter. Die hundertsechzig Kilometer weite Fahrt hatte ihn wirklich ziemlich mitge-

nommen. Nicht einmal etwas zu essen wollte er noch. Nur schlafen. Nichts
als schlafen. Klaus erging es nicht besser.

Wenn sie nur das Schlafzimmer gefunden hätten! Der Onkel Professor
hatte zwar geschrieben, daß in seinem Schlafzimmer noch ein Sofa stünde;
Bettwäsche und Decken lägen ebenfalls für sie beide bereit. Ach, er hätte
lieber schreiben sollen, wo das Schlafzimmer lag! Die Bettwäsche hätten
sie dann schon sicher gefunden!

Jürgen und Klaus gingen zum zweitenmal alle Türen im ersten Stock ab:
Diese und die nächste Tür führten in die Bibliothek. Die andere ins Labo-
ratorium. Hier war ein Abstellraum, dort ein Bad, ein Blumenzimmer –
das Schlafzimmer des Onkels schien jedoch weggezaubert zu sein.

Jürgen schaute Klaus an, und Klaus schaute Jürgen an. Dabei kam ihnen
beiden offenbar der gleiche Gedanke. Sie stiegen in den zweiten Stock
hinauf. Und siehe da, hier führte gleich die erste Tür ins Schlafzimmer des
Onkels.

»Wer hat denn behauptet, daß es im ersten Stock liegen soll, he?« brummte
Klaus. »Du hast doch selber genauso verbissen gesucht wie ich!« wehrte
sich Jürgen. »Wir haben es uns eben eingebildet und gar nicht mehr an eine
andere Möglichkeit gedacht!«

Es ging ihnen an diesem Abend noch mehrmals so, daß sie etwas suchten
und nicht fanden; daß sie Geräusche zu hören glaubten, die sicher gar nicht
da waren; daß sie mitten im Wort plötzlich schwiegen und auf den Gang
hinausrannten, um dann zurückzukehren und so zu tun, als hätten sie sich
niemals eingebildet, daß da draußen jemand den Gang entlang kam.

»Es ist doch schwierig, eine fremde Villa zu bewachen«, seufzte Klaus, als
sie schließlich das Licht im Schlafzimmer löschten.

»Ja, vor allem, wenn man sich fürchtet!« spottete Jürgen.

»Wer fürchtet sich?« fuhr Klaus auf. – »Na, du! Wer denn sonst?« –
»Du!« – »Wieso ich? Du bist –« – »Du!« – »Nein, du!« – Kopfkissen
flogen, und schließlich flogen auch die beiden, die sie geworfen hatten, in
der Dunkelheit aufeinander zu. Es gab eine richtige Rauferei.

Aber als sie schließlich voneinander abließen und noch einmal das Licht
anknipsten und sich unter die Brause stellten, lachten sie wieder.

»Alles in Ordnung?« fragte Klaus.

»Alles in Ordnung!« wiederholte Jürgen. »Ganz bestimmt auch in der
Villa! Wenn es hier nämlich Spukgeister geben würde, hätten wir sie jetzt
bestimmt aufgeweckt. Laut genug waren wir ja!« Und furchtlos schliefen
sie ein.

Ein Jahrmarkt-Erlebnis:

Der Kopf auf dem Teller

Benno ging durch den Jahrmarkt. Eine Bude fand er in der Mitte, die war das letztemal bestimmt nicht dagewesen. »Der Geist auf der Bühne« verkündete ein grellrotes Plakat. Und auf die Leinwand neben dem Eingang war ein Kopf gemalt, der über einem Tisch schwebte. Daneben sah man einen Ritter, den ein anderer mit dem Schwert glatt durchschlägt – aber dem Ritter scheint das gar nichts auszumachen. Er ist eben auch ein »Geist«.

Das gruselige Abenteuer lockte Benno so sehr, daß er seine letzten fünfzig Pfennig opferte.

Der Geisterkopf, den er drinnen zu sehen bekam, schwebte zwar nicht über dem Tisch, aber – wie gruselig! – er lag (oder müßte man besser sagen: stand?) auf einem Teller auf der Tischplatte.

Benno bekam eine Gänsehaut. Freilich redete er sich ein, daß das irgendein Trick sein müsse, aber erklären konnte er es sich nicht.

Dabei war die Sache gar nicht so schwer. Auf der Bühne stand ein Tisch, von dessen rechtem vorderem Bein ein großer Spiegel zum linken hinteren Tischbein reichte. In ihm spiegelten sich das linke Vorderbein mit der ganzen linken Vorderhälfte des Tisches und erschien den Zuschauern als rechte hintere Hälfte des Tisches. Man glaubte also, den ganzen Tisch zu sehen, und sah doch nur zweimal die nämliche Hälfte.

Hinter dem Spiegel kniete ein Mann, der seinen Kopf durch ein Loch in der Tischplatte steckte. Der Teller bestand in Wirklichkeit nur aus einem biegsamen Rand und war dem Mann geschickt um den Hals herumgelegt, so daß man nicht einmal die Ränder des Loches in der Tischplatte entdekken konnte. Die Täuschung war vollkommen.

Benno kam freilich noch lange nicht hinter dieses Geheimnis. Er hatte auch gar nicht viel Zeit, darüber nachzudenken, denn eben traten die beiden Ritter auf. Der eine zog sein Schwert und schlug einmal, zweimal, dreimal durch den anderen hindurch. Aber der lachte ihn nur höhnisch aus. Natürlich handelte es sich auch hier wieder um einen Spiegeltrick; er sieht folgendermaßen aus: Der gespenstische Ritter steht diesmal vor einer schräggestellten Glasplatte und wird von Scheinwerfern angestrahlt.

Eine Wand schirmt ihn zum Zuschauerraum hin ab. Weil nun die Bühne nach hinten hin schwarz verhangen ist, können die Zuschauer auf der Bühne – hinter der Glasscheibe – nur das Spiegelbild des Geistes sehen. Und weil der Geist auf der Bühne aufrecht erscheinen soll, muß er in Wirklichkeit eine geneigte Stellung einnehmen.

Der zweite Ritter, der mit dem Schwert, tritt nun auf die Bühne, und zwar hinter der großen Glasscheibe. Er sieht das Spiegelbild des Geistes natürlich nicht. Deshalb muß es vorher gut eingeübt worden sein, wohin er mit seinem Schwert zu schlagen hat. Vom Zuschauerraum aus sieht man nun beide Bilder, das Spiegelbild des Geistes und das wirkliche des Ritters mit dem Schwert. Und wenn die einstudierten Bewegungen beider gut zusammenharmonieren, ist auch diesmal die Täuschung vollkommen.

Benno jedenfalls verließ das Zelt mit klopfendem Herzen und ziemlich weichen Knien.

In Philadelphia ...

... gibt es ein Gespenstermuseum. Es ist von der »Liga zur Bekämpfung des Aberglaubens« eingerichtet worden und soll sich als sehr nützlich erweisen. – Vielleicht lernst du eines Tages auch einmal jemanden kennen, den man dorthin schicken müßte. Hoffentlich nur nicht dich selber!

Wenn dein kleiner Bruder frech wird:

Als ich noch ein Burggeist war . . .

Der naseweise Günther war in letzter Zeit ein paarmal richtig frech gewesen zu dem alten Mann, der in dem kleinen Gartenhaus auf dem Nachbargrundstück wohnte! Der war wirklich schon sehr alt; er ging am Stock und hatte viele Falten im Gesicht. Günther sah nicht die freundlichen, friedlichen Augen, sondern nur das unrasierte Kinn, und lachte: »Genauso sieht der Burggeist in meinem Bilderbuch aus!«

Bis jetzt hatte der alte Nachbar zu den unschönen Redensarten von Günther immer geschwiegen, aber diesmal meinte er, dem Knirps doch eine kleine Lehre geben zu müssen. »Du weißt ja nicht«, begann er das Gespräch, »vielleicht bin ich einmal ein Burggeist gewesen?«

Günther sperrte den Mund auf und brachte ihn eine Weile nicht mehr zu. »Sie – ein Burggeist?« stammelte er schließlich. »Das ist nicht wahr!«

»Ich binde braven Kindern doch keinen Bären auf!« sagte der alte Mann und erzählte ausführlich, wie er vor seiner Pensionierung als Burggespenst zum Spuken auf der Burg Zitterstein eingeteilt gewesen sei; wie er dort bei Vollmond von einem Turm zum anderen hätte schweben müssen; wie schwer die Kette gewesen sei, die er jede Mitternacht vom Turm in den Hof hinuntergeworfen und dann wieder polternd alle Stufen bis in den Speicher hinaufgeschleppt habe; wie er es angestellt habe, daß die Leute, vor allem die Fremden, die die Burg besuchten, richtig erschraken . . . Das und vieles andere erzählte der Alte.

Und noch einmal wagte Günther zu fragen, ob denn das auch alles wirklich wahr sei. Und noch einmal wiederholte der alte Mann schmunzelnd, was er am Anfang gesagt hatte: »Ich binde braven Kindern doch keinen Bären auf!« – »Übrigens«, fuhr er fort, »es ging nicht immer so harmlos zu bei uns! Einmal scheuchten wir eine ganze Reisegesellschaft, die sich über uns lustig gemacht hatte, in den Keller und sperrten die Tür zu. Und einem

Jungen, der frech zu mir war, dem habe ich einfach meinen Kopf vor die Füße gerollt. Wie er geschrien hat und zu seiner Mutter gelaufen ist – soll ich es dir einmal vormachen?«

»Nein, nein!« rief Günther. »Lieber nicht! Und ich muß übrigens jetzt auch heimgehen. Papa wird gleich kommen!« Und schon wollte er davonspringen. Aber der Alte faßte ihn fest bei der Hand und sagte, diesmal ganz ernst: »Und vergiß nicht, daß ich zu dir gesagt habe, daß ich braven Kindern keinen Bären aufbinden würde!«

Da verstand Günther plötzlich. Und er schlich an diesem Abend ziemlich beschämt nach Hause.

Eva weiß was . . .

Die Geschichte, die in unserem Dorf erzählt wird, ist eigentlich gar keine richtige Spukgeschichte. Erst kürzlich habe ich nämlich etwas Ähnliches in der Zeitung gelesen. Da war ein junger Bauer, der am Hang pflügen wollte. Aber nach wenigen Metern schon blieben die Pferde stehen und waren durch nichts zu bewegen, weiterzugehen. Schließlich ging der Bauer nach vorne, um die Tiere zu führen – aber da erschrak er so sehr, daß er eine Zeitlang unfähig war, sich von der Stelle zu rühren. Vor ihm gähnte ein Loch in der Erde: Die Seitenlängen entsprachen etwa den Ausmaßen eines kleinen Hauses – die Tiefe aber war nicht abzumessen. Als er später einen Stein hinunterwarf, dauerte es geraume Zeit, bis man den Aufprall vernahm. Es hörte sich an, als sei der Stein in ein seichtes Gewässer gefallen. Ein paar Tage später war das Loch von den nachbröckelnden Gesteins- und Erdmassen fast wieder zugeschüttet. Nur eine kleine Mulde zeigte noch an, wo sich der Boden so gespenstisch aufgetan hatte. Die Leute brachten die seltsamsten Dinge mit diesem Naturereignis in Verbindung. Bei dem ähnlich lautenden Zeitungsbericht stand am Schluß als Erklärung, es würde sich um ein Doline handeln, also um den Einbruch eines unterirdischen Hohlraumes.

Spuk im 20. Jahrhundert:

Der Unsichtbare

Es fing ganz harmlos an. An einem frühen Vormittag im Mai betrat ein gutgekleideter Herr das Kaffee am Markt, suchte sich einen Tisch am Fenster, griff im Vorübergehen nach einer Zeitung am Kleiderhaken, nahm nach einem kurzen Blick in die Runde Platz und fing an zu lesen.

Nachdem er so eine Weile dagesessen hatte, schaute er über den Zeitungsrand nach dem Ober aus. Der bediente gerade einen Herrn am anderen Ende des Raumes und schien den neuangekommenen Gast überhaupt nicht gesehen zu haben. Und so war es nicht verwunderlich, daß sich dieser wieder in seine Zeitung vertiefte.

Aber doch nur für wenige Minuten! Dann rollte er umständlich die Zeitung zusammen und legte sie neben sich auf einen Stuhl. Er sah dabei zum Ober hin, der im Augenblick einer Dame das Frühstück servierte. Der Ober schien den Blick im Nacken nicht zu spüren. Und er kümmerte sich auch dann noch nicht um den Gast am Fenstertisch, als alle anderen Anwesenden längst bedient waren.

Nun versuchte es der so schnöde übersehene Besucher mit Räuspern, dann mit leichtem Fingertrommeln auf die Glasplatte des Tisches, schließlich mit rhythmischen Klopfzeichen des Aschenbechers gegen die Blumenvase – der dienstbare Geist reagierte nicht. Es war, als sähe er den Gast am Fenstertisch nicht. Ja, es war gerade so, als sei dieser unsichtbar.

Ich selber hatte einen Platz in der Nähe der Türe, gerade neben dem in die Wand eingebauten Aquarium. Es war mein Lieblingsplatz sozusagen, denn ich besuchte damals das Kaffee am Markt fast täglich. Mein Büro lag nämlich ganz in der Nähe.

An jenem Morgen, von dem ich hier erzähle, hatte ich meinen Tee – ich trinke früh meist Tee mit Zitrone – ich hatte ihn also schon getrunken, blieb aber doch noch sitzen, weil ich gerne von meinem Platz aus die Leute ein wenig studiere. Das ist so ein Sport von mir! Diesmal wollte ich gerne wissen, wie es der übersehene Gast anstellen würde, doch noch zu einem

Frühstück zu kommen. Oder würde er gar aufstehen und das Lokal mit stillem Protest verlassen?

Nein, er machte keine Anstalten dazu. Also würde er jetzt gleich nach dem Ober rufen! Oder vielleicht laut schimpfen?

Ich hatte richtig geraten – oder doch nicht? Es begann nämlich plötzlich jemand zu schimpfen. »Zum Kuckuck, Hermann! Wie lange sollen wir denn noch warten?« hörte ich eine Stimme. Aber gleichzeitig sah ich auch, wie der unbediente Gast sich nach rechts wendete und beruhigend auf jemanden einsprach. »Hab noch ein wenig Geduld, Benno!« glaubte ich zu verstehen. Und dann noch etwas, das so ähnlich klang wie: »Wir kommen sicher gleich dran! Es kann nicht mehr lange dauern!« Dann war es am Tisch des seltsamen Gastes wieder still.

Gleichzeitig mit mir waren jedoch auch ein paar andere Gäste in der Nähe auf das geheimnisvolle Zwiegespräch aufmerksam geworden, und ich sah, als ich jetzt verstohlen in die Runde blickte, ziemlich verdutzte Gesichter. Also hatten auch die anderen den zweiten Sprecher nicht wahrgenommen und wußten nun ebensowenig wie ich, was sie von diesem unsichtbaren Gesprächspartner halten sollten.

Lediglich der Ober schien immer noch nichts gemerkt zu haben.

Ich war deshalb keineswegs überrascht, als sich die Szene wenige Minuten später wiederholte. Ein wenig lauter als vorhin!

»Ich warte jetzt aber nicht mehr lange!« rief der Unsichtbare auf dem rechten Stuhl. »Dann werfe ich dem Ober diesen Blumenstrauß ins Gesicht! Aber mitsamt der Vase!«

»Bitte, Benno«, neigte sich da der Gast, den ich von Anfang an beobachtet hatte, zu seinem unsichtbaren Begleiter, »reg dich nicht auf! Das schadet nur deiner Gesundheit! Und du weißt doch, was der Doktor erst gestern wieder gesagt hat!«

»Aber wenn's doch wahr ist!« brummte der Unsichtbare und murmelte dann noch ein paar Sekunden leise vor sich hin.

Diesmal war auch der Ober aufmerksam geworden. Er kam herangeeilt. »Oh, der Herr haben ja noch gar kein Frühstück!« sagte er.

»Nein, der Herr haben noch kein Frühstück«, äffte der Unsichtbare am Tisch ihn nach.

»Aber Benno!« wies ihn der Gast zurecht. »So etwas sagt man doch nicht!«

»Wenn's aber doch wahr ist!« verteidigte sich der Unsichtbare wiederum.

»Entschuldigen Sie, Herr Ober«, sagte da der Gast, den der Unsichtbare vorhin mit Hermann angeredet hatte, »mein Freund wartet schon seit einer

Viertelstunde und ist ein wenig ungeduldig geworden. Er hat einen empfindlichen Magen, Sie verstehen . . .«

Der Ober verstand durchaus nicht. »Ihr Herr Freund?« stammelte er und sah in die Runde. Ich merkte, wie er sogar unter den Tisch schielte; aber wenn sich da jemand versteckt gehalten hätte, würde ich ihn von meinem Platz aus gesehen haben. Nein, das war keine Erklärung.

Der Ober hob ein wenig verlegen die Schultern. »Und was wünschen der Herr?« fragte er schließlich.

»Ich hätte gerne eine Portion Tee«, sagte der Gast, »und mein Freund hier –« Er beugte sich leicht nach rechts und fragte leise: »Was möchtest du denn haben, Benno?«

»Ein Kännchen Kaffee, Hermann!« sagte der Unsichtbare. Seine etwas dunkle Stimme war so deutlich zu hören, daß der Ober unwillkürlich einen Schritt zurücktrat. Hier stimmte etwas nicht! Aber was?

Mittlerweile starrten fast alle Kaffeehausbesucher zu den seltsamen Gästen am Fenstertisch hin, und als der Ober dessen jetzt gewahr wurde, verbeugte er sich schnell. »Sehr wohl«, flüsterte er, und seine Stimme klang ein wenig brüchig. »Eine Portion Tee und eine Portion Kaffee. Wünschen die Herren auch Gebäck?«

»Das suchen wir uns schon selber aus, nicht wahr Hermann?« sprach der Unsichtbare. Und Hermann bestätigte. »Ja, gehen wir zur Theke!« Er stand auf und ließ seinem unsichtbaren Freund sogar den Vortritt.

Die Leute an den anderen Tischen schüttelten die Köpfe.

Ich hätte so gerne verfolgt, wie die Geschichte weiterging. Aber es war höchste Zeit für mich, ins Büro zurückzugehen. Ich beschloß jedoch, am nächsten Tag den Ober zu fragen . . .

Der Ober wurde rot bis hinter die Ohren, als ich auf den Fall zurückkam. Schließlich erzählte er mir leise: »Ich wußte wirklich nicht, was ich von der Geschichte halten sollte. Beim Zahlen am Schluß stritten sich nämlich die beiden ziemlich heftig, weil angeblich jeder für den anderen mitzahlen wollte. Sogar unser Geschäftsführer, der im Hintergrund stand, hörte alles Wort für Wort mit. Aber wir hatten doch keinen Grund, die Polizei zu rufen! So blieb uns nur die Möglichkeit, zu tun, als ob alles in Ordnung wäre. Aber so geschwitzt wie in dieser Stunde hatte ich, glaub' ich, noch nie in meinem Leben! Und eine solche Wut, wie eine Stunde später, hatte ich, glaub' ich, auch noch nie gehabt. Wut auf mich selber! Da erfuhr ich nämlich von einem anderen Besucher, daß unser unheimlicher Gast, der mich so hereingelegt hatte, ein berühmter Bauchredner gewesen war!«

Weil er Spukgeschichten schrieb ...

Die Rache der Gespenster

Der Schriftsteller saß über seiner Schreibmaschine und schrieb Gespenstergeschichten. Er hatte die Tischlampe zu sich herangezogen, so daß sie nur die Tasten beleuchtete und die Manuskriptblätter, die links vor ihm lagen. Acht Seiten waren bereits vollgeschrieben, das neunte Blatt steckte in der Maschine.

»Noch dieses!« murmelte der Schriftsteller und tippte weiter. Er vergaß alles andere ringsum; er vergaß sogar, auf die Uhr zu sehen. Und als die Wanduhr leise und fast ein wenig kläglich zwölfmal schlug, gab er auch darauf gar nicht acht.

Aber dann schrak er zusammen. Er hatte plötzlich das Gefühl, daß jemand hinter ihm stehen würde. Er wollte sich umdrehen, aber das war gar nicht mehr nötig: Links und rechts von ihm schoben sich die Gespenster jetzt nur so vorbei! Schauerliche Spukgestalten waren es, von denen eine schon genügt hätte, daß man auf und davon lief. Aber dazu war es nun zu spät. Die unheimlichen Besucher griffen plötzlich wie auf ein geheimes Kommando nach dem Manuskript, wobei die Arme der fernstehenden Geister vorübergehend bis zu zwei Meter lang wurden. Jeder Spukgeist nahm ein Blatt an sich – es ging genau auf: so viele Blätter, so viele Gespenster!

Die werden mir doch nicht zu lesen anfangen! dachte der Schriftsteller bekümmert. Aber sie taten es bereits. Es gab ein unheimliches Murmeln und Seufzen und Stöhnen. Zwischendurch aber übertönte ein Gespenst das andere, wenn es einen Satz ganz besonders fluchwürdig fand. Da las zum Beispiel der Geist mit dem riesigen Mauskopf vor: »Das Gespenst zeigte ein Gesicht, daß man beim Anschauen Zahnweh bekam!« Der Mauskopf starrte den Schriftsteller an. »Zahnweh ist gut!« lachte er dann höhnisch, und der Mann an der Schreibmaschine vermeinte, plötzlich würden ihm alle Zähne wehtun.

Aber schon drängte sich der »Graf mit dem Strick um den Hals« nach vorn. Er las: »Das Gespenst schien Plattfüße zu haben, so unbeholfen humpelte es einher.« Der »Graf« zauberte sich ein Monokel ins große Auge und schielte den Schriftsteller eine Weile hämisch grinsend an. Dann meinte er kichernd: »Plattfüße sind gut!« Und der Mann an der Schreibmaschine hatte augenblicklich das Gefühl, daß mit seinen Füßen etwas nicht mehr in Ordnung war.

Der Spukgeist, der oben wie ein abgebrochener Besen aussah, schrie auf einmal schrill: »Besenfrisur ist gut!« Und der Schriftsteller, der sich über die Haare fahren wollte, stellte fest, daß sie wie verzaubert fest zu Berge standen.

»Das Gespenst kullerte einher, als wenn es eine große Regentonne wäre!« las jetzt eine andere Spukgestalt vor, die einen dunklen Kapuzenumhang trug. »Regentonne!« wiederholte sie und klatschte in die Hände vor Wonne. »Regentonne ist gut!« Und der Mann an der Schreibmaschine fühlte gleichzeitig, wie er schwerer wurde. Er nahm zusehends zu! Jetzt wog er bestimmt schon zweieinhalb Zentner, und noch immer hörte er nicht auf, dicker zu werden. »Erbarmen!« wollte er rufen, da fing ein anderes Gespenst laut zu lesen an, und er hörte mit dem Dickerwerden auf.

Diesmal kam die Stimme von unten. Es war ein uraltes, verhutzeltes Gespenst; in weinerlichem Ton las es vor: »Das Gespenst hatte einen Buckel wie eine Katze, wenn sie vor dem Mauseloch steht.« Das uralte Gespenst sah den Schriftsteller vorwurfsvoll an. »Ich habe dich ja gar nicht damit gemeint!« wollte sich der entschuldigen, aber da fing das uralte Gespenst schon zu lachen an, kreischend und wie irr. »Buckel ist gut! Ist sogar sehr gut!« lachte es. Der Mann an der Schreibmaschine griff erschrocken nach hinten und – fühlte einen mächtigen Buckel, so daß er sich gar nicht mehr bequem in seinen Stuhl setzen konnte.

»Das geht ja noch alles« suchte sich der Schriftsteller selber zu beruhigen. »Wenn sie nur nicht die Stelle finden mit dem Kopflosen-Emil!« Aber da hob der Ritter, der links vom Schreibtisch stand, schon mit Grabesstimme an zu lesen. »Das Gespenst«, betonte er, »nahm seinen Kopf einfach in die Hand. – Hahaha! Einfach in die Hand. Das ist gut!« Und der Ritter griff sich selber in die Backe und hob seinen Kopf vom Hals herunter. Der Kopf aber sah den Schriftsteller zornig an. »Wenn nur nicht auch noch das an mir in Erfüllung geht! Alles, nur das nicht!« jammerte der Mann an der Schreibmaschine, von Verzweiflung gepeinigt, und – wachte auf. Vor ihm stand die Schreibmaschine, lagen die Manuskriptblätter in alter Ordnung. Und im Zimmer befand sich niemand außer ihm. Er war nur ein wenig eingenickt vor Übermüdung und hatte dann schlecht geträumt.

Er war ein Opfer seiner eigenen Gespenstergeschichten geworden!

Arena-Großbände in repräsentativer Ausstattung

Georg Popp
Die Mächtigen des 20. Jahrhunderts
»... erfordert eine hochqualifizierte Form eingängiger Schilderung,
gekoppelt mit einem lexikalischen Anhang, der die wichtigsten Lebens-
daten enthält. Entsprechend gingen die vierzehn Autoren zu Werk.«
Die Welt am Sonntag
424 Seiten, 16 Kunstdrucktafeln, Großformat

Heinrich Pleticha / Hermann Schreiber
Zwischen Ruhm und Untergang
»Illusionisten, Genies, Scharlatane: eine Porträtgalerie aus vier Jahr-
tausenden... Die Autoren stützen sich auf historisch erweisbare
Tatsachen.« Die Welt der Literatur
432 Seiten, 16 Kunstdrucktafeln, Karten, Großformat

Georg Popp
Die Großen des 20. Jahrhunderts
»Unter Mitarbeit von fünfzehn Autoren ist ein Lese- und Nachschlage-
werk entstanden, das unterhaltsam Wissen vermittelt, weil es nicht nur
Werk und Wirkung der großen Naturwissenschaftler, Philosophen und
Künstler darstellt, sondern sie auch in ihrer Menschlichkeit zeigt.«
Die Welt am Sonntag
424 Seiten, 16 Kunstdrucktafeln, Großformat

Hermann Schreiber
Vom Experiment zum Erfolg
»Hier sind an die vierzig Lebensläufe in sechs Gruppen geschildert.
Ein spannendes Sachbuch, das dem Fachmann den Blick über sein
Spezialgebiet hinaus weitet und dem Laien Fachmännisches vorführt,
ohne ihn zu überfordern. Auch der Jugend darf man es in die Hand
wünschen.« Frankfurter Rundschau
408 Seiten, 16 Kunstdrucktafeln, Großformat